ブルーガイド
てくてく歩き

大きな文字で読みやすい

奈良 ゆとりの旅

目次

●各種料金については、原則として税・サービス料などを含む大人の料金を載せています。

●店などの休みについては、原則として定休日を載せ、年末年始、お盆休みなどは省略してあります。

●旅館の宿泊料金は、原則として大人2名1室利用での1名の最低料金、ホテルは1名あたりの室料を掲載しています。休前日、特定日等によって料金が異なる場合がありますので、必ず確認してください。

●各種データは、2022年2月現在のものを記載しています。

●飲食店のデータ欄にある「LO」はラストオーダーの略です。

本書のご利用にあたって

新型コロナウイルス（COVID-19）感染症への対応のため、本書の調査・刊行後に、予告なく各宿泊施設・店舗・観光スポット・交通機関等の営業形態や対応が大きく変わる可能性があります。必ず事前にご確認の上、ご利用くださいますようお願いいたします。

目的地さくいん地図

山の辺の道

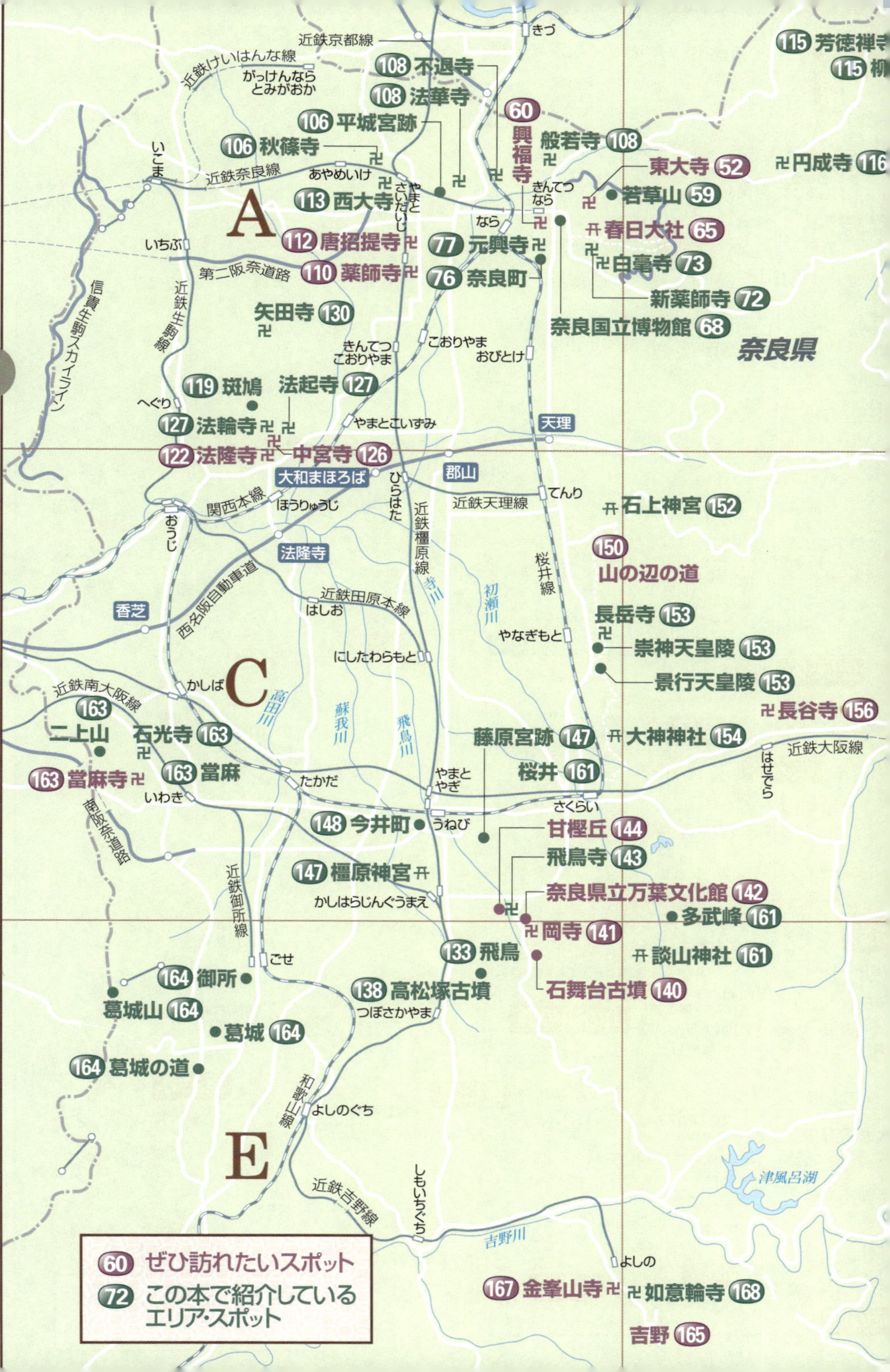
近鉄京都線
きづ
115 芳徳禅寺
115 柳
近鉄けいはんな線
がっけんなら
とみがおか
108 不退寺
108 法華寺
60 興福寺
106 平城宮跡
106 秋篠寺
般若寺 108
円成寺 116
いこま
近鉄奈良線
あやめいけ
東大寺 52
若草山 59
きんてつ
なら
やまと
さいだいじ
113 西大寺
A
なら
春日大社 65
いちぶ
112 唐招提寺
77 元興寺
白毫寺 73
第二阪奈道路
110 薬師寺
76 奈良町
新薬師寺 72
矢田寺 130
奈良国立博物館 68
近鉄生駒線
信貴生駒スカイライン
きんてつ
こおりやま
こおりやま
おびとけ
奈良県
119 斑鳩
法起寺 127
へぐり
127 法輪寺
やまとこいずみ
天理
122 法隆寺
中宮寺 126
大和まほろば
郡山
ひらはた
てんり
関西本線
ほうりゅうじ
近鉄天理線
石上神宮 152
おうじ
近鉄橿原線
法隆寺
150
山の辺の道
西名阪自動車道
寺川
初瀬川
桜井線
香芝
近鉄田原本線
はしお
長岳寺 153
やなぎもと
崇神天皇陵 153
にしたわらもと
景行天皇陵 153
かしば
C
高田川
蘇我川
飛鳥川
近鉄南大阪線
163
長谷寺 156
二上山
石光寺 163
藤原宮跡 147
大神神社 154
近鉄大阪線
163 當麻
桜井 161
はせでら
163 當麻寺
たかだ
やまと
やぎ
いわき
さくらい
南阪奈道路
148 今井町
うねび
甘樫丘 144
飛鳥寺 143
近鉄御所線
147 橿原神宮
かしはらじんぐうまえ
奈良県立万葉文化館 142
多武峰 161
岡寺 141
ごせ
133 飛鳥
談山神社 161
164 御所
138 高松塚古墳
石舞台古墳 140
葛城山 164
つぼさかやま
葛城 164
164 葛城の道
和歌山線
よしのぐち
E
しもいちぐち
津風呂湖
近鉄吉野線
吉野川
よしの
167 金峯山寺
如意輪寺 168
吉野 165
60 ぜひ訪れたいスポット
72 この本で紹介しているエリア・スポット

奈良・京都・大阪
1:300,000
0
10km
京都駅
京都市
東福寺
京都東IC
伏見稲荷
随心院
醍醐寺
伏見桃山城
ももやま
日野薬師
音羽山
593
いしやま
せた
石山寺
石山IC
瀬田東IC
瀬田西IC
大津市
岩間寺
草津JCT
草津田上IC
草津PA
栗東市
長寿寺
こんぜの里りっとう
森遊館
693
阿星山
金勝寺
みくも
湖南市
飯道山
664
信楽IC
新名神高速道路
太神山
600
紫香楽宮跡
甲南IC
信楽高原鐵道
D
陶芸の森
甲賀市
しがらき
京滋バイパス
南郷IC
笠取IC
宇治西IC
万福寺
ちゅうしょじま
巨椋IC
宇治東IC
宇治
C
宇治市
平等院
禅定寺
第二京阪道路
京都競馬場
城陽IC
じょうよう
城陽市
宇治田原町
誓光寺
笹ケ岳
739
滋賀県
鷲峰山
682
田辺北IC
京田辺市
きょうたなべ
近鉄京都線
田辺西IC
京奈和自動車道
井手町
京都府
三ケ岳
618
和束町
いがうえの
伊賀市
上野城跡
南山城村
お茶の京都 みなみやましろ村
しまがはら
うえのし
木津川
奈良線
精華下狛IC
精華町
笠置町
関西本線
かも
かさぎ
笠置山
288
三重県
上野IC
大内IC
高山竹林園
精華学研IC
山田川IC
きづ
木津川市
木津IC
8-9
柳生
P.115
名張川
梅の郷 月ヶ瀬温泉
白樫IC
治田IC
H
佐保・佐紀路
岩船寺
浄瑠璃寺
G
秋篠寺
東大寺
若草山
342
奈良
やまとさいだいじ
平城宮跡
なら
春日大社
五月橋IC
山添村
山添IC
西ノ京
興福寺
薬師寺
大和青垣国定公園
神野山自然公園
大和郡山
こおりやま
帯解寺
名阪国道
神野口IC
八柱神社（題目立）
小倉IC
なばり
名張
法輪寺
法隆寺
西名阪自動車道
和爾下神社
五ケ谷IC
一本松IC
天理IC
天理東IC
福住IC
都祁
針IC
針テラス
青蓮寺ダム
青蓮寺湖
斑鳩
大和まほろばSIC
郡山IC
天理PA
てんり
石上神宮
なら歴史芸術文化村
あかめぐち
近鉄大阪線
法隆寺IC
川西町
三宅町
天理市
レスティ唐古・鍵
山の辺の道
磨崖仏
宇陀路室生
P.160 大野寺
むろうぐちおおの
香落渓
田原本線
田原本町
やなぎもと
長岳寺
龍王山
586
奈良県
赤目四十八滝
桜井線
近鉄橿原線
室生湖
花の郷 滝谷花しょうぶ園
P.160
室生寺
P.158
室生龍穴神社
P.160
広陵町
三輪山
467
長谷寺
はいばら
大神神社
大和高田市
桜井市
みわ
やまとやぎ
166
はせでら
榛原
宇陀市
三郎岳
879
住塚山
1009
曽爾村
奥香落渓
橿原市
耳成山
さくらい
うねび
安倍文殊院
畝傍山
天香久山
大宇陀
宇陀
森野旧薬園
369
葛城市
橿原神宮
かしはらじんぐうまえ
音羽山
851
岡寺
石舞台古墳
談山神社
宇陀路大宇陀
梅坂峠
御杖村
東吉野村
N
ごせ
あすか
飛鳥
多武峰
高取町
大蔵寺
つぼさかやま
明日香村
竜門岳
904
壺阪寺
成の道
1
422
307
24
163
25
369
165
169
370

景福寺
能勢町
兵庫県
亀岡市
京都縦貫自動車道
明神ケ岳 524
西芳寺(苔寺)
沓掛IC
大原野
勝持寺
向日
善峰寺
ポンポン山 679
光明寺
長岡京
長岡天満宮
長岡京IC
大山崎
能勢(くりの里)
三田市
羽束川
猪名川
普光寺
いながわ
妙見山 660
能勢妙見山
豊能町
にっせい ちゅうおう
一庫ダム
みょうけんぐち
竜王山 510
A
B
猪名川町
やました
大阪府
やまざき
島本町
新名神高速道路
箕面とどろみIC
川西IC
茨木千提寺IC
高槻IC
宝塚北SIC
能勢電鉄
箕面グリーンロード
勝尾寺
東海道新幹線
福知山線
たけだお
大宝塚CC
ただ
川西市
箕面ノ滝
明治の森箕面国定公園
名神高速道路
たかつき
武田尾温泉
武庫川
阪急宝塚線
池田市
はいしばだいまえ
いしばし
みのお
箕面市
茨木IC
高槻市
宝塚市
中山寺
きたせんり
吹田IC
茨木市
いばらきし
ひらかたし
枚方市
中国自動車道
清荒神
いけだ
万国博記念公園
いばらき
芦有ドライブウェイ
蓬莱峡
なかやまでら
大阪モノレール
枚方パーク
宝塚IC
中国池田IC
中国吹田IC
淀川
阪急今津線
池田IC
中国豊中IC
摂津市
交野市
大阪国際空港
とよなか
吹田SA
摂津北IC
甲山 309
伊丹市
福知山線
豊中市
寝屋川市
近畿自動車道
山陽新幹線
すいた
西宮市
武庫川
吹田市
摂津南IC
ねやがわし
尼崎IC
豊中IC
門真市
阪急神戸線
にしのみや
しんおおさか
守口市
四條畷
あしや
東淀川区
もりぐちし
四條畷
いまづ
あまがさき
旭区
門真IC
しじょうなわ
西宮IC
E
尼崎市
おおさかうめだ
都島区
せんばやし
F
慈眼寺
芦屋市
だいもつ
北区
鶴見緑地
片町線
大東市
阪神電鉄
西淀川区
おおさか
大東鶴見IC
いしきり
福島区
きょうばし
東大阪北IC
マリンパーク
ユニバーサルシティ
しぎの
大阪城
東大阪PA
東大阪JCT
宝山寺
生駒山
ユニバーサル・スタジオ・ジャパン
西区
中央区
東成区
東大阪市
JRなんば
おおさかなんば
さくらじま
なんば
つるはし
近鉄奈良線
信貴生駒スカイライン
天保山マーケットプレース
港区
生野区
東大阪南IC
大阪市
海遊館
てんのうじ
ATC
大正区
西成区
八尾市
大阪南港野鳥園
なかふとう
阿倍野区
八尾IC
平
大和路
信貴
住之江区
かわちやまもと
平野区
大阪南港海水遊泳場
やお
朝護孫子寺
ながい
長居公園
フェリーさんふらわあ
すみのえこうえん
長原IC
ブルーハイウェイライン他
松原市
松原JCT
かしわら
さかい
妙国寺
松原IC
藤井寺市
柏原市
堺市
藤井寺IC
さかいし
近鉄南大阪線
道明寺
香芝SA
仁徳天皇陵
ふじいでら
阪九フェリー
ふるいち
柏原IC
美原北IC
羽曳野市
南阪奈道路
はまでらこうえん
南海高野線
高石市
美原南IC
羽曳野IC
近鉄長野線
大阪湾
しらとりの郷 羽曳野
たかいし
おおとり
I
J
太子町
泉大津市
堺JCT
さやま
堺IC
とんだばやし
近つ飛鳥の里太子
いずみおおつ
阪和線
堺泉北有料道路
大阪狭山市
富田林市
河南町
忠岡町
いずみふちゅう
和泉市
泉北高速鉄道
滝谷不動
きしわだ
阪和自動車道
かなん
ワールド牧場
いずみちゅうおう
岸和田市
南海本線
河内長野市
ちはやあかさか
大阪府
かいづか
貝塚市
かわちながの
葛城
関西国際空港
岸和田和泉IC
金剛寺
水越峠

交野へ
学研奈良登美ケ丘へ
新田辺・京都へ
城陽へ
木津へ
京奈和自動車道
大東市
四條畷市
大阪PG
長弓寺
奈良大学
木津IC
京都府
木津川市
岩船寺
浄瑠璃寺
奈良PG
阪奈道路
松伯美術館
神功皇后陵
ならやま
32-33
369
大阪府
阪奈CC
生駒山麓公園
飛鳥CC
東洋民俗博物館
あやめいけ
P.106 秋篠寺
佐保・佐紀路 P.102
般若寺
奈良の杜GC
P.116 円成寺
いしきり
とりいまえ
いこま
ひがしいこま
けいはんな線
とみお
がくえんまえ
大和文華館
西大寺
へいじょう
やまとさいだいじ
興福院
きんてつなら
三笠温泉郷
奈良奥山ドライブウェイ
新奈良GC
柳生へ
A 生駒市
近鉄奈良線
P.106 平城宮跡
B
法華寺
不退寺
東大寺
P.52
342 若草山
歓喜天
C
宝山寺
生駒山 642
近鉄生駒ケーブル
なばた
P.100 奈良パークホテル
奈良国際GC
帝塚山大学
喜光寺
関西本線
しん
春日大社
春日山 297
花山 498
石切峠
柳生街道
上本町へ
いこまさんじょう
いちぶ
阪奈道路
垂仁天皇陵（宝来山古墳）
あまがつじ
おおみや
なら
奈良公園 P.45
興福寺
春日山石窟仏
地獄谷石窟仏
生駒山上遊園地
往馬大社（生駒神社）
第二阪奈道路
霊山寺
赤膚焼
西ノ京 P.109
唐招提寺 P.112
奈良町 P.76
高畑 P.71
白毫寺
ディアーパークGC
東大阪市
円福寺
308
にしのきょう
薬師寺 P.110
大安寺
きょうばて
461 高円山
暗峠
石仏寺
近鉄生駒線
みなみいこま
矢田山遊びの森
護国神社
信貴生駒スカイライン
千光寺
はぎのだい
東明寺
大和民俗公園
くじょう
130
奈良市
岩井川
民俗博物館
168
ひがしやま
郡山城跡
24
矢田寺 P.130
こおりやま
地蔵院川
帯解寺
崇道天皇陵
奈良万葉CC
円照寺
正暦寺
金勝寺
きんてつこおりやま
源九郎稲荷
郡山金魚資料館
大和郡山市
おびとけ
桜井線（万葉まほろば線）
城山 528
北山の辺の道
竜田川
もとさんじょうぐち
松尾山 315
売太神社
富雄川
松尾寺
慈光院
関西本線
169
佐保川
八尾市
平群町
へぐり
松尾寺口
弘仁寺
ヤマトCC
法隆寺CC
大和路へぐり
大和路線
法輪寺
法起寺
石床神社
やまとこいずみ
いちのもと
和爾下神社
五ケ谷IC
高安山 488
D
つつい
郡山下ツ道JCT
郡山IC
F
25
たつたがわ
P.122 法隆寺
25
E
天理IC
信貴山 437
たかやすやま
中宮寺
西名阪自動車道
天理PA
天理東IC
名阪国道
福住IC
信貴山朝護孫子寺
藤ノ木古墳
斑鳩町
安堵町
竜田神社
ひらはた
斑鳩 P.119
大和まほろばスマートIC
せやきたぐち
信貴山のどか村
吉田寺
天理教本部
151
伊賀・亀山へ
しぎさんした
三郷町
121
にかいどう
せんざい
てんり
しんおうじ
ほうりゅうじ
郡山南IC
近鉄天理線
天理大学
奈良学園大学
ファミリーこうえんまえ
石上神宮 P.152
龍田大社
おうじ
25
天理市
柏原市
達磨寺
法隆寺IC
なら歴史芸術文化村

奈良・大和路
0 1:118,000 3km
周辺広域地図 P.6-7
山の辺の道 P.150
今井町 P.148
橿原 P.147
飛鳥 P.133
當麻寺 P.168
葛城の道 P.164
多武峰 P.161
長谷寺 P.155
大神神社 P.154
長岳寺 P.153
石舞台古墳 P.140
高松塚古墳 P.138
談山神社 P.161
聖林寺 P.161
安倍文殊院 P.162
P.164 葛城山
崇神天皇陵(行燈山古墳)
景行天皇陵(渋谷向山古墳)
馬見丘陵(馬見古墳群)
唐古・鍵遺跡
大和神社
萱生環濠集落
黒塚古墳
箸墓古墳
檜原神社
玄賓庵
三輪山 467
巻向山 567
龍王山 586
喜多美術館
鏡女王墓
石位寺
藤原宮跡
天香久山
畝傍山 199
耳成山 139
甘樫丘 148
飛鳥寺
岡寺
橘寺
猿石
キトラ古墳
飛鳥資料館
橿原神宮
吉祥草寺
九品寺
一言主神社
石光寺
二上山 474
明神山 274
鳥見山 245
音羽山 851
御破裂山 607
西山岳 687
葛城山 959
香芝市
大和高田市
葛城市
御所市
橿原市
桜井市
宇陀市
明日香村
高取町
広陵町
上牧町
田原本町
河南町
千早赤阪村
太子町
大阪府
近鉄大阪線
近鉄南大阪線
近鉄橿原線
近鉄田原本線
近鉄御所線
近鉄吉野線
和歌山線
京奈和自動車道
南阪奈道路
葛城山ロープウェイ
水越トンネル
香芝IC
香芝SA
太子IC
葛城IC
橿原北IC
御所IC
御所南IC
はせでら
やまとあさくら
さくらい
だいふく
みわ
まきむく
やなぎもと
やまとやぎ
やぎにしぐち
うねび
かしはらじんぐうまえ
かしはらじんぐうにしぐち
おかでら
あすか
つぼさかやま
いちお
たかだ
たかだし
いわき
しゃくど
たいまでら
にじょう
にじょうざん
にじょうじんじゃぐち
せきや
かわちかたかみ
しずみ
かしば
しもだ
ごいどう
JRごいどう
つきやま
まつづか
ますが
にのくち
みみなし
かぐやま
かなはし
うきあな
ぼうじょう
しんじょう
おしみ
ごせ
きんてつごせ
たまで
わきがみ
かつらぎさんじょう
かつらぎとざんぐち
はしお
たじま
くろだ
いわみ
にしたわらもと
たわらもと
かさぬい
ふたかみパーク當麻
近つ飛鳥の里太子
かつらぎ
レスティ唐子・鍵
鏡作神社
兵主神社
十二柱神社
神武天皇陵
崇峻天皇陵
天王山古墳
栗原寺跡
益田岩船
ホラント遺跡
日本武尊白鳥陵
条ウル神古墳
宮山古墳
乙女山古墳
ナガレ山古墳
巣山古墳
小北稲荷神社
不動寺
竹内峠
初瀬ダム
まほろば湖
初瀬川
粟原川
宇陀市榛原へ
宇陀市大宇陀へ
吉野口へ
壺阪寺へ
五條へ
天王寺へ
阿部野橋へ
G
H
I
J
K
L
163
164
134
161
157

関西主要鉄道路線図
各駅停車のみ停車の駅
JR
阪急・近鉄
京阪・南海・名鉄
阪神
その他の私鉄
主な地下鉄
モノレール
新幹線
敦賀へ
長浜
北陸本線
彦根
米原
大垣
東海道新幹線
近江八幡
安土
高宮
多賀大社前
八日市
近江鉄道
名鉄岐阜
高山へ
岐阜
笠松
岐阜羽島
玉ノ井
東海道本線
名鉄一宮
養老鉄道
信楽高原鐵道
貴生川
草津線
信楽
湯の山温泉
近鉄四日市
西藤原
阿下喜
西日野
日永
内部
亀山
柘植
河原田
四日市
近鉄富田
西桑名
桑名
津島
須ヶ口
弥富
奈良線
名鉄名古屋
名古屋
伊賀上野
伊勢鉄道
津
西大手
上野市
伊勢中川
紀勢本線
名松線
松阪
多気
伊勢奥津
伊賀鉄道
伊賀神戸
伊勢市
鳥羽
賢島
志摩磯部
名張
室生口大野
大阪線
榛原
長谷寺
静岡・東京へ
紀伊長島
尾鷲
紀伊勝浦へ

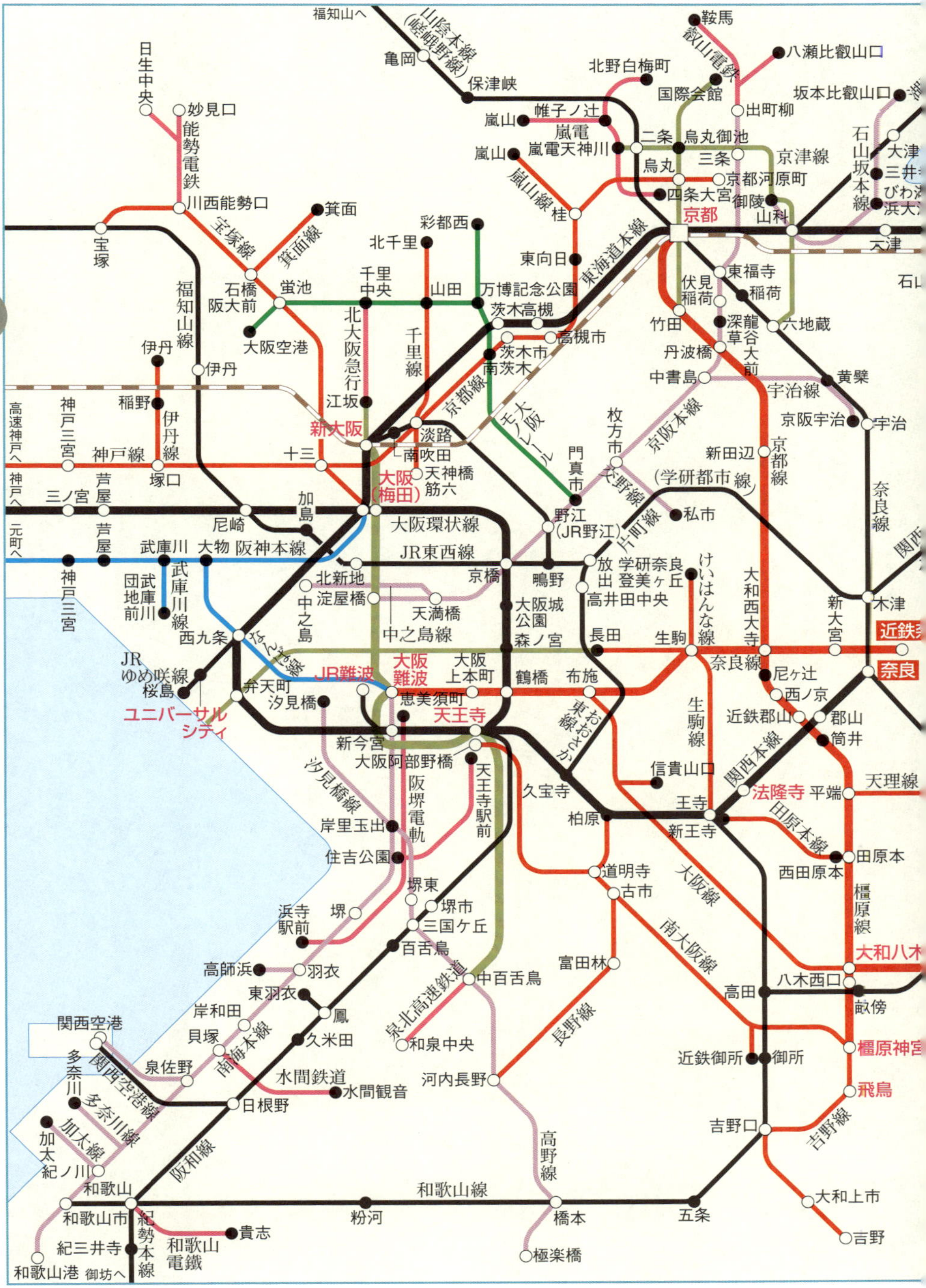
福知山へ
山陰本線（嵯峨野線）
亀岡
保津峡
鞍馬
叡山電鉄
八瀬比叡山口
北野白梅町
国際会館
坂本比叡山口
出町柳
日生中央
妙見口
能勢電鉄
嵐山
帷子ノ辻
嵐電
嵐電天神川
二条
烏丸御池
石山坂本線
大津
三井寺
びわ湖浜大津
三条
京津線
烏丸
京都河原町
四条大宮
御陵
京都
山科
嵐山線
桂
川西能勢口
箕面
宝塚
宝塚線
箕面線
彩都西
北千里
東向日
東海道本線
大津
石山
東福寺
稲荷
伏見稲荷
福知山線
石橋阪大前
蛍池
千里中央
山田
万博記念公園
茨木高槻
竹田
深草
龍谷大前
六地蔵
大阪空港
伊丹
伊丹
茨木市
高槻市
北大阪急行
千里線
南茨木
丹波橋
黄檗
中書島
宇治線
京都線
稲野
大阪モノレール
京阪宇治
宇治
江坂
伊丹線
高速神戸へ
神戸三宮
新大阪
淡路
京阪本線
枚方市
新田辺
京都線
神戸線
十三
南吹田
門真市
交野線
（学研都市線）
神戸へ
塚口
天神橋筋六
大阪（梅田）
奈良線
三ノ宮
芦屋
加島
私市
片町線
尼崎
大阪環状線
野江（JR野江）
元町へ
芦屋
武庫川
大物
阪神本線
JR東西線
放出
学研奈良登美ヶ丘
けいはんな線
大和西大寺
木津
関西
神戸三宮
武庫川線
武庫川団地前
北新地
京橋
鴨野
高井田中央
淀屋橋
天満橋
大阪城公園
新大宮
中之島
中之島線
西九条
なんば線
長田
生駒
森ノ宮
近鉄奈良
JRゆめ咲線
大阪難波
大阪上本町
奈良線
奈良
桜島
弁天町
JR難波
鶴橋
布施
尼ヶ辻
汐見橋
恵美須町
西ノ京
ユニバーサルシティ
天王寺
生駒線
東大阪線
おおさか東線
近鉄郡山
郡山
新今宮
筒井
大阪阿部野橋
関西本線
汐見橋線
阪堺電軌
天王寺駅前
信貴山口
天理線
久宝寺
法隆寺
平端
王寺
柏原
新王寺
岸里玉出
田原本線
住吉公園
田原本
西田原本
道明寺
大阪線
橿原線
古市
堺東
浜寺駅前
堺
堺市
三国ヶ丘
南大阪線
百舌鳥
大和八木
富田林
高師浜
羽衣
泉北高速鉄道
中百舌鳥
高田
八木西口
東羽衣
岸和田
鳳
長野線
畝傍
関西空港
久米田
貝塚
南海本線
和泉中央
橿原神宮前
近鉄御所
御所
泉佐野
水間鉄道
多奈川
関西空港線
水間観音
河内長野
飛鳥
日根野
多奈川線
吉野口
吉野線
加太線
加太
高野線
紀ノ川
阪和線
和歌山線
和歌山
大和上市
和歌山市
粉河
橋本
五条
紀勢本線
貴志
吉野
紀三井寺
和歌山電鐵
極楽橋
和歌山港
御坊へ

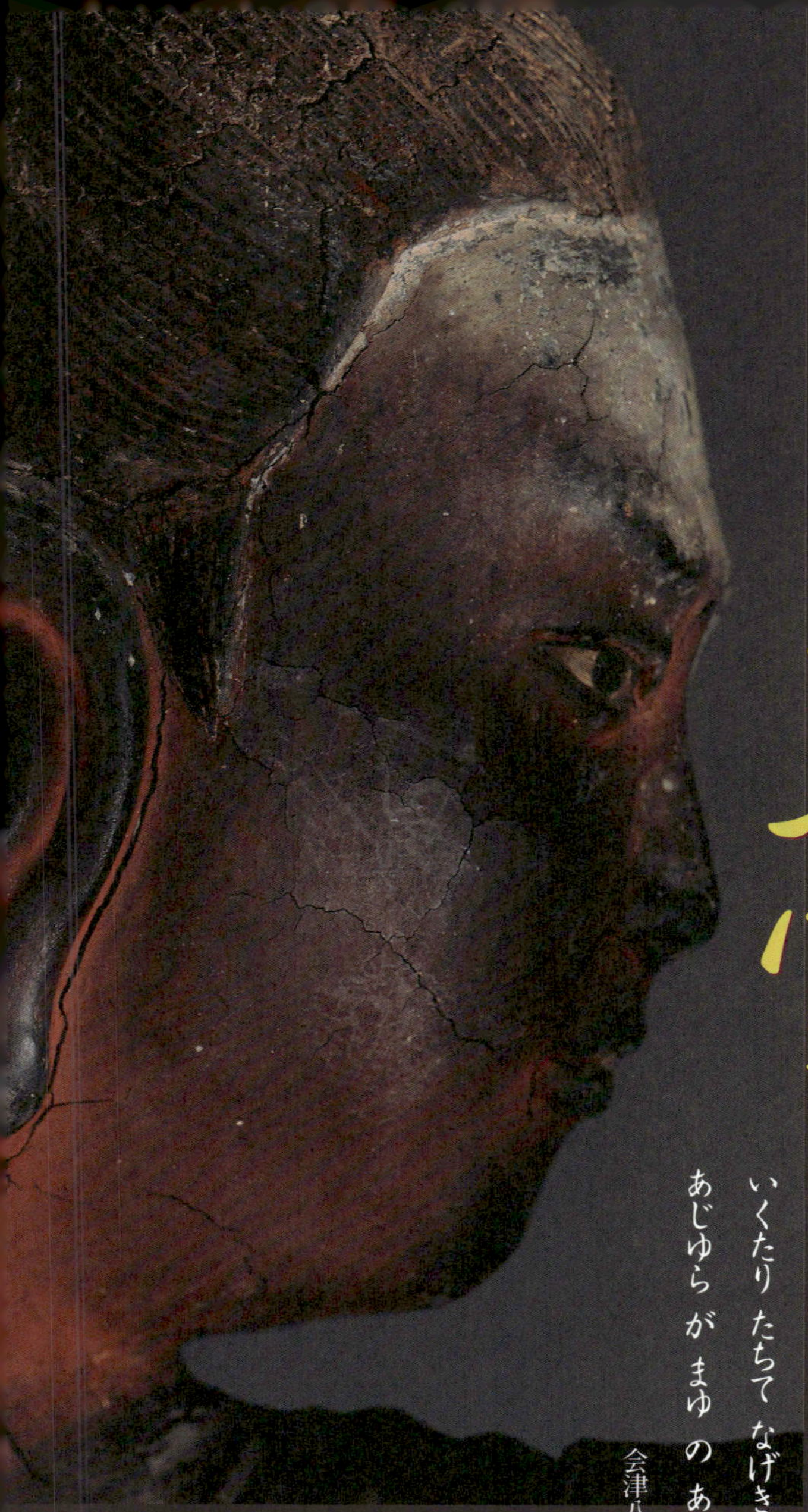

一度は見ておきたい 日本の至宝

古都・奈良には、日本が世界に誇る至宝の数々がある。
いにしえの昔から、あまたの人が心を打たれ、祈りを捧げてきた仏像や塔。
すぐれた仏教美術は、見るものの心を写しとるといわれる。
あなたは奈良で、何を感じるだろうか

興福寺「阿修羅像」

「けふ も また
いくたり たちて なげき けむ
あじゆら が まゆ の あさき ひかげ に」

会津八一『山光集』昭和19年

歌人の会津八一は、自分の教え子が死を覚悟して戦地に赴く時代にこの歌を詠んだ。阿修羅は仏法の守護神で通常は憤怒の形態をとるが、この像はなぜか初々しい少年のような姿をしている。表情は、眉根を寄せ、悲しげで憂いを含んだ眼差し。会津のやるせない気持ちをまるで分かっているような。

p.63参照。p.12～14、p.58の写真提供：飛鳥園

秋篠寺「伎芸天像」

「こんな何気ない御堂のなかに、ずっと昔から、こういう匂いの高い天女の像が身をひそませていてくだすったのかとおもうと、本当にありがたい」

堀辰雄『大和路・信濃路』昭和29年

繊細な心理の表現に秀でた作家・堀辰雄は奈良をこよなく愛していた。作品の構想を練るために滞在していたある日の午後、秋篠寺の「伎芸天像」に出会う。伎芸天として現存する仏像は日本にはこの一体しかない。堀がギリシャ神話の女神になぞらえ「ミューズ」とも表現したように、優雅な立ち姿と表情は何か人間的な艶かしさが漂う。p.106参照。

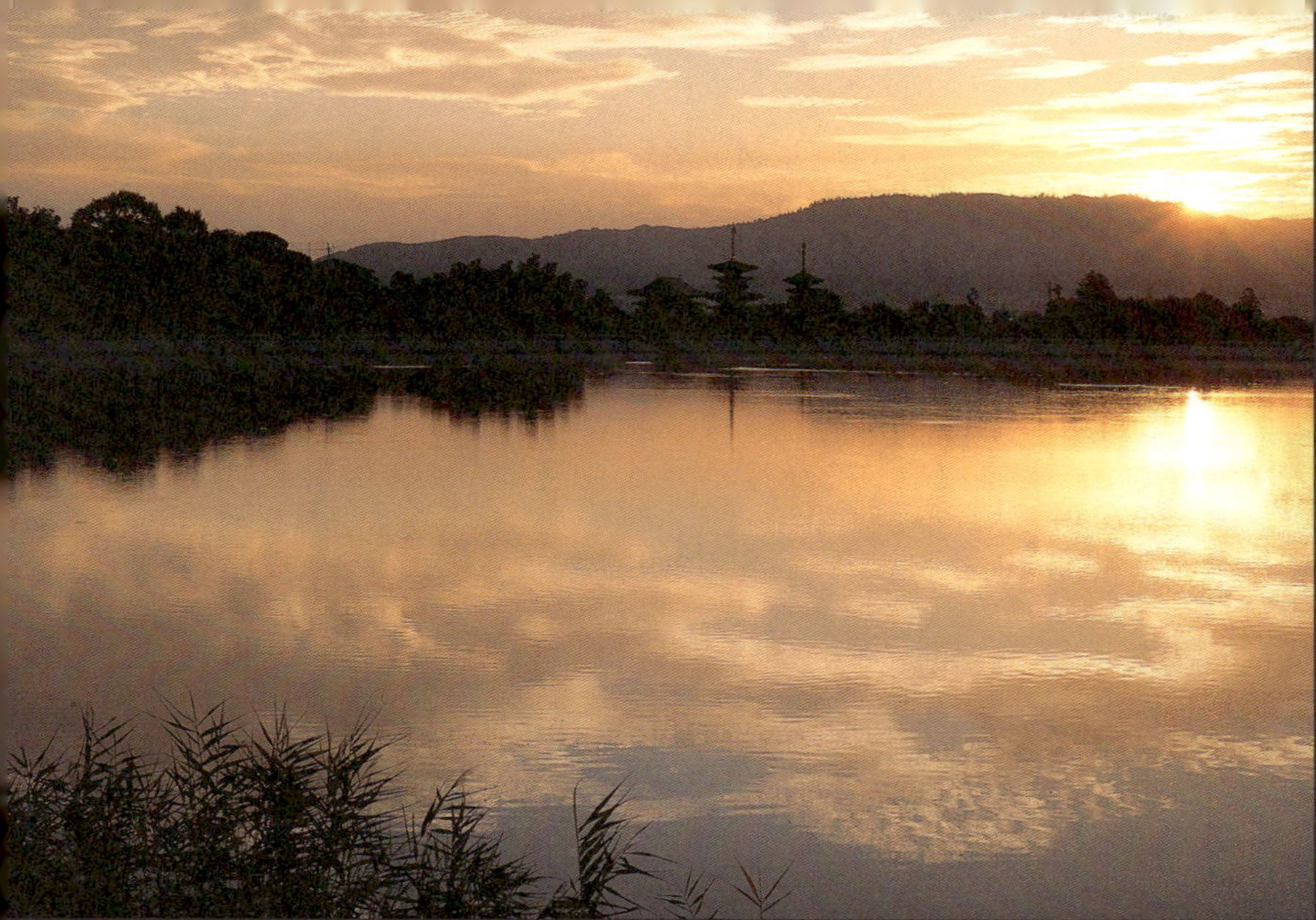

薬師寺「西塔・東塔」

「夕暮の塔をはるかに慕いつつ、やがてその下に立って月夜の姿を仰ぐまでのこの時間を、私は人生の幸福とよんでもいい」

亀井勝一郎『大和古寺風物誌』昭和18年

評論家の亀井勝一郎が薬師寺を訪れた当時、薬師寺には東塔しかなかった。西塔は昭和56年に再建されている。創建時（730年）の建立と伝わる東塔は各層につく深い裳層が三重塔に陰影を与える。西ノ京の素朴でのんびりした環境にあって、多くの人を魅了し続けている。p.110参照。

室生寺「五重塔」

「翠したたる杉木立を背景に、ひっそり佇む風景は、王朝の佳人にふとめぐり合ったような心地がする」

白洲正子『私の古寺巡礼』昭和57年

上流階級出身の文化人であった白洲は、大和路の古寺を愛した。「王朝の佳人」を実感するほどに、室生寺の五重塔は凛とした美しさがある。平安時代初期に建立された塔だが、近年の台風で大きな損傷を受け、後に修復された。p.159参照。

一度は歩いてみたい

いにしえの道

古代国家が栄えた奈良盆地には有史以来、人々が歩んだ道がある。聖徳太子が歩き、時の天皇が行幸し、数々の歴史の英雄たちが往来した、まさにそれは「歴史の道」。歩けば、豊かな想像力を与えてくれる。

「日本最古」といわれる道が天理市から桜井市を結んでいる。いわゆる「山の辺《べ》の道」だ。この道は『日本書紀』にも記述があり、日本書紀編纂前にすでに存在していたと伝わる。大和盆地の東の端、龍王山や三輪山の麓を南北に通っていて、沿道の古社のいわれも「神々の時代」のものが多い。

田園風景の美しさは飛鳥時代も今も変わらないはずだ。大陸文化の象徴だった寺院が見えるあぜ道を聖徳太子も歩いていたのだろうか。

明日香村祝戸《いわいど》地区の田園風景。山すそには棚田が広がり、ヒガンバナの花が咲く。仏花として伝来した花は、日本の仏教の出発点となったこの地に咲くのがふさわしい

山の辺の道は古代のいわば官道であった。当初は単なる踏み分け道だったと思われる。写真は玄濱庵あたりの道

奈良町の上ツ道。都市化の波が年々押し寄せ、風情ある町家も減りつつある

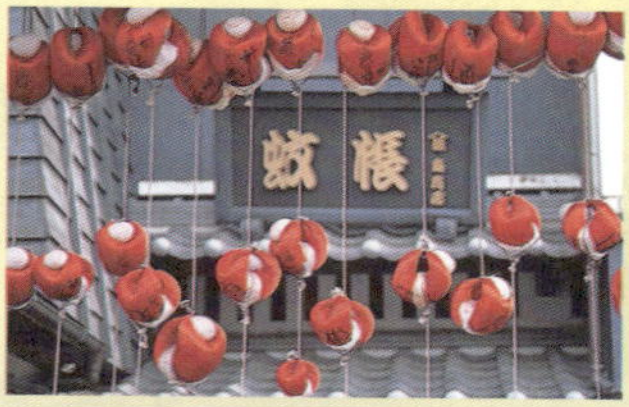

現在の奈良市内奈良町に残る上《かみ》ツ道《みち》は平城京と藤原京を結ぶ古街道だったといわれている。

奈良の至宝マップ

仏教文化が花開いた奈良には、まさに至宝と呼びたい仏像や建造物が数多くある。また、歩くのに気持ちいい散策路も少なくない。ここでは、寺院の象徴的な存在としての仏塔や有名な仏像、ウォーキングコースなどを紹介する。

【奈良公園周辺】

奈良時代の必ず見たい至宝はほとんどこのエリアだ。

仏像は興福寺国宝館や東大寺の各堂宇《どうう》に、建築物も興福寺の五重塔をはじめ、東大寺などの境内に多い。奈良町にある元興寺《がんごうじ》や近隣の新薬師寺にも国宝の伽藍《がらん》、仏像がある。

【佐保・佐紀路】

かつての奈良の都の中心だったのが平城宮跡。天皇が政治を執り行なった大極殿《だいごくでん》などの建物が復原されている。

平城宮跡の北西には伎芸天《ぎげいてん》像で著名な秋篠寺、東には十一面観音立像の法華寺や五重小塔が置かれた海龍王寺がある。

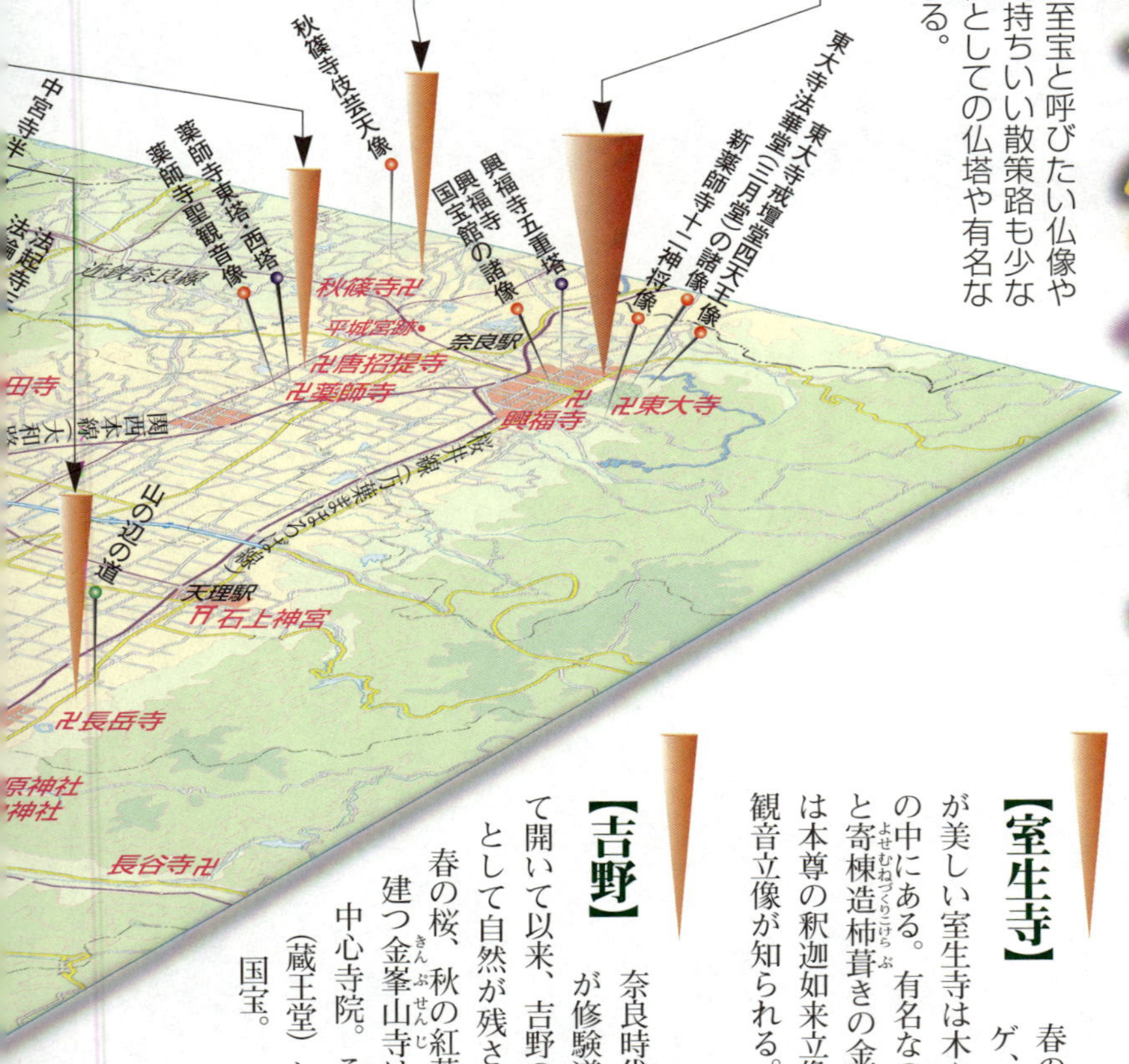

【室生寺】

春のシャクナゲ、秋の紅葉が美しい室生寺は木々が茂る山の中にある。有名なのは五重塔と寄棟造《よせむねづくり》柿《こけら》葺《ぶ》きの金堂。仏像では本尊の釈迦如来立像や十一面観音立像が知られる。

【吉野】

奈良時代に役行者《えんのぎょうじゃ》が修験道の場として開いて以来、吉野の山は聖地として自然が残されている。

春の桜、秋の紅葉を背景に建つ金峯山寺《きんぷせんじ》は修験道の中心寺院。ここの本堂（蔵王堂）と仁王門は国宝。

【西ノ京】

薬師寺と唐招提寺は世界遺産に登録された天平《てんぴょう》時代建立の名刹《めいさつ》。薬師寺の東塔は創建当時の建築物。

唐招提寺の講堂は平城宮の建殿物を移築した現存する唯一の天平宮殿建築。この古寺の周辺は田園地帯ののどかな雰囲気が残っていて散策するのにもいい。

【山の辺の道】

「日本最古の道」と伝わる山の辺の道は、ハイキングがてら歩くには最適の道。道沿いには国宝の入母屋《いりもや》造《づくり》檜皮葺《ひわだぶ》きの拝殿を持つ石上《いそのかみ》神宮《じんぐう》が、山の辺の道の南に位置する聖林寺《しょうりんじ》には、天平彫刻を代表する仏像のひとつ十一面観音立像がある。

【斑鳩】

世界遺産登録の法隆寺は必見のポイント。わが国最古の五重塔や大講堂は国宝。各堂宇に安置されている仏像も国宝か国宝級のものばかり。有名なものは百済《くだら》観音像、夢違《ゆめちがえ》観音像、救世《ぐぜ》観音像、塔本四面具《とうほんしめんぐ》など。

【飛鳥】

謎に満ちた遺跡が多く、古代のロマンを秘めた人気のエリア。猿石や亀石などの使途不明の石造遺跡や日本最古の仏像の飛鳥大仏などがある。のどかな田園風景が広がり、レンタサイクルや徒歩での散策もおすすめのエリア。

東大寺をはじめ、奈良公園内の寺は見逃せない

山の辺の道は散策路としても最適

亀石など飛鳥には謎を秘めた遺跡が多い

至宝に出会う ベスト3コース

見どころが点在する奈良は、限られた時間でどうめぐるか迷うもの。ここでは、アクセスや宿泊の利便性も考慮した、オーソドックスなめぐりかたを紹介する。また、p.22で紹介する「花の見頃」や「祭り」もヒントにして、時間と気分に合わせて旅を計画しよう。

コンパクトなエリアで名建築と仏像に出会う

東大寺～興福寺～秋篠寺～唐招提寺～薬師寺

●1泊2日
●交通費の目安：1000円
●見落とせないポイント：東大寺／大仏殿・戒壇堂（四天王像）・法華堂［三月堂］、興福寺／中金堂・五重塔・国宝館の展示物、秋篠寺／伎芸天像、薬師寺／東塔・金堂（薬師如来像）
●宿泊：奈良公園周辺

奈良市内の有名寺院にポイントを絞ったコース。東大寺を中心とする奈良公園で1日。秋篠寺・薬師寺を1日で観光する。各寺院ともに国宝、重

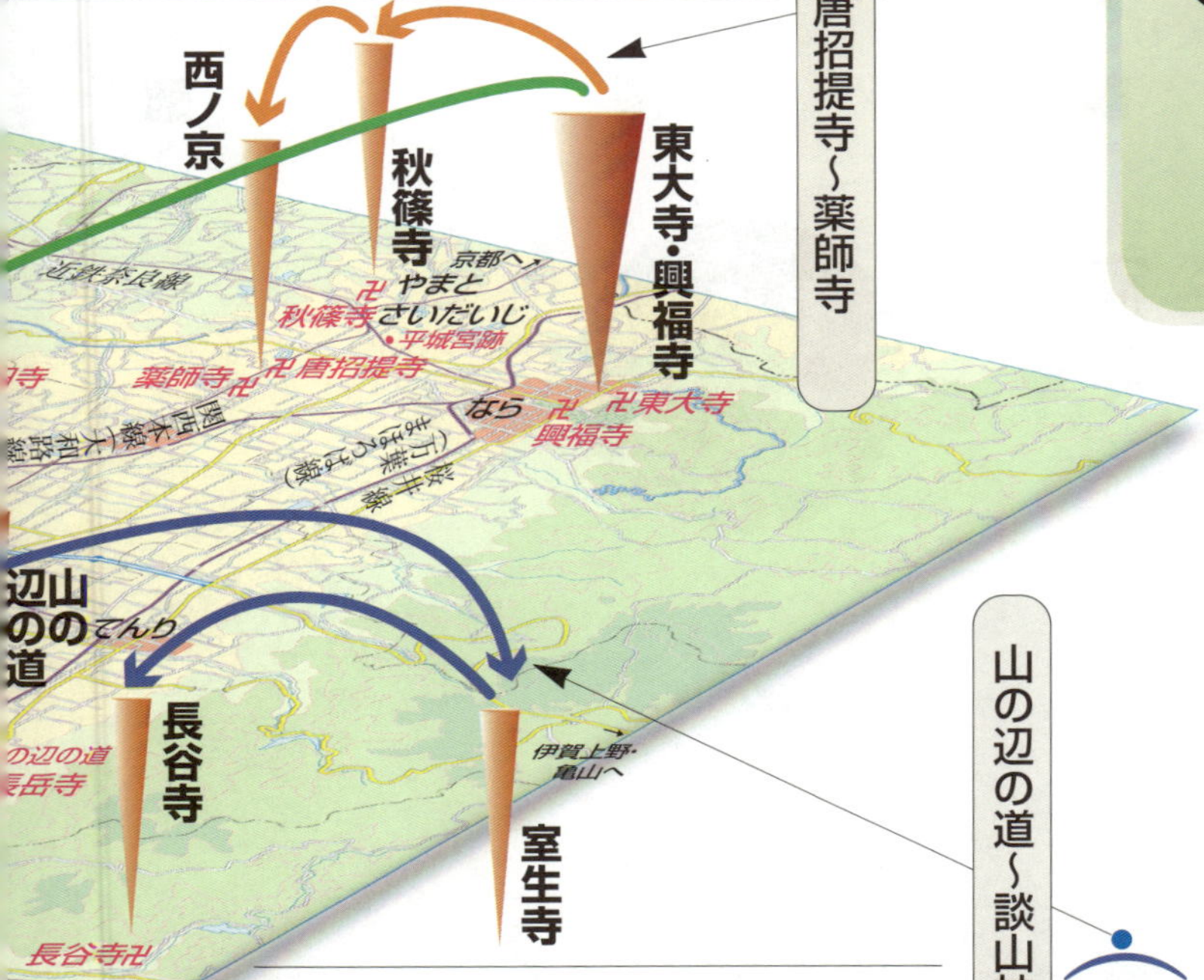

古墳・山寺を訪ねて歩く

山の辺の道～談山神社・聖林寺～室生寺～長谷寺

●2泊3日
●交通費の目安：3600円
（※右記金額は、途中でバスなどを使わず山の辺の道全行程を歩き通した場合）
●見落とせないポイント：談山神社／拝殿・木造十三重塔、聖林寺／十一面観音像、長谷寺／登廊、室生寺／金堂・五重塔
●宿泊：1泊目は山の辺の道の終点である桜井駅周辺の宿を、2泊目は長谷寺温泉か室生寺門前に宿泊

奈良盆地南東部の聖なる山々に抱かれた古墳、山寺をめぐる。奈良の旅の中級者におすすめ。1日目に山の辺の道を歩いて古墳や古社寺をめぐり、2日目は山間の談山神社と聖林寺・室生寺。3日目

文の建造物や仏像がひしめき、見ごたえは十分だ。ポイントが集中しているので、心静かに仏像と向きあう時間がとれる。移動は近鉄とバス。近鉄は本数が多いので、特に時刻表を気にする必要はない。

奈良のハイライトをめぐる
東大寺・興福寺～飛鳥～斑鳩（法隆寺など）

●2泊3日
●交通費の目安：2000円
（※右記は、タクシーなどを使わず飛鳥エリア内も全行程を歩いた場合）
●見落とせないポイント：東大寺／大仏殿・戒壇堂（四天王像）・法華堂［三月堂］、興福寺／中金堂・五重塔・国宝館の展示物、飛鳥／高松塚壁画館（模写）・石舞台古墳・飛鳥寺の飛鳥大仏・奈良県立万葉文化館・飛鳥資料館、法隆寺／五重塔・金堂・夢殿・大宝蔵院・百済観音堂の諸像、中宮寺／菩薩半跏思惟像
●宿泊：1泊目は奈良公園周辺、2泊目は橿原神宮前駅周辺に宿があり便利

世界遺産の東大寺・法隆寺、考古学で注目の飛鳥と、奈良を代表するポイントを訪ねる。1日目は奈良公園、2日目は飛鳥、3日目は法隆寺へ。たっぷり1日かかる飛鳥は2日目に設定した。全体的には修学旅行的なコースだが、大人になっての再訪は、以前とは異なった奈良の奥深さを発見できるはずだ。

を駅に近い長谷寺だけにすれば、帰路も楽だ。山の辺の道は全行程歩くと、丸1日かかるが、体力や時間に余裕がない場合は、道に並行してバスと電車の路線があるので安心。桜井駅から飛鳥へのバス便もあるので、飛鳥エリアを組み合わせる計画も可能だ。

飛鳥駅前

※交通費の目安は、奈良を起点にコースを回って奈良まで帰った場合の概算。

時記

7　8　9　10　11　12

ハナショウブ（花の郷・滝谷花しょうぶ園）
サルスベリ（奈良公園周辺）
ハギ（白毫寺）
寒ボタン
吉野山のモミジ
モミジ（談山神社など各所）

奈良公園・なら燈花会

鹿の角きり

なら燈花会［奈良公園］8/5～14

采女祭［猿沢池］中秋の名月の日

万灯籠［春日大社］8/14・15

奈良大文字送り火［春日大社境内飛火野・高円山］8/15

ライトアップ・プロムナードなら［奈良公園内など］7月中旬～9月下旬

正倉院展［奈良国立博物館］10月下旬～11月上旬

鹿の角きり［奈良公園鹿苑］10月体育の日の三連休

けまり祭［談山神社］11/3（春は4/29）

春日若宮おん祭［春日大社］12/15～18

東大寺（俊乗房重源上人坐像）7/5

薬師寺（玄奘三蔵院伽藍）9/16～11/30

東大寺（僧形八幡神像）10/5

興福寺（南円堂）10/17～11/10

元興寺（智光曼陀羅）10月末～11月上旬

法隆寺（夢殿救世観音）10/22～11/22

東大寺（良弁僧正坐像、俊乗房重源上人坐像）12/16

※祭りや特別展などは例年の時期を紹介しています。年により日程の変更もあるので、事前に確認してください。

夏 若草山の草が萌え、紅色のサルスベリの花の下を鹿が闊歩する。闇を焦がす「大文字送り火」、興福寺や平城宮跡（朱雀門）のライトアップ、王朝絵巻の幽玄さが漂う春日大社の万灯籠、東大寺の万灯供養会など、古都の夏は暑気払いを兼ねて、夜の歳事を楽しみたい。

秋 修学旅行生の明るいざわめきが奈良公園に満ちると秋。シルクロードの終着点といわれる正倉院の宝物が奈良国立博物館恒例の「正倉院展」で公開される。国宝級の秘仏が各寺で特別公開されるのも、この時期。11月になると奈良盆地の各地から紅葉の便りが届く。

月	7	8	9	10	11	12
最高	30.8	32.6	28.2	22.2	16.5	11.4
最低	21.8	22.6	18.8	12.1	6.4	1.9

奈良の歳

1	2	3	4	5	6

花の見頃

寒ボタン（石光寺）
※（　）は有名な花の寺など
吉野山のサクラ
サクラ
ウメ
ツツジ（長岳寺）
ボタン（長谷寺）
フジ（春日大社）
シャクナゲ（室生寺）

若草山焼

奈良公園・浮見堂

春日大社・神苑

祭り行事

若草山焼き
1月第4土曜

修二会本行（お水取り）
［東大寺］3/ 1～14

うちわまき
［唐招提寺］5/19

春の大茶盛式
［西大寺］
4月第2日曜と前日の土曜

東大寺・修二会

［秘宝・秘仏特別開扉 特別展］

法隆寺（夢殿救世観音）
4/11～5/18

薬師寺（吉祥天女画像／1～3は国宝。4～15は平成レプリカ・玄奘三蔵院伽藍）
1/1～15

唐招提寺（鑑真和上像）
6/5～7（特別拝観料500円

薬師寺（玄奘三蔵院伽藍）3/1～6/30（1/1～6、8/12～15も）

四季の魅力

冬 雪化粧した寺社は深遠な趣を醸しだし、荘厳な古都の表情を見せる。山腹に立つ室生寺や談山神社の境内は観光客もほとんど訪れず、静寂に包まれる。雪に耐えるように咲く石光寺の寒ボタンが美しい。人知れない奈良・大和路を発見するならこの季節が一番いい。

春 創建時からの1200余年、絶えることなく続く東大寺の「お水取り」が終わると、奈良に春が訪れる。各寺の境内には色とりどりの花が咲き、吉野山では一目千本といわれるサクラに花見客が酔いしれる。4月は法隆寺の秘仏、国宝「救世観音像」が特別開扉される。

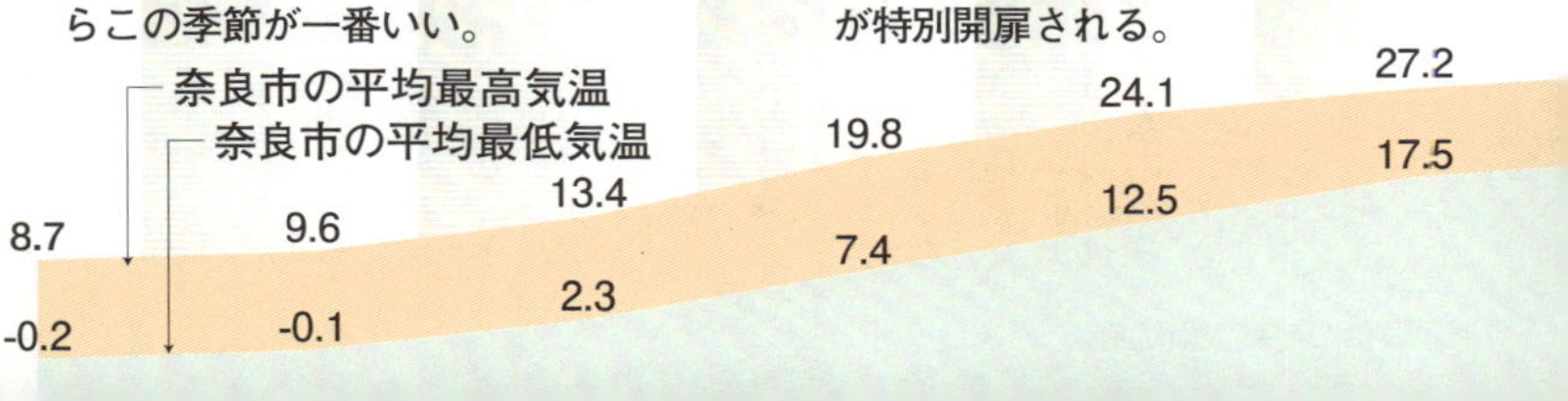

旅する前に知っておきたい奈良の歴史

飛鳥・奈良時代は「日本」という国のかたちができた激動の時代。この地で何がおこったのか、おさらいしてから出かければ、旅がぐっとおもしろいものになる

「日本」誕生の舞台

大陸の技術のもと作られた飛鳥寺の軒丸瓦（上）。下は朝鮮半島の古代国家、百済の軒丸瓦。飛鳥資料館蔵

超先進的思想「仏教」がやってきた

明日《あす》香《か》村にある飛鳥寺（p.143）は、日本ではじめての本格的な寺院といわれる。ここには現存する日本最古の仏像「飛鳥大仏」がある。大陸からの技術によって造られたものだ。頭と頬の部分などのほかは後世に復元されたものだが、埴輪や土偶などの原始的な塑像しか知らなかった「日本人」には衝撃的な創造物だっただろう。

飛鳥時代に入って日本の国際交流は急激に活性化した。607（推古15）年に小野妹子《おののいもこ》を遣隋使《けんずいし》として派遣して以来、大陸の文化や技術を積極的に吸収していった。そんな時代の気風が、大仏の表情にもあふれている。

飛鳥寺の塔心礎から出土した遺物。当時の有力豪族、蘇我馬子らが身につけていたとも推定される。飛鳥資料館蔵

この時代、遣隋使によって「日出づる処の天子……」なる国書を中国大陸の煬帝《ようだい》に奉呈させた聖徳太子が活躍する。推古天皇の摂政として国政を委ねられた彼が、その政治の基調に採用したのが仏教である。当時、仏教は最先端の政治思想でもあった。太子が制定した憲法十七条も、仏教思想が色濃く投影されている。仏教伝来以前の日本では、国政の場でも太古から伝わる呪術が用いられていた。太子は仏教思想を導入することで、古い因習を断ち国政の合理化をはかったと考えられる。

写真提供：奈良文化財研究所

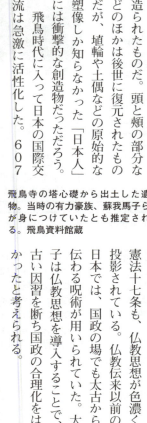

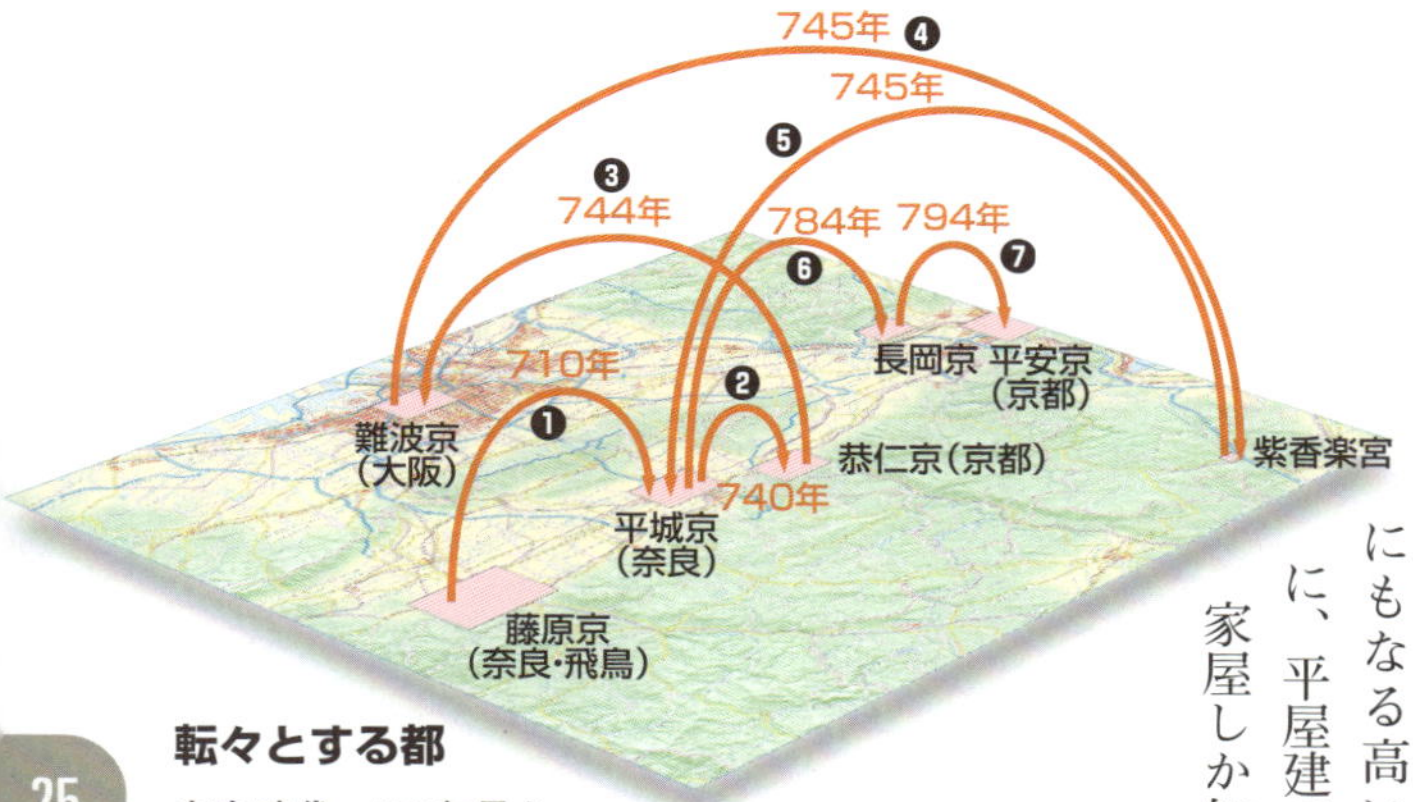

転々とする都

奈良時代、100年足らずのうちに、7回も遷都が行なわれた

飛鳥時代は「日本のルネッサンス」

新しい国家の象徴として、奈良盆地の各地に仏教寺院が建立される。最新の建築技術によって建てられた壮麗な伽藍《がらん》や、四層や五層にもなる高い塔に、平屋建ての家屋しか知らない人々は、さぞや驚いたことだろう。現存する世界最古の木造建築物、法隆寺（p.122）はその代表格で、エンタシスと呼ばれる中央が太い柱はギリシャの神殿建築に用いられた技法ともいわれる。

現在まで残ったのが奇跡とも思える法隆寺

１９９８年、明日香村では「富《ふ》本銭《ほんせん》」（p.１４２）が発見され、これらを作った巨大な工房群の跡地も同時に見つかった。金・銀・鉄・ガラス・水晶・漆などの工房が含まれ、法隆寺や薬師寺の多くの寺宝もここで生み出されたものと思われる。大陸からの最先端の技術がこの地で形として結実したことの証しだ。まさに「奈良盆地はシルクロードの終着点」なる言葉を実感させられる。

ゆれうごく政権、「国家」の胎動

飛鳥時代、聖徳太子が登場した頃は、天皇の権力はまだまだ弱く、有力豪族の連合政権といった感じだった。ある意味では群雄割拠の戦国時代といえた。最終的にこの抗争を制したのは仏教を積極的に取り入れようとした蘇我《そが》氏だった。しかし、蘇我氏の頭領である

大陸との掛け橋になった遣隋使、遣唐使は苦難に満ちた航海だった

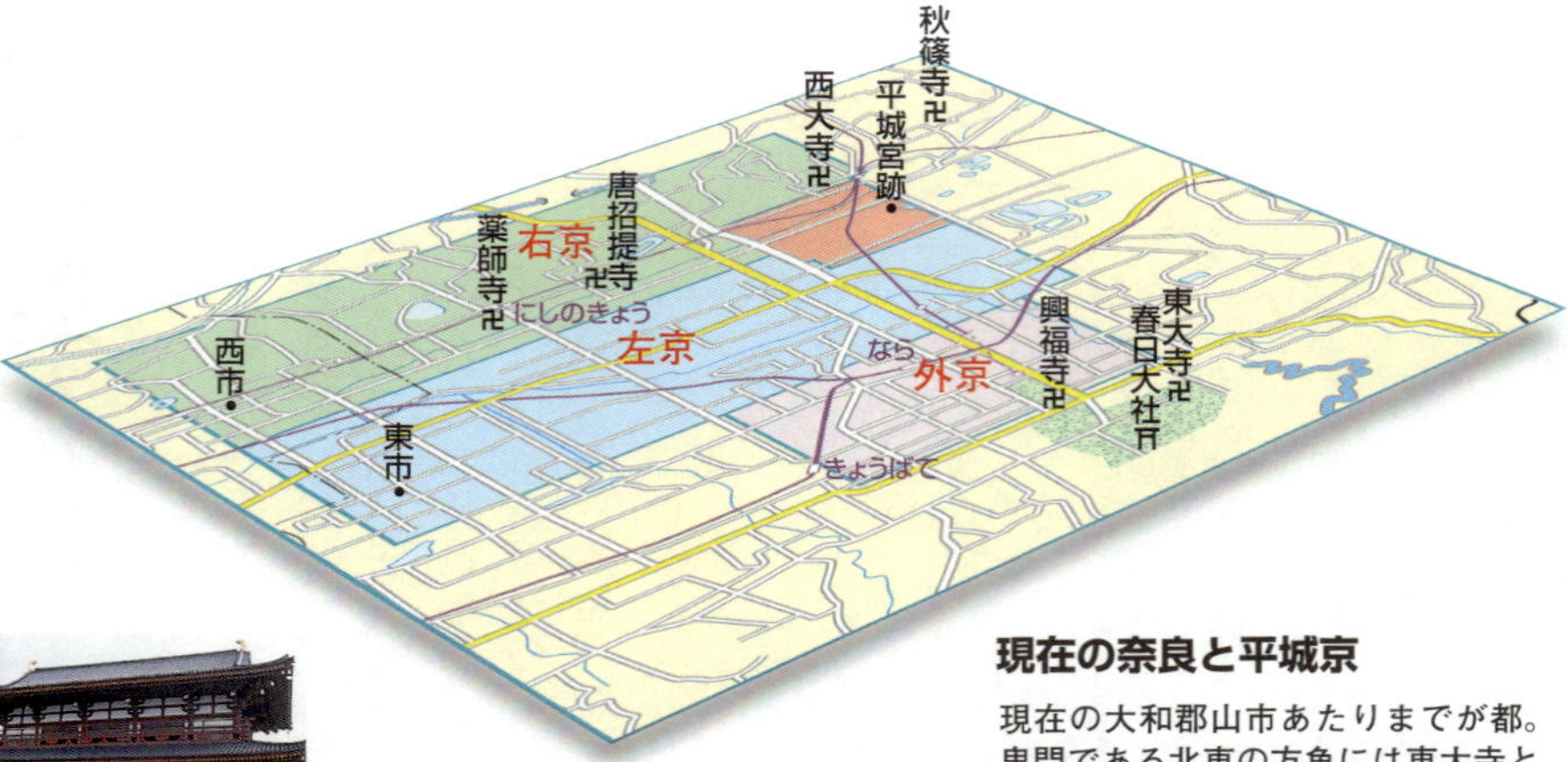

現在の奈良と平城京

現在の大和郡山市あたりまでが都。鬼門である北東の方角には東大寺と興福寺がおかれ、外京（げきょう）と呼ばれた

平城京の朱雀門（復原）

蘇我入鹿《そがのいるか》はその権力の絶頂期に、乙巳《いっし》の変《へん》のクーデターにあって暗殺され、その後、蘇我氏の力は急速に衰えてしまう。クーデターの立役者である中大兄皇子《なかのおおえのおうじ》は、これまでの有力豪族の連合政権を改めて、大化の改新による天皇中心の強力な中央集権国家の建設に着手した。その後、彼は天智天皇《てんじ》となり、飛鳥の地から琵琶湖の畔の大津へと都を移すことになる。

この時代、国内外の政情は緊迫を増し、672年皇位継承をめぐる内乱が起こった。いわゆる「壬《じん》申《しん》の乱」で、天智天皇の弟だった大海人皇子《おおあまのおうじ》、後の天武《てんむ》天皇が即位する。都は大津から再び飛鳥の地、

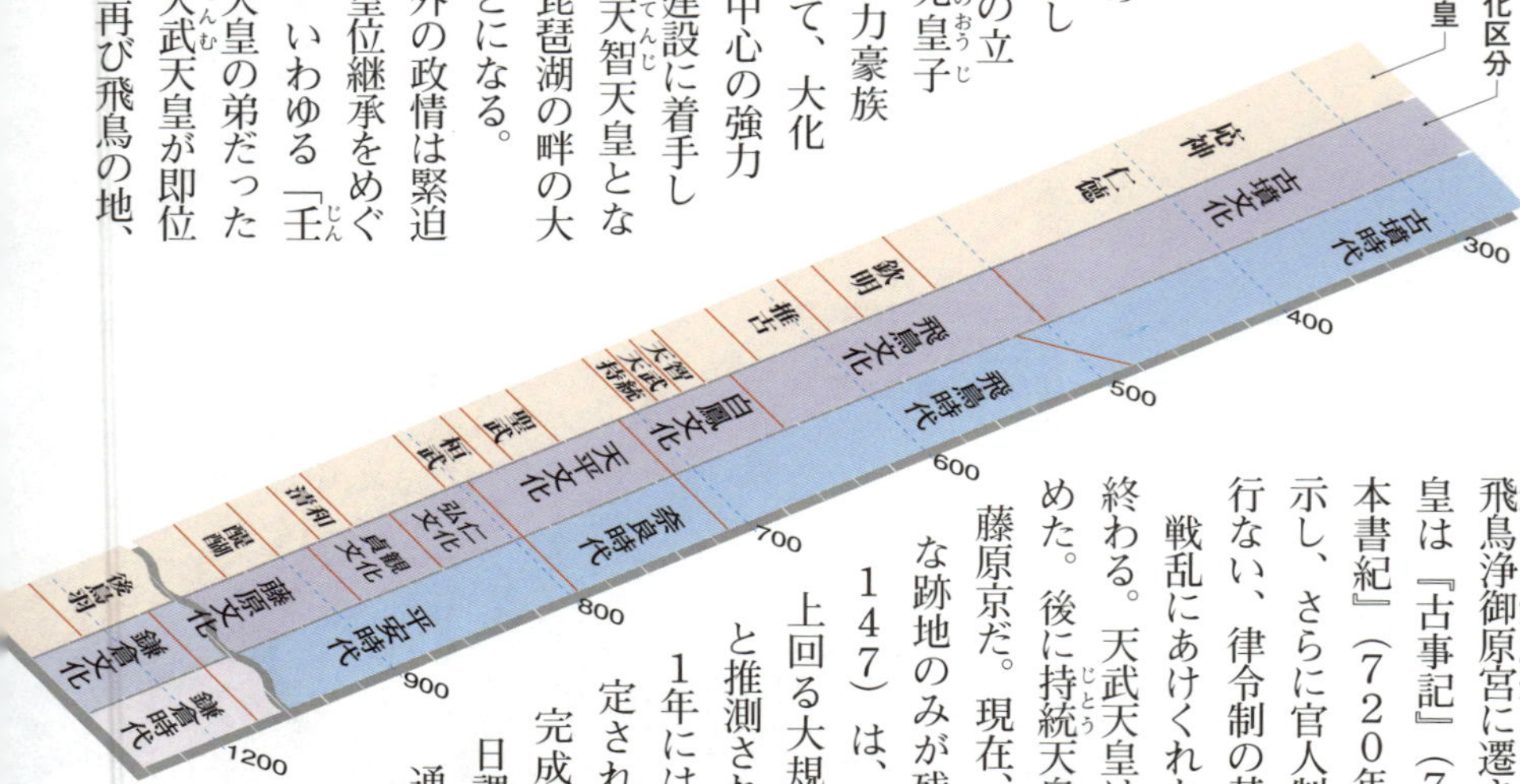

飛鳥浄御原宮《あすかきよみはらのみや》に遷される。天武天皇は『古事記』（712年）、『日本書紀』（720年）の編纂を指示し、さらに官人制や姓の制定を行ない、律令制の基礎を築いた。

戦乱にあけくれた時代はここで終わる。天武天皇は都の建設を始めた。後に持統天皇《じとう》が完成させた藤原京だ。現在、橿原市に広大な跡地のみが残る藤原京（p.147）は、後の平城京を上回る大規模な都だったと推測されている。701年には大宝律令《たいほうりつりょう》が制定され、律令国家が完成した。役人が日課として役所へ通い、民は納税のために田畑を耕す。刑罰規定など、さまざまな仕組

みがこの時代から始まったのだ。

「飛鳥大仏」と「大仏さま」のあいだには

７１０年、都は恒久的な都をめざして奈良盆地の北部に遷される。幾多の戦乱を乗り越えて、「青丹《あおに》よし寧楽《なら》の京師《みやこ》は咲く花の薫ふがごとく今盛りなり」と万葉集で歌われた平城京（p.１０６）だ。

平城京は、天皇中心の政権が安定したこともあって、アジアでも有数の国際都市に発展した。唐や新羅《しらぎ》はもちろん、遠くインドやベトナムなどからも人々が訪れ、都大路を闊歩した。律令体制は徐々に強固なものとなり、かつては古代国家を二分しかねない原因となった仏教文化も受け入れられ、日本独自の文化へと昇華していく。今も残る興福寺の阿修羅像（p.12、63）や東大寺戒壇《かいだん》堂の四天王像（p.57）にみられるように、日本の美術史上においてもこの時期はきわめて重要な到達点だったといえる。

東大寺大仏蓮弁毛彫（模造）

東大寺の大仏さまを清める「お身拭い」は現在も続けられている

聖武《しょうむ》天皇自らが発願した大仏造営、東大寺建立などの国家プロジェクトも進行する。７５２年４月９日、２５０万人もの人々によって造られた大仏（盧舎那仏《るしゃなぶつ》、p.54）が完成し、大仏開眼供養会が行なわれた。大仏殿の前には立錐の余地のないほどに人々が整列し、海外からも僧が招かれ、舞楽が奉納されたという。いまだかつてない盛大な儀式であったと伝わる。

飛鳥寺建立から、東大寺の大仏開眼までの約１５０年。この間に、奈良を舞台に、仏教を中核的思想とし天皇を中心とする「日本」という国のかたちができた。現在の私たちが観光の途中で何気なく見る「飛鳥大仏」と「東大寺の大仏」を結ぶ過程には、「日本」誕生の激しい道のりがあったのである。

仏像を見る

基礎知識

時代別特徴

仏像彫刻には中国大陸の影響、貴族や武士の台頭といった時代背景が色濃く反映されている。より深く仏像を拝観するために、祈りの形の変遷をたどってみよう。

【飛鳥時代（飛鳥時代前中期）

仏教思想とともに日本に仏像技術が伝わる。中国・朝鮮半島からの仏像の制作技術は、北魏《ほくぎ》系と百済《くだら》系に大別される。仏師・鞍作止利《くらつくりのとり》に代表される北魏系は飛鳥寺（ｐ.１４３）の飛鳥大仏や法隆寺金堂（ｐ.１２３）の釈迦三尊像のように、正面を向いて左右対照に作られ、面長の顔や杏仁形《きょうにんけい》の目、かすかに微笑を浮かべたような口元などが特徴。一方、法隆寺大宝蔵院（ｐ.１２４）の百済観音に代表される百済系は、側面から見た立体性を備えている。ほとんどが金銅仏あるいはクスノキの木彫。

【白鳳《はくほう》時代（飛鳥時代後期）

飛鳥時代より写実性が増す。法隆寺大宝蔵院（ｐ.１２４）の夢違《ゆめちがえ》観音や薬師寺東院堂（ｐ.１１１）の聖観音《しょうかんのん》菩薩立像のように穏やかな表情、柔らかく豊かな体つき、より自然な衣の表現によって、立体感のある像が制作されるようになる。興福寺国宝館（p.62）の薬師如来仏頭に見られるように顔は丸みを帯び、切れ長の伏し目。金銅仏が主流で、塑像も作られ始める。

【天平時代（奈良時代中後期）

日本彫刻史上の黄金時代。唐の影響を受けて飛躍的に写実性が増した。東大寺法華堂（p.55）の諸仏や戒壇堂（p.57）の四天王像のように、均整のとれた体つきと崇高な表情の中に理想的な美を表現している。この時期、鋳造による金銅仏のほか、木彫、塑造、乾漆《かんしつ》造といった多様な技法が用いられた。

【弘仁《こうにん》・貞観《じょうがん》・藤原時代（平安時代）

平安初期の弘仁・貞観時代は密教の全盛期にあたり、体つきは重量感があって官能的だが、表情は厳しく神秘的。木彫像が主流となり、衣のひだを明瞭に表現した翻波式衣文《ほんぱしきえもん》が特徴。室生寺金堂（ｐ.１５９）の釈迦如来像が代表例。貴族的な国風文化が花開いた藤原時代は、穏和な表情、柔らかく優美な体つき、流麗な衣の表現となる。代表例は法隆寺大講堂（ｐ.１２４）の薬師如来像。水晶をはめ込んだ玉眼《ぎょくがん》が使われ、中期には仏師・定朝《じょうちょう》により寄木《よせぎ》造の技法がほぼ完成される。

【鎌倉時代

中国の宋の影響や武士階級の台頭を受け、男性的で力強く、動きのある写実的な作風が多くなり、玉眼や寄木造の手法も一般的になる。仏師・康慶《こうけい》、運慶《うんけい》、快慶《かいけい》らの奈良仏師の慶派が活躍し、東大寺南大門（p.54）の金剛力士像が造られる。興福寺北円堂（p.61）の無著《むじゃく》・世親《せしん》菩薩像（春・秋に特別開扉）も運慶作。

仏像の造り方

平安後期以降、仏像制作は技術的進展などを経て大量の造仏に適した一木造や寄木造などが主流になるが、ここでは飛鳥から奈良時代に使われた仏像の制作技法を紹介する。

【鋳造《ちゅうぞう》】

金属を型に流し込んで造る。主流は加工しやすい銅造。

金属あるいは木の骨組みに粘土をつけて、だいたいの形を造る

全体に蜜蝋《みつろう》を塗り、ヘラなどで像の細部まで仕上げる

蜜蝋の上にさらに粘土を重ねた後、加熱して蜜蝋を溶け出させる。そのすき間に銅を流し込み、型から出す

【塑造《そぞう》】

細かな表現が可能で、比較的安価。奈良時代に多い。

心木《しんぎ》に縄を巻きつけ、手や指などの細部は銅線で心を造る

心をわらを混ぜた荒土で包み、もみがらを混ぜた中土でおおまかな形をとる

紙の繊維を混ぜた仕上げ土を重ねて形は完成。白土を塗って彩色する

【木心乾漆造《もくしんかんしつぞう》】

天平～平安初期に流行、5メートルもの大型の像も。

木材から像のおおよその形を彫り出す

木彫の原型に、麻布を漆で貼りつける

木くずと抹香《まっこう》を混ぜた漆で細部を整形して、彩色をする

【脱活乾漆造《だつかつかんしつぞう》】

塑造より費用がかかるが壊れにくい。天平時代の技法。

鋳造と同じように、心木に粘土をつけて、おおまかな形を造る

原型に漆で麻布を貼り重ねる。乾燥後に背面を開き内部の土を出すと布の張り子ができる

支柱を入れ、外面に木くずと抹香を混ぜた漆を塗って、細部を表現する

※イラストは『奈良歴史手帖』(近畿日本鉄道刊) より転載

奈良をより深く旅するための本

大和古寺風物誌
亀井勝一郎

発行：新潮社
出版年：1953年（文庫）
定価：539円

和辻哲郎の『古寺巡礼』と双璧をなす、大和路紀行記。主に昭和17年に書かれたもので、今の奈良と当時の奈良をくらべて読むのも興味深い。

私の大和路春夏紀行
入江泰吉

発行：小学館
出版年：2002年（文庫）
定価：922円

故郷の奈良の自然、文化財を約50年の間撮り続けた写真家によるエッセイと写真集。常に謙虚な姿勢で対象を捉える眼差しが紙面に漂う。

隠された十字架 ―法隆寺論―
梅原猛

発行：新潮社
出版年：1981年（文庫）
定価：979円

「法隆寺は聖徳太子一族を葬った人々がその怨霊を鎮めるための寺であった」という、昭和47年の発刊当初、話題になった大胆な推論を展開する。

見仏記
いとうせいこう／みうらじゅん

発行：角川書店
出版年：1997年（文庫）
定価：748円

興福寺国宝館の龍燈鬼（p.62）もふたりの著者にかかると「駄目なやつがここ一番いいとこ見せたという感じ」。愛と珍説に満ちた仏像探訪記。

よくわかる仏像の見方 ―大和路の仏たち
西村公朝

発行：小学館
出版年：1999年(品切)
定価：2420円

写真集としても楽しめる奈良の仏像案内書。「手や頭がいくつもあるのはなぜ？」といった初歩的で素朴なQ&Aもついて、わかりやすい。

奈良の花ごよみ
大貫 茂

発行：実業之日本社
出版年：2010年（品切）
定価：1100円

寺院や歴史の舞台に咲く可憐な花、悲哀を感じる花など、奈良の花の名所を春夏秋冬に分け、カラー写真と解説文で紹介。奈良大和路の旅に必携。

火の鳥4 鳳凰編
手塚治虫

発行：角川書店
出版年：1992年（文庫）
定価：968円

奈良時代を生きるふたりの仏師の、輪廻転生の物語。東大寺を訪れる前に読んでおきたい、「生命」をテーマにしたシリーズの一冊。

奈良市内

東大寺仏生会（ぶっしょうえ）

4月8日、東大寺の大仏殿前に花御堂が作られる。なかには小さな誕生釈迦仏。釈迦はこの日、摩耶夫人の脇から生まれ、七歩歩いて右手を上げ「天上天下唯我独尊」とさけんだ。当日は多くの参拝者が訪れ、甘茶をかけて誕生を祝う。別名「お花まつり」、「灌仏会」（かんぶつえ）。

奈良・平城宮跡・西ノ京
1:26,500
0
1km
周辺広域地図 P.8
本書のゆったりおすすめルート：
「歴史の道」：
奈良市が設定している「歴史の道」。詳しくはP.104参照
C
D
G
H
K
L
48-49
50-51
74-75
佐保台東口
佐保台三
高の原ゴルフセンター
青山(二)
元正天皇陵
奈保山御陵
奈良豆比古神社
元明天皇陵
奈良阪
西福寺
奈保町
奈良阪町
奈良坂
奈良阪南口
柳生へ
飯守町
川上町東
佐保川
川上町
P.108 般若寺
般若寺
奈良テレビ
奈良電力鴻ノ池パーク
法蓮佐保山三
ならでんスタジアム
ならでんフィールド
大山守命墓
奈良教育大附属中
奈良ユースホステル P.100
市営球場
P.98 ANDO HOTEL 奈良若草山
P.100 奈良万葉若草の宿 三笠
三笠温泉郷
北山十八間戸
東之阪町
P.99 小さなホテル奈良倶楽部
鴻ノ池
ならでんアリーナ
若草中
369
五劫院
奈良高
長慶寺
興福院
鴻ノ池
聖武天皇陵
北御門町
法蓮町
ホテルリガーレ春日野 P.99
法蓮仲町
手貝町
空海寺
奈良奥山ドライブウェイ
十国台展望台
奈良高
佐保小
育英学園
奈良育英中・高
東包永町
鼓阪小
知足院
正倉院
龍松院
転害門
西笹鉾町
今小路
大仏池
金堂(大仏殿)
鐘楼
二月堂
法華堂(三月堂)
若草山頂へ
沢井病院
北市町
佐保橋
戒壇堂
手向山八幡宮
県立大
称名寺
奈良女子大
P.52 東大寺
鏡池
内侍原町
芝辻町
県文化会館
県立美術館
東大寺本坊
南大門
奈良線
蓮長寺
西方寺
近鉄奈良駅
裁判所
県庁
日本庭園名勝依水園
P.96 月日亭
大宮町(一)
開化天皇陵
近鉄奈良駅
奈良国立博物館 P.68
奈良春日野国際フォーラム 甍
北円堂
興福寺
P.60
春日大社神苑萬葉植物園
P.65
南円堂
五重塔
一之鳥居
春日大社表参道
国宝殿
春日大社
三条通り
JR奈良駅
東大寺大仏殿・春日大社前
奈良公園
春日大社本殿
伝香寺
椿井小
奈良ホテル
荒池
鷺池
若宮神社
JR奈良駅
ならまちセンター
ホテルウェルネス飛鳥路 P.99
杉ヶ町
来迎寺
瑜伽神社
たかばたけ茶論 P.91
ピアッツァホテル奈良 P.97
杉ヶ中町
奈良町
元興寺極楽坊
KKR奈良みかさ荘 P.99
志賀直哉旧居 P.72
福智院町
破石町
柳生街道
大森町
南袋町 P.76
元興寺塔跡
今西家書院
高畑 P.71
新薬師寺 P.72
元興寺小塔院跡
奈良署
済美小
西木辻町
金躰寺
あーとさろん宮崎 P.85
旅籠長谷川 P.100
飛鳥中
ならまち格子の家
紀寺町
高畑町
奈良教育大
入江泰吉記念奈良市写真美術館 P.73
瓦町
飛鳥小
春日中
八軒町
北京終町
奈良女子大附属中等教育学校
高畑町
春日中
北京終町
璉城寺
中辻町
市立奈良病院
高畑住宅
奈良町南観光案内所「鹿の舟」
東紀寺町(一)
NTT
ザ・ビッグエクストラ
白毫寺
白毫寺 P.73
大安寺
東紀寺町(三)
きょうばて
肘塚町
能登川
萩ヶ丘町
南京終町(二)
南京終町(四)
桜井線
南方町
尾上町
南紀寺町(三)
高円高
桂木町
紀寺南池
踏木谷池
南京終町(七)
万葉まほろば線
南肘塚町
岩井川
川向井池
南京終町
済美南小
古市
護国神社
奈良佐保短大
奈良佐保短大
鹿野園町
北神殿
169
護国神社
鹿野園町
神殿町
古市町
天理・桜井へ

新田辺・京都へ
木津ICへ
木津
平城山
佐保台
佐保台西
山陵町
奈良大附属高
左京(一)
平城大橋
いぬい池
神功皇后陵
(五社神古墳)
近鉄京都線
北秋篠
秋篠町
秋篠寺
秋篠寺
P.106
歌姫町
歌姫町
奈良西の
斑鳩自転
コナベ、ウワナベ古墳は前方後円墳の周囲を一周できる
塩塚古墳
A
へいじょう
車の往来が激しいので、平城宮跡内を歩く方が快適
ハジカミ池
磐之媛命陵
B
航空自衛隊奈良基地
関西本線(大和
秋篠新町
成務天皇陵
(佐紀石塚山古墳)
秋篠三和町
日葉酸媛命陵
瓢箪山古墳
佐紀県営住宅
上吉堂池
コナベ古墳
水上池
ウワナベ古墳
佐紀盾列古墳群
航空自衛隊
秋篠寺～西大寺は歴史の道を歩く。住宅街や畑を抜けていく
孝謙天皇陵
西大寺北町
佐紀中町
平城天皇陵
生駒・大阪難波へ
御前池
西大寺
西大寺本町
秋篠音楽堂
ならファミリー
佐紀池
佐紀駐在所
P.108 不退
大和西大寺駅
二条町
佐紀町・大極殿
平城宮跡・遺構展示館
遺構展示館
北法華寺町
法華寺町
やまとさいだいじ
一条通り
二条町
法華寺北町
西大寺
P.113
平城宮跡資料館
第一次大極殿
P.108 法華寺
海龍王寺 P.1
一条高
P.104～105の青ルート
奈良文化財研究所
二条町二
第一次大極殿院
法華寺
西大寺芝町
西大寺南町
青野町
西大寺国見町
平城宮跡
P.106
東院庭園
P.104～105の赤ルート
二条町三
かんぽの宿 奈良 P.99
(平城宮温泉)
F
(天平の湯)
奈良ロイヤルホテル
菅原町
朱雀門
平城宮いざない館
芝辻町
菅原天満宮
P.100 スーパーホテル奈良
トキジク・キッチン P.103
天平つどい館
朱雀門ひろば
二条大路南
ミ・ナーラ
新大宮駅前
菅原神社
天平うまし館
奈良市美術館
奈良市役所
しんおおみや
喜光寺
E
二条大路南五
二条大路南二
平城京左京三条二坊宮跡庭園
市奈良庁前
新大宮駅
阪奈菅原
尼ケ辻橋
朱雀門ひろば前
三条大路
大宮小
生駒へ
308
JWマリオネット・ホテル奈良
宝来(二)
三条大路四
P.100 ビジネスホテルたかまど
大宮町(四
宝来東口
尼ケ辻駅
三条大路五
三条大路二
三条大路一
三条添川町
あまがつじ
尼辻中町
都橋
ホテルアジール奈良アネックス
四条大路二
北添川
ホテル・葉風
垂仁天皇陵
(宝来山古墳)
都跡小
都跡小
三笠中
近鉄橿原線
四条大路
南添
平松(一) P.113
南新地
四条大路一
三条桧
尼辻南町
五条(一)
111
四条大路
恋の窪町一
都跡中
恋の窪(一
五条町
大安寺町
P.112 唐招提寺
秋篠川
県立図書情報館
平松(二)
唐招提寺東口
柏木町
恋の窪町二
唐招提寺
四条大路南町
大安寺西小
五条(二)
24
恋の窪町
五条(三)
恋の窪(二)
西ノ京
西ノ京町
大安寺西
がんこ一徹長屋
奈良パワーシティ
八条町
恋の窪町南口
大安寺
にしのきょう
薬師寺
六条町
大安寺西口
六条(一)
西ノ京駅
薬師寺東口
柏木町南
大安寺西二
右京橋
六条柳町
奈良朱雀高
済生会奈良病院
大安寺小
I
薬師寺 P.110
八条(五)
J
奥柳
西ノ京町
柏木町
大安寺
(二)
大池
西の京病院
佐保川
八条(二)
柏木公園
関西本線(大和路線)
六条町
国立奈良医療センター
西の京病院
薬師寺駐車場
清水池
七条町
八条(一)
七条町
宮の森
七条(一)
平宗別館
八条町四
八条町地蔵前
七条東町
倭膳たまゆら P.114
八条町一
岩井川
奈良養護学校
杏中町
杏町
東
近鉄郡山へ
郡山へ

奈良中心部＆奈良郊外 エリアの概略

このエリアの早分かりポイント

【どんな場所？】 大和盆地の北部に位置している。若草山や春日山に続く低い台地上に奈良公園があり、そこが中心部。東へ進めば山地となり、柳生街道の先に柳生の里がある。

西側には南北に広がる盆地状の平地があり、そこに佐保路や佐紀路、西ノ京の各エリアがある。

【歴史は？】 奈良時代に都が置かれていた。8世紀の日本においては、政治・宗教・経済・文化などの中心地として栄えていた。奈良市西部の平地には平城宮跡があり、往時の面影を伝えている。

【見る歩くポイントは？】 奈良観光の中心エリアであり、東大寺、興福寺、春日大社、唐招提寺、薬師寺といったそうそうたる名所が並ぶ。ふだんでも観光客や修学旅行生で賑わうが、春・秋の観光シーズンの人出はいっそう多い。祭りや行事も多く、その時期には特別に賑わう。

■宿泊のヒント■ 奈良市内であれば旅館、ビジネスホテル、高級ホテルなど多様な選択肢があり、それぞれ数も多い。

交通の便もよいので、近鉄奈良駅周辺を宿泊地とすれば、西ノ京まで近鉄線で15分程度、柳生までバスで50分程度で行ける。ただし、観光のハイシーズンや著名な祭り・行事の時期には目当てのホテルが満室ということもありうるので、早めに予約をとる配慮も必要だ。

■回り方のヒント■ 柳生を除けば各エリアとも比較的狭い範囲内にある。しかし、見どころが多いことに加え、食事や買い物にもある程度の時間を費やす場所なので、最低1～2泊はしたい。東大寺のように、ひとつの寺内をめぐるだけで半日がかりという名所もある。

日数が限られる場合、ポイントを絞ってじっくり見るか、軽く流して数を稼ぐか、出発する前に考えておかないとすべてが中途半端になってしまう。

観光問い合わせ先

- ●奈良市観光戦略課 ☎0742-34-4739
- ●奈良市奈良町にぎわい課 ☎0742-24-8936
- ●奈良市観光センター ☎0742-22-3900
- ●柳生観光協会 ☎0742-94-0002

興福寺境内

このエリアへの行き方

奈良市の中心部にあたるエリアだけに、鉄道やバスなどさまざまな交通機関でアクセスできる。

鉄道の場合、東京方面からは新幹線を利用し、京都経由で近鉄線もしくはJR奈良線に乗り換え、近鉄奈良駅、JR奈良駅へアクセスする方法が一般的。

大阪方面からは近鉄線やJR関西本線（大和路線）を利用する。名古屋方面からは、東京方面と同じく新幹線を利用する方法のほか、JR関西本線や近鉄線を利用する方法がある。また各地から高速バスが出ている（詳細はp.172参照）。

春日大社、一の鳥居

奈良市内交通ガイド

奈良市内の移動、とくにＪＲ奈良駅、近鉄奈良駅、興福寺、東大寺、春日大社、奈良町、高畑にかけての移動は徒歩かバス。薬師寺などの西ノ京へは近鉄電車かバスでの移動となる。

【市内の移動は循環バスが便利】

◆市内循環線…近鉄奈良駅やＪＲ奈良駅から東大寺南大門や春日大社をはじめ市内の主な見どころへは、市内循環線の利用が便利。近鉄奈良駅から北を向いて時計回り（春日大社方面）に循環しているバスを外回り、その逆に同じコースを反時計回りに走るバスを内回りと呼ぶ。それぞれ10分ごとに運行。

◆中循環線…ＪＲ奈良駅には寄らずにショートカットでやすらぎの道を循環している中循環線もあり、市内循環線と同様に外回りが運行されている。ただし運行は午前中のみ。近鉄奈良駅から東大寺、春日大社、高畑のエリア間の往復なら中循環、市内循環のどちらに乗っても変わらない。

中循環バスは近鉄奈良駅を経由するが、JR奈良駅は通らない

乗り場でバスの現在地がわかるシステム

【その他の市内の主な路線】

近鉄奈良駅やＪＲ奈良駅を起終点とする路線も多い。本数が出ていて、とくに利用しやすい路線は次のとおり。

◆春日大社本殿行き…東大寺や春日大社へ行く時利用できる。日中1時間に3本程度運行。

◆高畑町行き…東大寺や春日神社、志賀直哉旧宅へ行く時利用できる。1時間に1本程度運行。

◆青山住宅行き…東大寺転害門《てがいもん》（♀手貝町下車）などへ。日中1時間に4本程度運行。

運行料金：右記の市内均一区間のバス運賃は210円。

交通機関問い合わせ先

【奈良交通】
バス時刻問い合わせ
☎0742-20-3100
（奈良交通お客様サービスセンター）
フリー乗車券販売
☎0742-22-5267
（奈良交通近鉄奈良案内所）
平日8:30～19:00、土・日曜、祝日8:30～18:00。
定期観光バス
☎0742-22-5110
（奈良交通総合予約センター）
9:00～19:00。

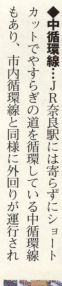

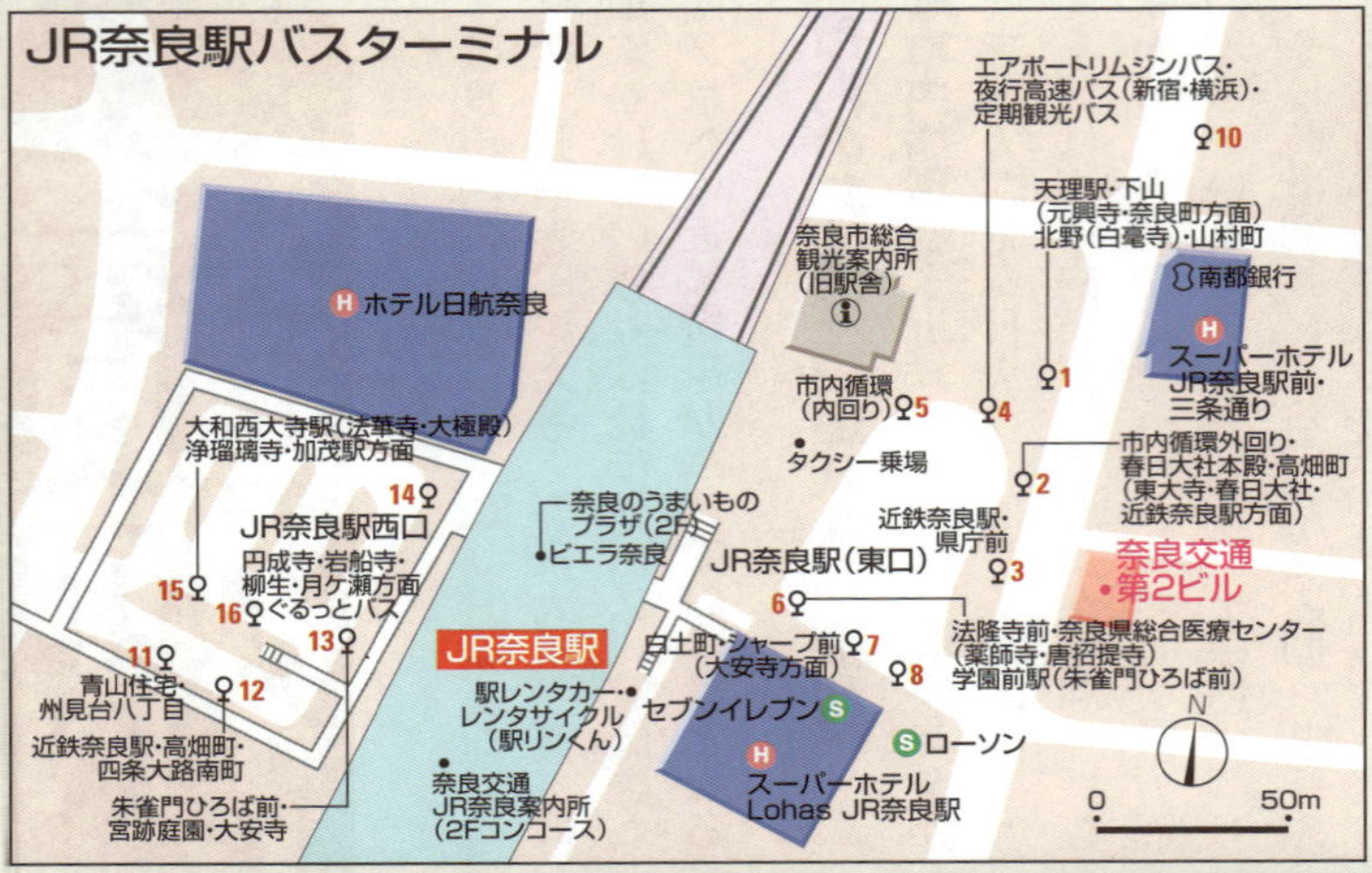

JR奈良駅構内

近鉄奈良駅・JR奈良駅からの主な見どころへのバス

見どころ(50音順)	乗り場		バスの主な行き先	下車バス停
	近鉄奈良駅	JR奈良駅		
依水園	1	東2	市内循環バス (外)	県庁東
円成寺	4	西16	柳生・石打・邑地中村	忍辱山
春日大社	1	東2	春日大社本殿	終点
元興寺	3	東1	天理駅・下山・窪之庄	福智院町
岩船寺	4	西16	広岡・下狭川	岩船寺口
興福寺	1	東2	市内循環バス (外)	県庁前
西大寺	13	西15	大和西大寺駅	終点
猿沢池	1	東2	市内循環バス (外)	県庁前
正倉院	2/21	西11	青山住宅／州見台八丁目	今小路・手貝町
浄瑠璃寺	13	西15	加茂駅	浄瑠璃寺口
新薬師寺	1	東2	市内循環バス (外)	破石町
朱雀門	11	西13	学園前駅 (南)	朱雀門ひろば前
朱雀門	8	東6	奈良県総合医療センター・学園前駅 (南)	三条大路四丁目
大乗院庭園	3	東1	天理駅・下山・窪之庄	福智院町
東院庭園	13	西15	大和西大寺駅	平城宮跡・遺構展示館
唐招提寺	8	東6	奈良県総合医療センター	唐招提寺
東大寺 (大仏殿)	1	東2	市内循環バス (外)	東大寺大仏殿・春日大社前
奈良県立美術館	1	東2	市内循環バス (外)	県庁前
奈良公園	1	東2	市内循環バス (外)	東大寺大仏殿・春日大社前
奈良国立博物館	1	東2	市内循環バス (外)	氷室神社・国立博物館
奈良市写真美術館	1	東2	市内循環バス (外)	破石町
般若寺	2/21	西11	青山住宅／州見台八丁目	般若寺
白毫寺	4	東1	北野・奈良春日病院	白毫寺
不退寺	13	西15	大和西大寺駅	一条高校前
平城宮跡	13	西15	大和西大寺駅	平城宮跡・遺構展示館
法隆寺	8	東6	法隆寺前	終点
法華寺	13	西15	大和西大寺駅	法華寺
柳生の里	4	西16	柳生・石打・邑地中村	柳生
薬師寺	8	東6	奈良県総合医療センター	薬師寺

※JR奈良駅乗場は、東口 (東) と西口 (西) に分かれている

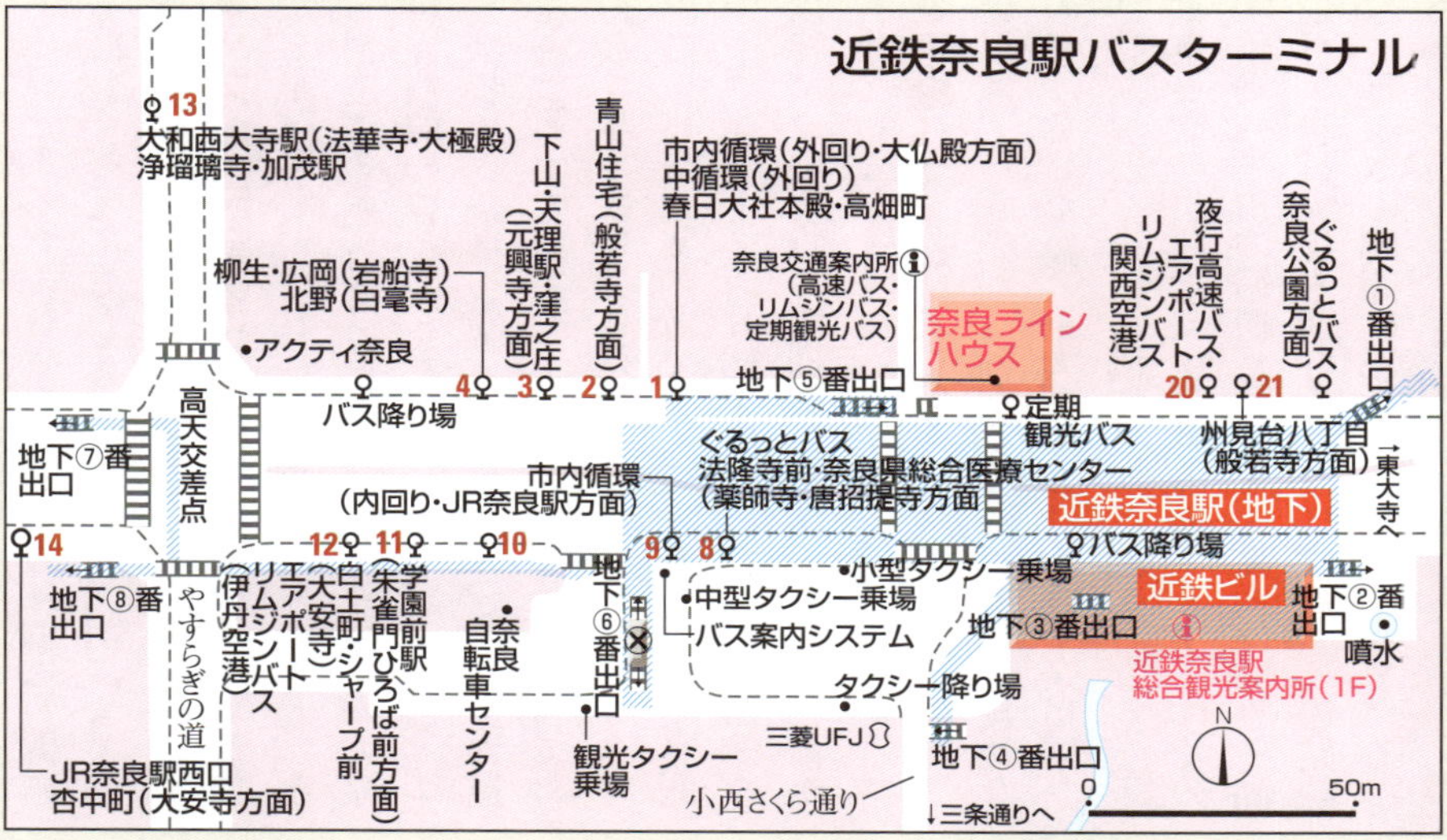

人力車でめぐれば、古都の風情をより楽しめる

近鉄奈良駅と行基菩薩像の噴水。一見、銅像のように見えるが、赤膚焼で作られたもの。待ち合わせ場所としてもお馴染みだ。

はじめの一歩 近鉄奈良駅

多くの奈良への旅行者が、まず最初に降り立つのが近鉄奈良駅。地下が鉄道駅、地上は市内バスのターミナルとなっている。町へ歩き出す前に、まずここで快適な旅の準備をしよう。

◆荷物を預ける…近鉄奈良駅の改札を出たところ、地階コンコース周辺に多数のコインロッカーが設置されている。

◆観光情報を集める…近鉄奈良駅総合観光案内所が、駅ビル1階の東出口付近にある。近鉄奈良駅の東改札口を出て、右手の出口③のエスカレーターを利用すると便利。ここでは奈良市内をはじめ県内各地の各種マップ、イベント情報、観光タクシーなど、各種パンフレットが入手できる。また、個別の寺院や、他のエリアに

レンタサイクルや人力車を利用

公共交通機関以外に古都散策の足として、レンタサイクルや人力車を利用するのも楽しい。

■JR奈良駅前「駅リンくん」☎0742-26-3929。8:00 ～ 18:00。無休。1日700円（電動1500円）。地図p.49-I

■やまと屋奈良☎0742-22-9123。人力車は近鉄奈良駅、県庁前、猿沢池、東大寺南大門参道入口あたりで待機していることが多い。料金は、1区間の遊覧（約10分）で1人2000円、2人3000円。電話での予約は30分（1人5000円）以上から。

ある見どころへの行き方など、具体的な質問にも詳しく答えてもらえるので、観光前にまず立ち寄りたい。

◆バスの割引乗車券を買う…奈良公園エリアから平城宮跡、それに西ノ京までカバーし、1日何度でも乗り降り自由な奈良公園・西の京世界遺産 1-Day Pass 500円（p.181参照）をはじめ、奈良公園・西の京・法隆寺 世界遺産 1-Day Pass Wide 1000円など、便利でお得なフリー乗車券各種は、奈良ラインハウス1階の奈良交通案内所で購入できる。近鉄奈良駅地下コンコース西改札を抜け、右手の出口⑤を出てすぐの建物。定期観光バスも、建物の前から出ている。

◆路線バスを利用する…近鉄奈良駅前のバス乗場は、行き先別に細かく分かれていて複雑なので注意したい。東大寺・春日大社・奈良国立博物館など、奈良公園エリアへ向かうなら、近鉄奈良駅の出口⑤（中筋町方面）を出てすぐの①乗場へ。市内循環外回り・中循環外回り・高畑町・春日大社本殿行きに乗車する。この路線は、日中は1時間に12～18本運行されているので利用しやすい。

駅構内の旅行会社で宿泊の手配もできる

春日大社前のバス案内所

◆徒歩で奈良公園へ向かう…近鉄奈良駅から出口②（奈良公園・噴水広場・東向中町方面）の階段を上がり、メインストリートの登大路を東へ向かうと、徒歩5分で興福寺の境内に入れる。

◆タクシーを利用する…タクシー乗場へは、近鉄奈良駅の出口⑥（西御門町方面）が便利。中型タクシー乗場は、ロータリーの西側。なお、奈良市内では流しのタクシーが少ない。奈良公園周辺のタクシー乗場は、近鉄奈良駅前・JR奈良駅前・奈良国立博物館新館前など。

◆観光タクシーを利用する…観光タクシー乗場は、近鉄奈良駅の出口⑥（西御門町方面）を出て派出所の南にあるが、常駐していることはほとんどない。電話で呼ぶことになる。観光タクシーにはルート別運賃が設定されている。p.44参照。ルートや料金のパンフレットは、近鉄奈良駅総合観光案内所などでもらえる。

◆当日の宿泊が決まっていない場合は…各観光案内所や観光センターでは、希望の場所や金額にあう宿泊施設を紹介してもらえるが、あっせんはしていない。空室の有無などの問い合わせは自分で電話しなくてはならない。近鉄奈良駅構内の近畿日本ツーリスト、ＪＲ奈良駅構内の日本旅行などでは提携している宿泊施設の当日宿泊のあっせんをしている。

最後の一歩のアドバイス

近鉄奈良駅構内には、みやげ探しを楽しむような売店はほとんどない。みやげを探すなら、奈良公園から戻る際、興福寺と猿沢池の間を通る三条通りを歩いてみよう。伝統工芸品や奈良漬などの老舗が軒を連ねている。三条通りと交差する東向《ひがしむき》通りと小西通り沿いには、喫茶店が多いので、電車に乗る前に一服するのに最適。

◆近鉄奈良駅から京都・大阪方面へ帰る

京都行きの特急は1時間に2本ほどあり、全席座席指定なので楽だが、特急料金520円が必要だ。特急指定券は、地下コンコースの東側の切符自動販売機隣の売場で購入する。京都への急行も日中は1時間に1～2本運行。指定席はないが始発なので座りやすい。また薬師寺のある西ノ京駅から直接京都へ戻る場合は、大和西大寺駅で特急か急行へと乗り換える。西ノ京駅から京都へは、特急か急行利用が便利。平日が朝の10時台から15時台の間に特急と急行が1時間に3～5本、土曜・休日に9時台から17時台の間に2～6本運行している。

大阪難波へは、土曜・休日に座席指定の特急が1時間に1本運行。特急料金は520円。特急は平日は朝10時台までと夜のみ運行。難波への快速急行や急行は1時間に6本走り便利だ。すべて近鉄奈良駅始発。

◆ＪＲ奈良駅から京都・大阪方面へ帰る

ＪＲ大和路線で天王寺、大阪方面へ向かう場合、日中は1時間に4本運行。そのうち2本が手前の加茂駅始発。好きな席を確保したいなら、奈良駅始発が多い朝と夕方に乗るのも一考だ。京都行きのＪＲ奈良線は、奈良駅始発で1時間に4本運行、そのうち2本が快速。

三条通りは買い物に便利

近鉄奈良駅周辺の商店街

（コインロッカー）

近鉄奈良駅構内
利用時間は列車運行の始発から最終まで

（問い合わせ先）

JR西日本（お客様センター）
☎0570-00-2486
近畿日本鉄道（近鉄電車テレフォンセンター）
☎050-3536-3957

（奈良観光案内所）

近鉄奈良駅総合観光案内所
9:00～21:00
☎0742-24-4858
奈良市総合観光案内所（旧JR奈良駅舎）
9:00～21:00
☎0742-27-2223
奈良市観光センター
9:00～21:00
☎0742-22-3900

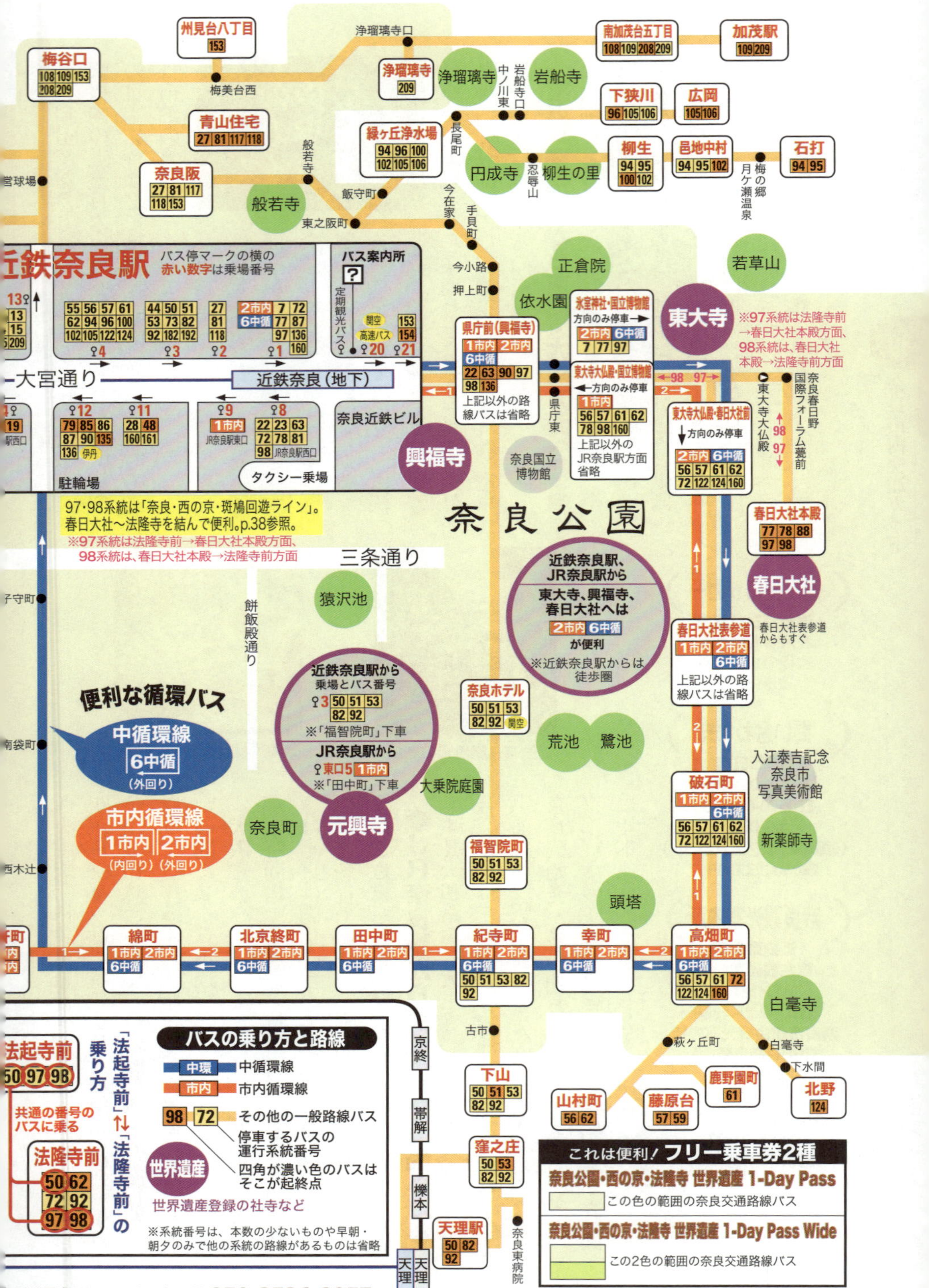

●近鉄電車テレフォンセンター ☎050-3536-3957

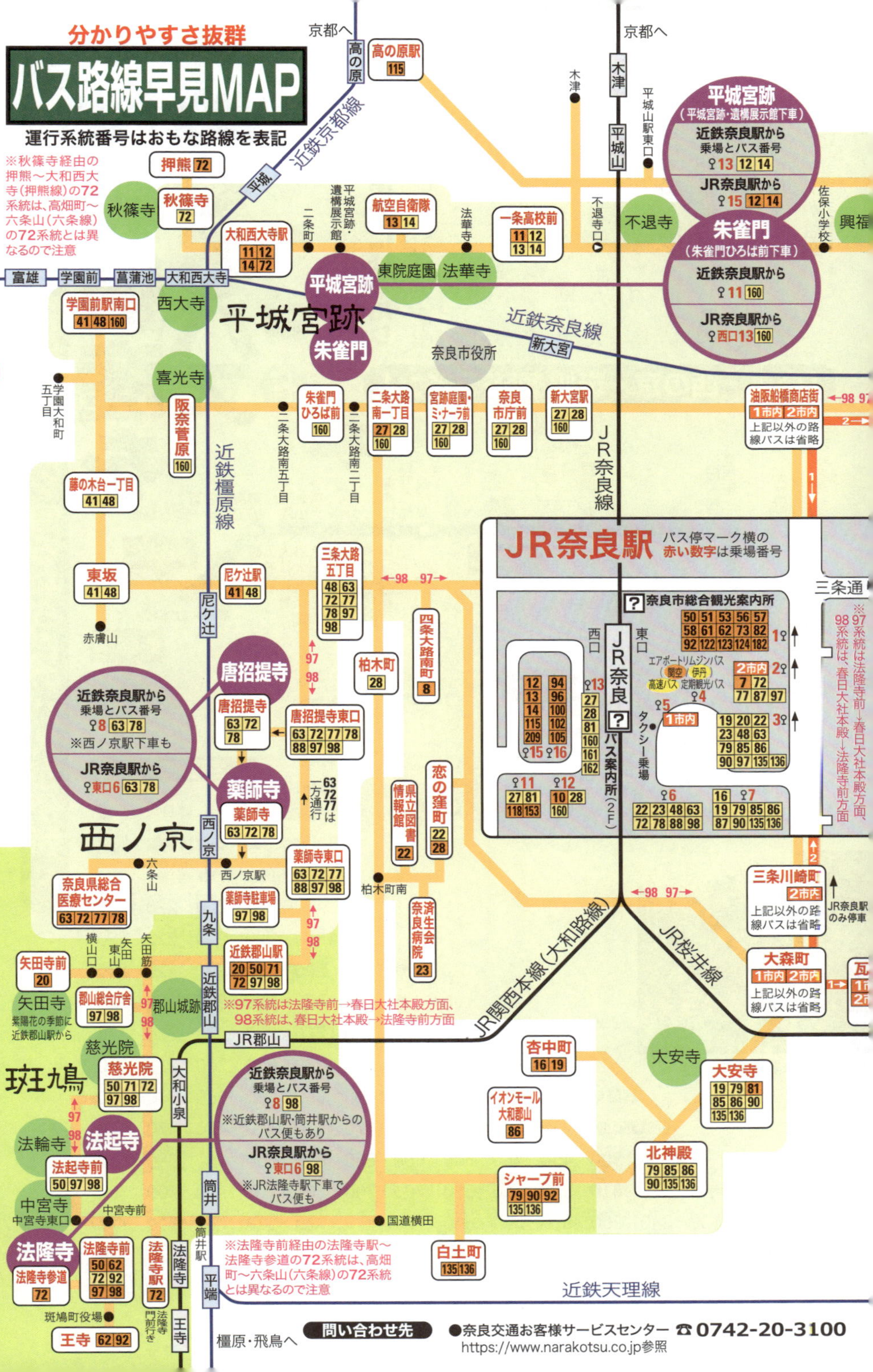
分かりやすさ抜群
バス路線早見MAP
運行系統番号はおもな路線を表記
※秋篠寺経由の押熊～大和西大寺（押熊線）の72系統は、高畑町～六条山（六条線）の72系統とは異なるので注意
京都へ
高の原
高の原駅 115
近鉄京都線
平城
押熊 72
秋篠寺 72
秋篠寺
大和西大寺 11 12 14 72
二条町
平城宮跡・遺構展示館
航空自衛隊 13 14
法華寺
一条高校前 11 12 13 14
木津
平城山駅東口
不退寺口
不退寺
佐保小学校
興福
木津
平城山
平城宮跡（平城宮跡・遺構展示館下車）
近鉄奈良駅から 乗場とバス番号 13 12 14
JR奈良駅から 15 12 14
朱雀門（朱雀門ひろば前下車）
近鉄奈良駅から 11 160
JR奈良駅から 西口13 160
富雄
学園前
菖蒲池
大和西大寺
学園前駅南口 41 48 160
西大寺
平城宮跡
朱雀門
東院庭園
法華寺
近鉄奈良線
新大宮
奈良市役所
喜光寺
学園大和町五丁目
阪奈菅原 160
朱雀門ひろば前 160
二条大路南五丁目
二条大路南一丁目 27 28 160
二条大路南二丁目
宮跡庭園・ミ・ナーラ前 27 28 160
奈良市庁前 27 28 160
新大宮駅 27 28 160
JR奈良線
油阪船橋商店街 1市内 2市内 上記以外の路線バスは省略
近鉄橿原線
藤の木台一丁目 41 48
東坂 41 48
赤膚山
尼ケ辻
尼ケ辻駅 41 48
三条大路五丁目 48 63 72 77 78 97 98
←98 97→
四条大路南町 8
柏木町 28
JR奈良駅 バス停マーク横の赤い数字は乗場番号
三条通
奈良市総合観光案内所
西口
東口
JR奈良
バス案内所（2F）
タクシー乗場
エアポートリムジンバス（関空・伊丹）
高速バス 定期観光バス
1 50 51 53 56 57 58 61 62 73 82 92 122 123 124 182
2 2市内 7 72 77 87 97
3 19 20 22 23 48 63 79 85 86 90 97 135 136
4
5 1市内
6 22 23 48 63 72 78 88 98
7 16 19 79 85 86 87 90 135 136
11 27 81 118 153
12 10 28 160
13 27 28 81 160 161 162
15 16 12 13 14 115 209 94 96 100 102 105
※97系統は法隆寺前→春日大社本殿方面、98系統は、春日大社本殿→法隆寺前方面
唐招提寺
近鉄奈良駅から 乗場とバス番号 8 63 78
※西ノ京駅下車も
JR奈良駅から 東口6 63 78
唐招提寺 63 72 78
唐招提寺東口 63 72 77 78 88 97 98
薬師寺
薬師寺 63 72 78
63 72 77は一方通行
97 98
西ノ京
西ノ京駅
六条山
薬師寺東口 63 72 77 88 97 98
薬師寺駐車場 97 98
恋の窪町 22 28
県立図書情報館 22
柏木町南
済生会奈良病院 23
奈良県総合医療センター 63 72 77 78
九条
近鉄郡山駅 20 50 71 72 97 98
※97系統は法隆寺前→春日大社本殿方面、98系統は、春日大社本殿→法隆寺前方面
三条川崎町 2市内 上記以外の路線バスは省略
JR奈良駅のみ停車
←98 97→
JR関西本線（大和路線）
JR桜井線
大森町 1市内 2市内 上記以外の路線バスは省略
瓦
矢田寺前 20
矢田寺
紫陽花の季節に近鉄郡山駅から
横山口
矢田東山
矢田筋
郡山総合庁舎 97 98
郡山城跡
近鉄郡山
JR郡山
慈光院
慈光院 50 71 72 97 98
斑鳩
大和小泉
近鉄奈良駅から 乗場とバス番号 8 98
※近鉄郡山駅・筒井駅からのバス便もあり
JR奈良駅から 東口6 98
※JR法隆寺駅下車でバス便も
杏中町 16 19
イオンモール大和郡山 86
大安寺
大安寺 19 79 81 85 86 90 135 136
北神殿 79 85 86 90 135 136
シャープ前 79 90 92 135 136
法輪寺
法起寺
法起寺前 50 97 98
中宮寺
中宮寺東口
中宮寺前
筒井
筒井駅
国道横田
法隆寺
法隆寺参道 72
法隆寺前 50 62 72 92 97 98
法隆寺駅 72
法隆寺
法隆寺門前行き
斑鳩町役場
王寺 62 92
王寺
平端
※法隆寺前経由の法隆寺駅～法隆寺参道の72系統は、高畑町～六条山（六条線）の72系統とは異なるので注意
白土町 135 136
近鉄天理線
橿原・飛鳥へ
問い合わせ先
●奈良交通お客様サービスセンター ☎0742-20-3100
https://www.narakotsu.co.jp参照

奈良公園や西ノ京、奈良町を回るならこのバスが便利

世界遺産をめぐるバス

利用ガイド

世界遺産周遊にぴったり

奈良市街周辺の世界遺産は、奈良市内に8つ、斑鳩町に2つある。これらをめぐるのに便利なバスが「奈良・西の京・斑鳩 回遊ライン」だ。「奈良・西の京・斑鳩 回遊ライン」は、春日大社本殿～法隆寺前を結ぶ97・98系統の路線バスの通称で、車体にデザインされた鹿や塔をイメージしたシルエットが目印。

「奈良・西の京・斑鳩 回遊ライン」

色が鮮やかな春日大社

主要区間運賃

															春日大社本殿
東大寺大仏殿・国立博物館															－
氷室神社・国立博物館														－	－
県庁東													220	220	220
県庁前												220	220	220	220
近鉄奈良駅											220	220	220	220	220
JR奈良駅										220	220	220	220	220	220
唐招提寺東口									270	270	270	270	270	270	270
薬師寺東口								190	270	270	270	270	270	270	270
薬師寺駐車場							190	190	360	360	360	360	360	360	360
近鉄郡山駅						260	260	310	470	470	470	470	470	470	470
慈光院					390	450	450	500	650	650	650	650	650	650	650
法起寺前				190	410	510	510	520	700	700	700	700	700	700	700
中宮寺東口			190	340	500	570	570	610	770	770	770	770	770	770	770
中宮寺前		190	190	340	500	570	570	610	770	770	770	770	770	770	770
寺前	190	190	190	340	500	570	570	610	770	770	770	770	770	770	770

※数字は円

料金と運行頻度

「奈良・西の京・斑鳩回遊ライン」の運賃は区間により異なり、190～770円。日中（10時台～15時台頃）は1時間に1本の割合で運行している。

興福寺三重塔

世界遺産の宝庫、法隆寺の境内

問い合わせ先

奈良交通
お客様サービスセンター
☎0742-20-3100
http://www.narakotsu.co.jp/

奈良・西の京・斑鳩回遊ラインの主要バス停には目印の看板が置かれている

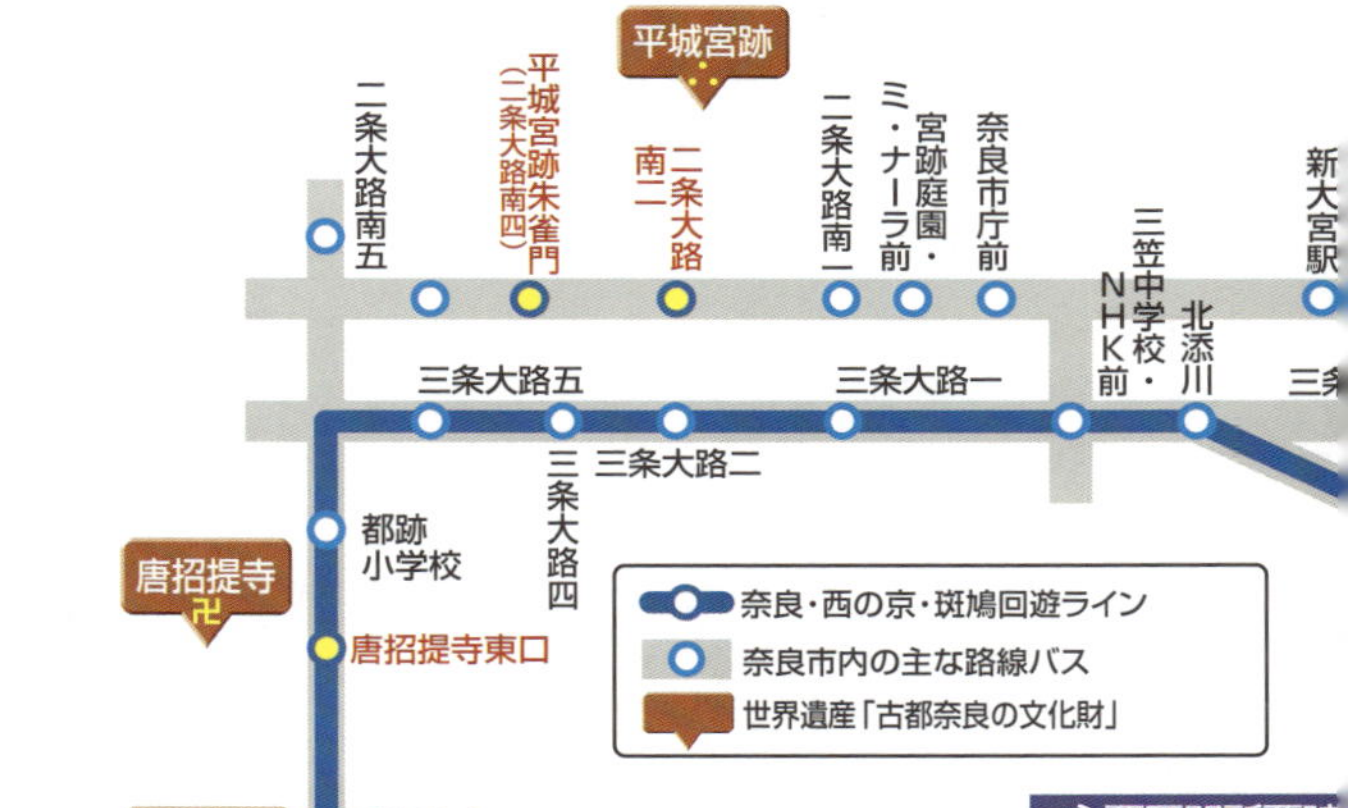

主要区間所要時

春日大社															
東大寺大仏殿・国立博物館															西
氷室神社・国立博物館														—	東
県庁東													東0～1	西0～1	
県庁前												1～2	東1～2	西1～2	
近鉄奈良駅											1～3	2～6	東2～4	西3～6	
JR奈良駅										3～7	5～9	6～10	東6～9	西8～12	1
唐招提寺東口									15～17	18～21	20～23	21～24	東22～25	西24～25	2
薬師寺東口								1～2	17	20～22	22～25	23～25	東24～26	西26	2
薬師寺駐車場							4	6	21	24～25	26～29	27～29	東28	西30	3.
近鉄郡山駅						9～11	13～15	11～17	26～32	29～36	31～39	32～40	東33～37	西36～41	3
慈光院					12～16	24～29	24～33	26～35	41～50	44～54	46～58	47～58	東48～56	西50～59	5.
法起寺前				3～5	15～23	28～34	29～38	29～40	44～55	48～59	51～63	52～61	東53～61	西53～62	5
中宮寺東口			1～2	5～6	17～24	30～35	29～39	31～41	46～56	50～60	52～64	53～63	東54～62	西55～64	6.
中宮寺前		2	3～4	7～8	19～26	32～37	31～41	33～43	48～58	52～62	54～66	55～65	東56～64	西57～66	6
法隆寺前	1～5	3～8	4～10	9～13	23～28	34～41	33～45	35～47	50～62	53～66	55～69	56～70	東57～65	西62～71	6

※数字は分数、西・東はその方向のみ停車。分数は97・98系統以外のバス時間も含
時間帯により混雑状況も変わるのであくまで目安

タクシーを利用して観光名所めぐり

タクシー・観光タクシー利用のポイント

快適、身軽、などの利点を考えればタクシーは人数さえ集まれば、仮に奈良市郊外でも極端な割高感はない。近場でいえば、近鉄奈良駅から春日大社までの料金は700円くらい。道路の混雑状況などにもよるが、3～4人で利用すればバスと同程度の金額になる。また観光タクシーの場合、運転手が観光案内をしてくれるメリットもある。観光タクシーを利用する場合は、原則として2日以上前に下記のタクシー会社へ申し込む。

観光タクシーのモデルコース

（奈良近鉄タクシーのコースの一例）　※小型タクシー利用

●奈良市内発着のフリーコース		時間	料金（概算）
F-1	フリーコース3時間プラン	3時間	1万6870円
F-2	フリーコース6時間プラン	3時間	3万4710円

●奈良市内からのルート別観光コース		時間	料金（概算）
A-1	興福寺→猿沢池→浮見堂→飛火野→春日大社→東大寺大仏殿→奈良市内	3時間	1万4460円
A-2	法隆寺→中宮寺→法輪寺→法起寺→薬師寺→唐招提寺→奈良市内	5時間	2万4100円
A-3	法隆寺→中宮寺→法輪寺→法起寺→薬師寺→唐招提寺→興福寺→春日大社→東大寺大仏殿	8時間	3万8560円

●橿原市内発の観光モデルコース		時間	料金（概算）
C-1	新元号「令和」の出典元『万葉集』に関係する場所を巡る。飛鳥宮跡→飛鳥寺→石舞台→犬養万葉記念館→万葉文化館	4時間	2万1360円
C-2	橿原市内発、古き良き飛鳥の地を巡る観光コース。飛鳥観光→談山神社→聖林寺→安倍文殊院	5時間	2万6700円
C-3	橿原市内発、室生寺→大野寺→長谷寺	6時間	3万2040円

コース名はA-1奈良公園コース、A-2法隆寺・西の京コース、A-3法隆寺・西の京・奈良公園コース 、A-4元号の旅コース、A-5飛鳥・談山神社コース、A-6長谷寺・室生寺コース
※料金は小型車（4人乗り）の場合で、消費税込み、駐車料・拝観料・通行料別。橿原市内発のコースは、中型車のみの設定。

主なタクシー問い合わせ予約先

奈良近鉄タクシー
☎0742-61-5501
服部タクシー
☎0742-50-5521
大和交通
（カイナラタクシー）
☎0742-22-7171

近鉄奈良駅から観光名所への目安料金

※中型タクシーの場合。表示料金は約（概算）。目安なので注意。道路の混雑状況などで変動がある。

東大寺大仏殿	690円
春日大社	950円
新薬師寺	1320円
平城宮跡朱雀門	1850円
西大寺	1860円
秋篠寺	2310円
唐招提寺	2030円
般若寺	970円
浄瑠璃寺	3480円
柳生の里	6530円
法隆寺	5730円

奈良公園《ならこうえん》

東大寺、興福寺、春日大社。世界に誇る天平文化が集まる一大都市公園

春日大社の朱色の社殿

壮大な伽藍を見せる興福寺の境内

市の中心部東側に隣接する広大な奈良公園は、奈良観光の中心スポット。東西4㎞、南北2㎞におよぶ公園内には、東大寺、興福寺、春日大社、奈良国立博物館など、奈良を代表する見どころが点在している。なだらかな若草山や、神秘的な春日山原始林の豊かな自然を背景とする寺社のたたずまいに、古都ならではの風情が漂う。ゆったりとした気分で散策を楽しみたい。起点の近鉄奈良駅から東へ向かって徒歩5分ほどで、興福寺の境内に入れる。

回る順のヒント

世界遺産の東大寺・興福寺・春日大社をめぐり、奈良国立博物館で歴史に触れ、奈良公園の自然を満喫するには、最低でも1日は必要。奈良公園エリアは、見どころが歩いて回れる範囲に集中しているが、それぞれの境内が非常に広く、また拝観中も立ちっぱなしのため、想像以上に足が疲れる。体力に自信がない人や、時間にゆとりがない場合は、♀春日大社本殿や♀春日大社表参道からバスで近鉄奈良駅へ戻るといい。

鹿が街の中を悠々と歩く

食事処アドバイス

観光の名所でありながら、思った以上に食事処が限られるので注意が必要だ。奈良公園の中では東大寺南大門周辺、東大寺法華堂（三月堂）から春日大社への沿道、興福寺境内、奈良国立博物館地下や博物館前にあるが、まとまった数の店があるわけではない。観光シーズンはすぐにいっぱいになってしまう。近鉄奈良駅周辺で食事を済ませてから向かう方法もあるが、どちらにせよ、どのあたりで昼食をとるか、事前に目星をつけておいた方が安心だ。

お弁当を用意して適当なベンチなどで食べるのもいい。

おすすめゆったりルート

拡大版

JR奈良駅・近鉄奈良駅～奈良公園

奈良公園の魅力は多彩。ゆったりとした気持ちで寺社や仏像に対面するためにも、あらかじめポイントを絞ってめぐりたい。

赤ルート　奈良市内のハイライト

[移動距離] **3.5km**
[徒歩] **5時間**

近鉄奈良駅 → 徒歩5分 → 興福寺 2時間 → 徒歩5分 → 奈良国立博物館 1時間 → 徒歩15分 → 東大寺大仏殿 30分 → 徒歩15分 → 東大寺二月堂 20分 → 徒歩15分 → 東大寺戒壇堂 15分

正倉院・転害門周辺
正倉院・転害門といった国宝の建造物があるわりには、人影はほとんどない。

東大寺二月堂
二月堂は夕景が特に美しいが、帰りには暗い道を歩くことになる。女性のひとり歩きは避けたい。

近鉄奈良駅
奈良観光の起点となる駅。駅ビルの西にバス・タクシーの乗り場がある。南側は食事処や喫茶店が集中する繁華街だ。

飛火野・浅茅ヶ原
広大な芝生と若草山の眺望が美しい飛火野。春日大社参道の南側一帯の浅茅ヶ原は、ベンチでの休憩も心地いい。

時間があれば東大寺三月堂、春日大社に立ち寄るのもいい。東大寺戒壇堂から近鉄奈良駅までは徒歩20分。歩き疲れた場合は今小路からバスを利用。東大寺三月堂から春日大社本殿まで徒歩20分。

青ルート　古都の情緒を味わう

[移動距離] **5km**
[徒歩] **3時間40分**

春日大社一之鳥居 3分 → 徒歩20分 → 春日大社本殿 15分 → 徒歩10分 → 志賀直哉旧居 20分 → 徒歩10分 → 新薬師寺 30分 → 徒歩2分 → 入江泰吉記念奈良市写真美術館 40分 → 徒歩25分 → 奈良町・元興寺 30分 → 徒歩15分 → 近鉄奈良駅

奈良公園内の移動手段は徒歩が中心。主な見どころ全部をくまなく1日で回るのは、時間的にも体力的にもかなり厳しい。ここで紹介する「赤ルート」「青ルート」は、このエリアの魅力を存分に味わえるルート。休憩をとりつつじっくりめぐるには、それぞれ1日とるのが理想的。

赤ルート 多数の国宝にふれるハイライト

赤ルートは、壮大な伽藍《がらん》や、日本が世界に誇る仏像が集中するゴールデンコース。狭いエリアに集中しているため、早足でめぐることも可能だが、仏像をじっくり拝観すればたっぷり1日かかる。ゆとりがあれば春日大社へ足をのばすか、さらに青ルートを一部組み合わせてもいい。

青ルート 町を歩き古都の風情を楽しむ

観光客で混みあう東大寺から離れ、しっとりと落ち着いた古都の素顔にふれられるのが青ルート。志賀直哉旧居や新薬師寺周辺の高畑《たかばたけ》と、町家が立ち並ぶ奈良町にはしゃれた店が点在していて、買い物や食事の楽しみもある。

東大寺の境内を「散策」する鹿の親子

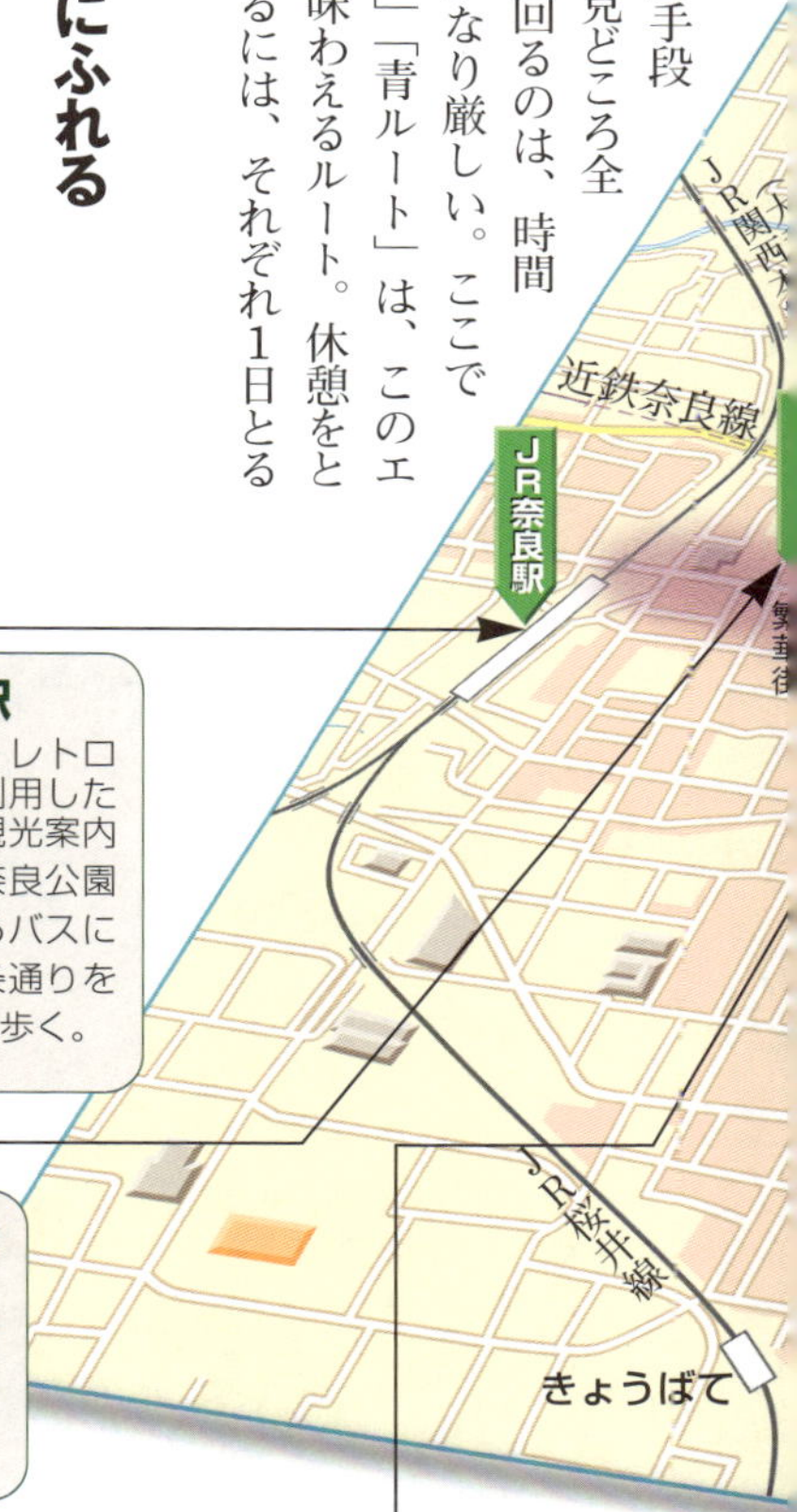

JR奈良駅
隣接して、レトロな旧駅舎を利用した奈良市総合観光案内所がある。奈良公園へは駅前からバスに乗るか、三条通りをまっすぐ東へ歩く。

良の目抜き通り
地図中で紫色で示し
範囲が奈良市の繁華
みやげ物店や飲食
が連なる。

奈良市観光センター
奈良の観光情報や各種パンフレットの入手、観光の相談はもちろん、奈良に関する質問にもていねいに対応してもらえる。

タクシーやバスを有効活用する

いずれのルートもかなりの距離を歩くことになるので、帰路は短距離でもバスかタクシーを利用すると楽だ。ほとんどのバスが近鉄奈良駅・JR奈良駅を経由しているので本数は多い。タクシーは、奈良国立博物館新館前に乗り場がある。それ以外の場所では流しのタクシーはほとんどないので、電話で呼ぶことになる。タクシーの電話番号はp.44を参照。路線バスについてはp.35～37を参照。

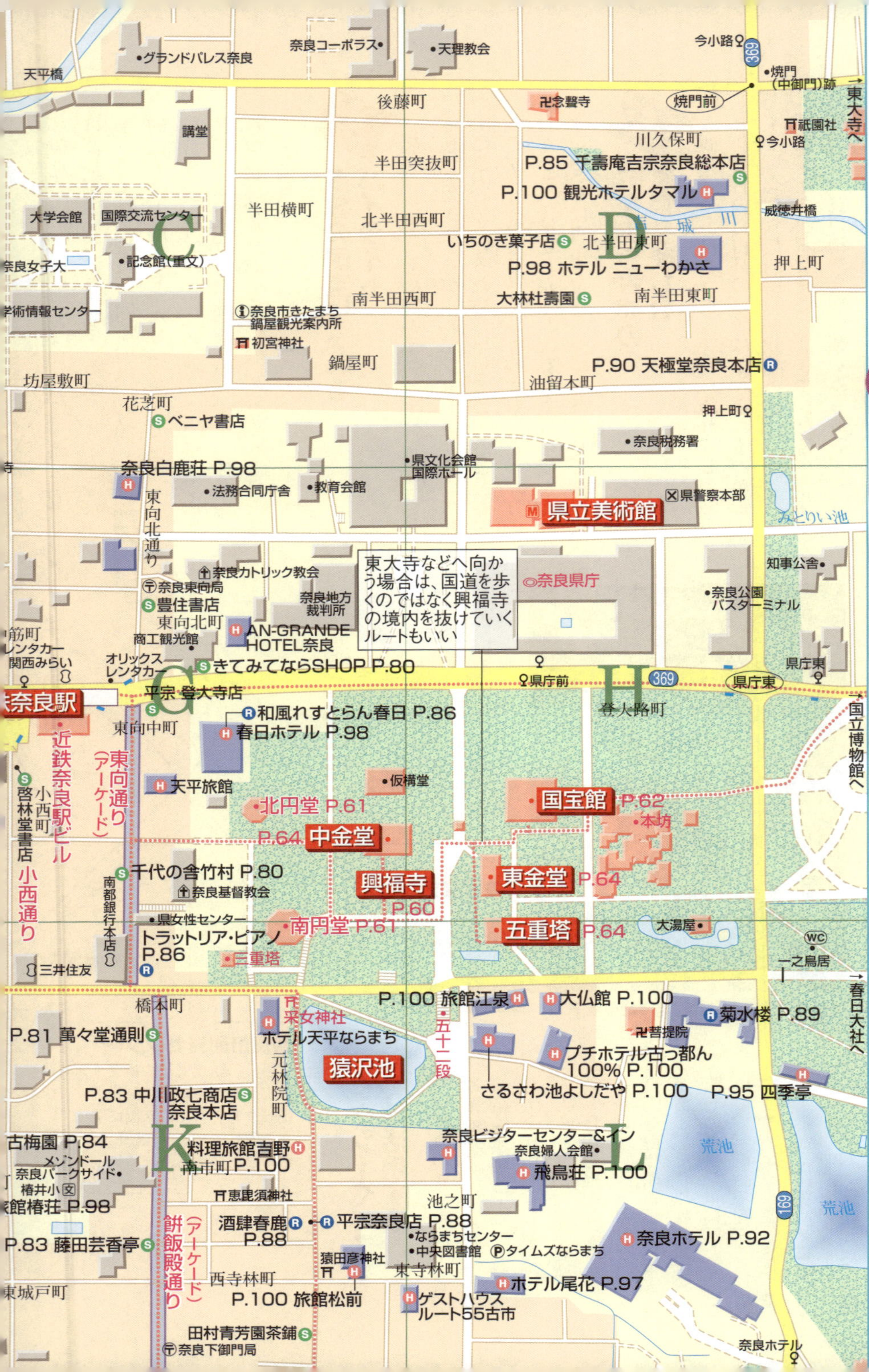
グランドパレス奈良
奈良コーポラス
天理教会
今小路
369
天平橋
焼門
(中御門)跡
東大寺へ
後藤町
念聲寺
焼門前
講堂
祇園社
川久保町
今小路
半田突抜町
P.85 千壽庵吉宗奈良総本店
P.100 観光ホテルタマル
半田横町
大学会館
国際交流センター
北半田西町
威徳井橋
C
D
いちのき菓子店
北半田東町
奈良女子大
記念館(重文)
P.98 ホテル ニューわかさ
押上町
南半田西町
大林杜壽園
南半田東町
学術情報センター
奈良市きたまち
鍋屋観光案内所
初宮神社
鍋屋町
P.90 天極堂奈良本店
坊屋敷町
油留木町
花芝町
押上町
ベニヤ書店
奈良税務署
県文化会館
国際ホール
奈良白鹿荘 P.98
東向北通り
法務合同庁舎
教育会館
県警察本部
県立美術館
みとりい池
奈良カトリック教会
東大寺などへ向かう場合は、国道を歩くのではなく興福寺の境内を抜けていくルートもいい
奈良県庁
知事公舎
奈良東向局
奈良地方裁判所
奈良公園
バスターミナル
豊住書店
東向北町
筋町
レンタカー
関西みらい
商工観光館
AN-GRANDE HOTEL奈良
オリックス
レンタカー
きてみてならSHOP P.80
県庁前
県庁東
県庁東
奈良駅
平宗 登大寺店
G
H
369
登大路町
国立博物館へ
東向中町
和風れすとらん春日 P.86
春日ホテル P.98
近鉄奈良駅ビル
東向通り
(アーケード)
仮構堂
啓林堂書店
小西町
天平旅館
北円堂 P.61
国宝館 P.62
本坊
P.64 中金堂
小西通り
千代の舎竹村 P.80
興福寺
東金堂 P.64
奈良基督教会
南都銀行本店
P.60
県女性センター
南円堂 P.61
五重塔 P.64
大湯屋
トラットリア・ピアノ
P.86
三重塔
WC
一之鳥居
三井住友
橋本町
P.100 旅館江泉
大仏館 P.100
春日大社へ
采女神社
菊水楼 P.89
P.81 萬々堂通則
ホテル天平ならまち
五十二段
菩提院
元林院町
猿沢池
プチホテル古っ都ん
100% P.100
P.83 中川政七商店
奈良本店
さるさわ池よしだや P.100
P.95 四季亭
K
L
奈良ビジターセンター&イン
荒池
古梅園 P.84
奈良婦人会館
メゾンドール
奈良パークサイド
料理旅館吉野
南市町 P.100
飛鳥荘 P.100
椿井小
旅館椿荘 P.98
恵美須神社
池之町
荒池
169
酒肆春鹿
P.88
平宗奈良店 P.88
ならまちセンター
P.83 藤田芸香亭
中央図書館
タイムズならまち
奈良ホテル P.92
餅飯殿通り
(アーケード)
猿田彦神社
東寺林町
西寺林町
東城戸町
P.100 旅館松前
ゲストハウス
ルート55古市
ホテル尾花 P.97
田村青芳園茶舗
奈良下御門局
奈良ホテル

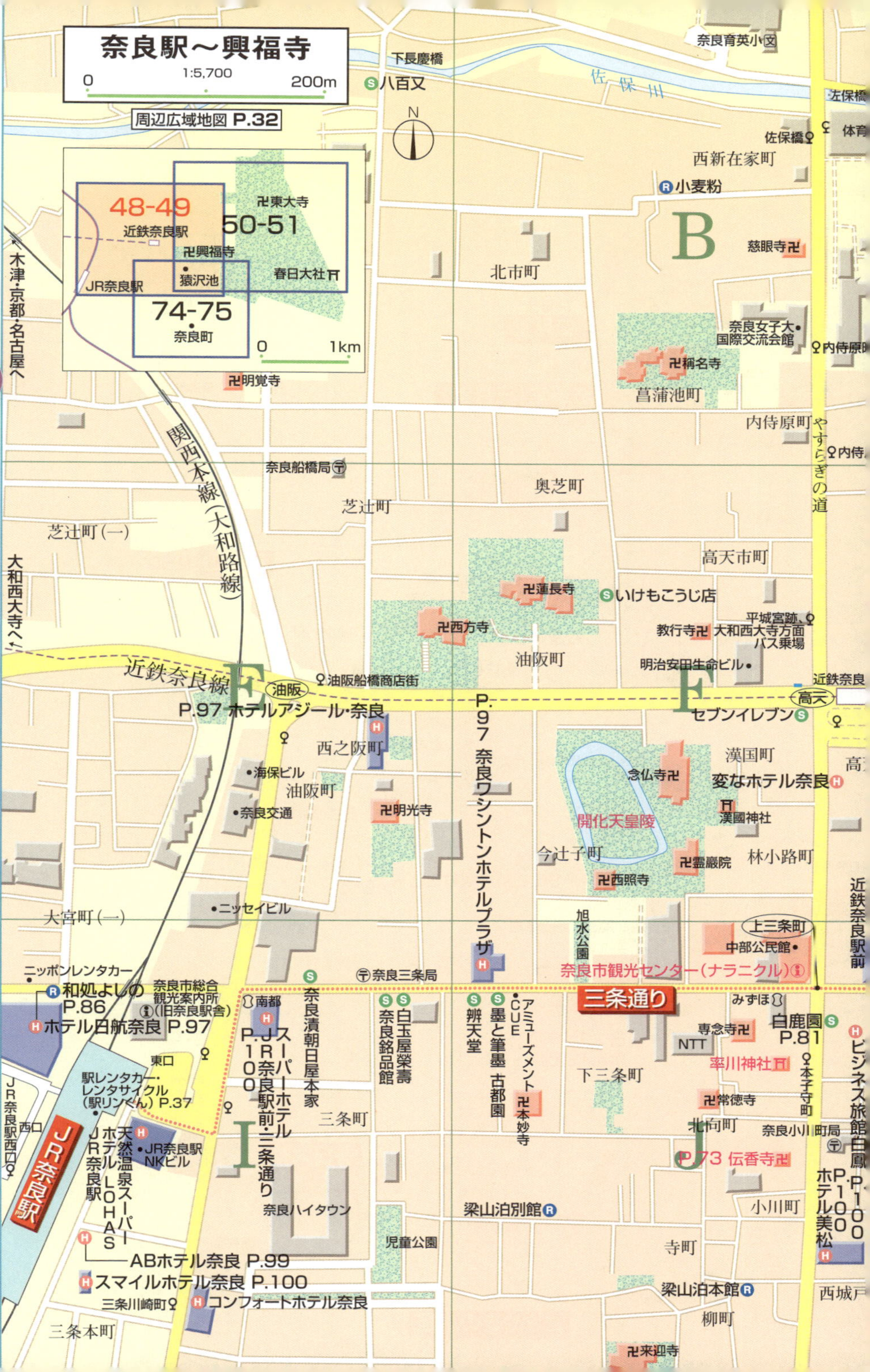
奈良駅～興福寺
0 1:5,700 200m
周辺広域地図 P.32
48-49
50-51
74-75
近鉄奈良駅
卍東大寺
卍興福寺
猿沢池
春日大社
JR奈良駅
奈良町
0 1km
木津・京都・名古屋へ
大和西大寺へ
下長慶橋
八百又
佐保川
奈良育英小
左保橋
佐保橋
体育
西新在家町
小麦粉
B
慈眼寺
北市町
奈良女子大・国際交流会館
内侍原
称名寺
菖蒲池町
内侍原町
やすらぎの道
内侍
卍明覚寺
関西本線（大和路線）
奈良船橋局
芝辻町
奥芝町
芝辻町（一）
高天市町
卍蓮長寺
いけもこうじ店
卍西方寺
平城宮跡、
教行寺
大和西大寺方面バス乗場
油阪町
明治安田生命ビル
近鉄奈良
近鉄奈良線
E
油阪
油阪船橋商店街
F
高天
P.97 ホテルアジール・奈良
セブンイレブン
P.97 奈良ワシントンホテルプラザ
西之阪町
漢国町
海保ビル
念仏寺
変なホテル奈良
高天
油阪町
奈良交通
卍明光寺
漢國神社
開化天皇陵
今辻子町
林小路町
卍霊巌院
卍西照寺
大宮町（一）
ニッセイビル
旭水公園
上三条町
中部公民館
近鉄奈良駅前
ニッポンレンタカー
奈良三条局
奈良市観光センター（ナラニクル）
和処よしの P.86
奈良市総合観光案内所（旧奈良駅舎）
奈良漬朝日屋本家
三条通り
南都
白玉屋榮壽
奈良銘品館
辨天堂
墨と筆墨 古都園
アミューズメントCUE
みずほ
ホテル日航奈良 P.97
専念寺
白鹿園 P.81
東口
NTT
ビジネス旅館白鳳 P.100
P.100 JR奈良駅前・三条通り
スーパーホテル
率川神社
本子守町
駅レンタカー・レンタサイクル（駅リンくん）P.37
三条町
下三条町
卍本妙寺
卍常徳寺
JR奈良駅西口
西口
天然温泉スーパーホテルLOHAS JR奈良駅
JR奈良駅NKビル
北向町
奈良小川町局
JR奈良駅
I
J
P.73 伝香寺
奈良ハイタウン
梁山泊別館
ホテル美松 P.100
小川町
ABホテル奈良 P.99
児童公園
寺町
スマイルホテル奈良 P.100
梁山泊本館
西城戸
三条川崎町
コンフォートホテル奈良
柳町
三条本町
卍来迎寺

東大寺・春日大社
0 1:6,300 200m
周辺広域地図 P.32
N
48-49
50-51
74-75
卍東大寺
近鉄奈良駅
卍興福寺
春日大社
猿沢池
JR奈良駅
奈良町
0 1km
C
D
G
H
K
L
龍松院
持寶院
龍蔵院
寶厳院
二月堂の裏参道は土塀が美しく、絵になる
裏参道
寶珠院
大湯屋
中性院
P.56
二月堂
上之坊
開山堂
龍美堂
俊乗堂
行基堂
念佛堂
鐘楼
三昧堂（四月堂）
法華堂（三月堂）
P.55
あぜくらや
鹿鳴園
観音院
絵馬堂茶屋
手向山八幡宮
東塔跡
山の中腹までくると奈良市が一望できる
若草山 P.59
古梅園製墨
今西杏林堂
三笠観光会館
若草山入口（北ゲート）
春日野
古都屋
東栄堂
宗近本店
包永本店
奈良春日野国際フォーラム甍 別館
松乃家旅館
白銀屋
三笠屋本店
La Terrasse
若草山入口（南ゲート）
春日野橋
浄雲橋
P.96 古都の宿むさし野
奈良公園
キッシュ専門店 レ・カーセ
奈良春日野国際フォーラム甍
水谷橋
水谷茶屋
吉城川
水谷神社
奈良春日野国際フォーラム甍前
P.67 春日大社神苑 萬葉植物園
P.91 春日荷茶屋
神仙境
春日駐車場
春日大社
春日大社本殿
春日野町
国宝殿 P.67
貴賓館
酒殿
本殿 P.66
社務所（景雲殿）
この辺りから参道の左右は樹木がうっそうとしている
春日大社神域の道（表参道）
鹿苑
着到殿
二の鳥居
奈良の鹿愛護会
ささやきの小径
若宮神社
高畑・志賀直哉旧居へ
寺
春日大社

手貝町
鼓阪小
I：一般者通行不可
正倉院
P.56
西包永町
東包永町
いとくゐ餅
転害門 P.57
手貝町
西宝庫
東宝庫
今小路町
ごはん 芽屋
南都
天平倶楽部
正倉院（外構）一般公開入口
東笹鉾町
宮内庁正倉院事務所
西笹鉾町
A
浄国院
奈良今小路局
B
大仏池
奈良コーポラス
天理教会
今小路
369
奈良公園事務所
芝辻町
東
大
焼門（中御門）跡
後藤町
念聲寺
焼門前
祇園社 八坂神社
戒壇院北門
阿弥陀堂
指図堂
金堂（大仏殿）
P.54
川久保町
半田突抜町
P.85 千壽庵吉宗奈良総本店
今小路
千手堂
戒壇堂
P.57
八角
P.100 観光ホテルタマル
威徳井橋
吉城川
東大寺
大仏殿拝観入口
北半田西町
いちのき菓子店
北半田東町
ホテル ニューわかさ P.98
西楽門
中門
押上町
南半田西町
大林杜壽園
南半田東町
しろあむ
東大寺総合文化センター
西塔跡
水門町
P.54 東大寺ミュージアム
P.90 天極堂奈良本店
五風舎
そば処喜多原
勧学院
油留木町
真言院
押上町
北林院
奈良税務署
県文化会館
寧楽美術館 P.59
東大寺
地蔵院
E
お茶処 ときわ
県警察本部
みとりい池
F
正観院
県立美術館
依水園入口
P.54 南大門
三秀
氷心亭
知事公舎
日本庭園名勝 依水園 P.59
奈良県庁
吉城園 P.59
裁判所
奈良公園 バスターミナル
大仏殿前駐車場
売店
氷室神社
P.85 森奈良漬店
県庁前
369
県庁東
県庁東
志津香公園店 P.90
P.94 観鹿荘
近鉄奈良駅へ
登大路町
黒川本家
夢風ひろば
氷室神社・国立博物館
下下味亭
友明堂
仮構堂
東大寺大仏殿・国立博物館
国宝館 P.62
奈良国立博物館
タクシー乗場
本坊
P.68
大仏殿春日大社前バス案内所
中金堂 P.64
P.91 カフェ葉風泰夢
かすが茶屋
興福寺
奈良国立博物館新館
東金堂 P.64
東大寺大仏殿・春日大社前
木陰にベンチが並ぶ。休憩に好適
JR奈良駅へ
仏教美術資料研究センター
五重塔 P.64
大湯屋
一之鳥居
P.100 旅館江泉
三条通り
五十二段
大仏館 P.100
浅茅ヶ原
J
春日大社表参道
菩提院
菊水楼 P.89
さるさわ池 よしだや P.100
猿沢池
江戸三 P.94
ペンション 古っ都ん100% P.100
四季亭 P.95
青葉茶屋 P.98
馬の目 P.90
奈良ビジターセンター&イン
荒池
円窓亭
飛鳥荘 P.100
荒池
池之町
169
浮見堂
ならまちセンター
奈良ホテル P.92
鷺池
裏から見る大仏殿のたたずまいもいい
雑

東大寺

とうだいじ

地図p.32-H

「奈良の大仏さん」と壮大な伽藍は日本が世界に誇る文化遺産

東大寺の創建は、奈良時代の中頃。聖武天皇の勅願《ちょくがん》によって大仏が造営され、全国におかれた国分寺の総本山として建立された。兵火などで多くの伽藍《がらん》を焼失したが、優れた仏像が数多く残されている。

南大門から大仏殿周辺は、年間を通じて多くの観光客で賑わう。広大な境内には、二月堂や法華堂、正倉院《しょうそういん》など、国宝や重要文化財の伽《が》藍《らん》が点在。じっくり見て歩けば、東大寺だけで半日以上かかる。

人と鹿で賑わう南大門

回る順のヒント

東大寺境内へは、奈良公園のさまざまな方向から入ることができる。

日本有数の大寺院らしい雄大さを感じるためには、やはり南大門をくぐり、東大寺ミュージアム、大仏殿へと向かうのがおすすめ。大仏殿拝観後、東の石段を上り、鐘楼を経て、奈良市内を一望する二月堂へ。二月堂から北西へと下りる道は、二月堂裏参道と呼ばれ、土塀が続いて情緒たっぷり。途中で振り返って、二月堂を仰ぎ見てみよう。

二月堂から暮れなずむ奈良市街を望む

戒壇堂周辺の道

人気度
★★★★★
風情
★★★★
世界遺産
東大寺
国宝
南大門・金堂など多数

☎0742-22-5511。
奈良市雑司町406-1。
4月～10月は7:30～17:30、11月～3月は8:00～17:00。
※境内ライトアップ／7月中旬～8月19:00～22:00（9月18:00～）

おすすめ ゆったりルート

［移動距離］4.5km
［徒歩］4時間

大仏殿春日大社前・東大寺大仏殿 →（徒歩5分）→ 東大寺ミュージアム 30分 →（徒歩5分）→ 金堂（大仏殿）30分 →（徒歩10分）→ 法華堂 二月堂 30分 →（徒歩10分）→ 正倉院 7分 →（徒歩10分）→ 戒壇堂 15分

ゆったり歩くには…ルート上でのぼりの階段が多いのは、大仏殿から二月堂のあたり。境内は広いので一度は休憩をとるつもりで。おすすめは眺めのよい二月堂の回廊。腰掛けが設置されている。

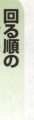

国宝や重要文化財の仏像が安置された法華堂（三月堂）と戒《かい》壇《だん》堂も見逃せない。近鉄奈良駅方面へ戻るのなら、戒壇堂を先に見て、正倉院、転害門《てがいもん》へと回り、♀手貝町からバスを利用するのが便利。♀手貝町から近鉄奈良駅まで6分。

また、南大門の西側にある日本庭園名勝依水園や寧楽《ねいらく》美術館、吉城《よしき》園などを先に見てから東大寺へ入る場合は、♀県庁東が最寄りのバス停となる。♀県庁東～依水園、依水園～南大門は歩いてそれぞれ数分～10分ほど。

他のエリアへの向かい方

奈良公園内は、徒歩での移動が一般的だ。春・秋の日曜・祝日の一方通行規制時にJR奈良駅へ戻る場合、最寄りのバス停は県庁前になる。循環バスに乗っていれば、大回りして近鉄奈良駅へも行けるが、30分以上かかることもあるので、徒歩の方が早い。

近鉄奈良駅へ◆♀東大寺大仏殿・国立博物館から、市内循環バス（内回り）で3～5分。

JR奈良駅へ◆♀東大寺大仏殿・国立博物館から、市内循環バス（内回り）で8～12分。

春日大社へ◆東大寺南大門から春日大社本殿まで約20分。

興福寺へ◆東大寺南大門から興福寺五重塔まで15分。春・秋の日曜・祝日以外なら、♀東大寺大仏殿・国立博物館から、市内循環（内回り）などで2分、♀県庁前下車。東大寺の転害門からは、♀手貝町で27・81・118・153などに乗車して4分、♀県庁前下車、国宝館まで3分。

このエリアへの行き方

目的地	出発点	おもなバス系統	所要時間	下車バス停
東大寺 南大門 金堂・鐘楼 法華堂 二月堂 若草山	近鉄奈良駅①番	2・6・160	4分	♀東大寺大仏殿・春日大社前
	近鉄奈良駅①番	77・97	4～5分	♀東大寺大仏殿
	JR奈良駅東口②番	2・77	7～10分	♀東大寺大仏殿・春日大社前
	JR奈良駅東口②番	77・97	8～10分	♀東大寺大仏殿
東大寺 正倉院・転害門 戒壇堂	近鉄奈良駅②・㉑番	27・81・118・153	3～4分	♀今小路・♀手貝町
	JR奈良駅西口⑪番	27・81・118・153	8～10分	♀今小路・♀手貝町
日本庭園名勝依水園 吉城園	近鉄奈良駅①番	2・6・77・97・160	2～3分	♀県庁東
	JR奈良駅東口②番	2・77・87・97	6～8分	♀県庁東

2：市内循環外回り　6：中循環外回り　27・81・118：青山住宅行き　77・97：春日大社本殿行き　157：州見台八丁目行き　87・160：高畑町行き　※JR奈良駅出発のバス乗り場は東口が①～⑧番、西口が⑪～⑯番

二月堂からの眺望

行き方・帰り方

春・秋の観光シーズンの週末は、奈良公園内の道路が渋滞する。朝10時以降は、バスよりも歩いた方が早い場合もある。また、春・秋の日曜・祝日や、行事、8月の灯花会期間などには、奈良公園内が通行規制になることがある。

東大寺ミュージアム
とうだいじみゅーじあむ

地図p.51-F
南大門から1分、大仏殿春日大社前・東大寺大仏殿から5分

東大寺の歴史、文化などを発信するため、2011年に開館した東大寺総合文化センター内の施設。東大寺の創建時代から伝わる膨大な文化財を展示する施設としては初めてのもので、多数の国宝、重要文化財を含む天平仏をはじめ、これまで一般公開できなかった宝物などを館内5つの展示室で間近に見ることができる。ミュージアムショップには、仏像フィギュアなど東大寺オリジナルのおみやげが充実。隣接の喫茶コーナーとともに無料での入場もできる。

☎0742-20-5511。9:30～17:30(最終入館17:00)、11～3月は～17:00(最終入館16:30)。展示替え休。600円。大仏殿共通券1000円。

金堂(大仏殿)
こんどう(だいぶつでん)

地図p.51-B
南大門から5分、大仏殿春日大社前・東大寺大仏殿から10分

南大門《なんだいもん》を入ると正面に見えるのが、朱塗りの回廊をめぐらした金堂。東大寺の本尊**盧舎那仏**《るしゃなぶつ》を安置するために建てられた。一般には大仏殿と呼ばれている。大棟に黄金の鴟尾《しび》が輝く威風堂々とした建物は、江戸時代に再建されたもので国宝。天平時代の創建当時に比べると、これでも横幅が3分の2に縮小されているというから驚きだ。木造建築としては世界最大規模。

「奈良の大仏さん」として有名な本尊(国宝)は、像の高さ約15m。中指でも1.3mもある。見上げると、重厚感に圧倒される。752(天平勝宝4)年、インドから僧を招いて営まれた盛大な開眼供養は、国家をあげての一大イベントだった。青銅で鋳造された大仏は、地震や戦火でたびたび破損し、何度も補鋳されている。金堂の真正面

見る

〈東大寺金堂〉
金堂は平安時代末期と戦国時代末期に兵火にあい、現在の建物は江戸時代の再建。

▼**南大門**《なんだいもん》
東大寺の正門。中国伝来の大仏様式の建築で、左右に安置した運慶・快慶作の仁王像とともに国宝。

▼**盧舎那仏**《るしゃなぶつ》
光明で万物をあまねく照らす仏で、もとは太陽神崇拝から生まれたといわれている。釈迦如来が人間に仏法を説くため

にある巨大な八角灯籠も、じっくり眺めたい。優美な天平文様が施されていて、これも国宝だ。●拝観600円。

深く知る

未完成で行なわれた大仏開眼供養《かいげんくよう》

７４５年、平城京で着工した大仏造営は、完成までに12年の歳月を要した大事業だった。作業に関わった延べ２５０万人は当時の日本の人口の約半分に相当し、使用された銅は約５００t、金は４４０kgという試算もある。高さ16mの大仏の鋳造は、３年がかりで下から少しずつ継ぎ足して行なわれた。技術面での困難も多数あったが、最大の難関となったのは黄金の不足。大量の金を入手する目途がたたないまま、大仏像全体に金メッキ（鍍金《ときん》）を施す計画を立てたのだ。ようやく陸奥《むつ》国から金が献上されたものの、７５２年４月の大仏開眼供養の時、鍍金はまだ顔の周辺だけだったらしい。開眼供養を急いだのは、仏教伝来２００年目の節目の年に合わせたようとしたため。

法華堂《ほっけどう》（三月堂《さんがつどう》）

地図p.50-C
金堂から🚶10分、♀大仏殿春日大社前・♀東大寺大仏殿から🚶5分

東大寺建立以前、すでにこの地にあった金鐘寺《きんしょうじ》の建物で、東大寺最古の建造物といわれている。二棟をつないだ構造になっていて、北側の本堂は天平時代の建築。南側の礼堂は鎌倉時代に付設されたもので、時代の異なる建築が高い技術によってつながれ、調和のとれた美しい姿を見せる。毎年3月に法華会が行なわれたことから、三月堂とも呼ばれている。本尊の**不空羂索観音《ふくうけんさくかんのん》**像は国宝。秘仏・執金剛神《しっこんごうしん》も国宝で12月16日に特別開扉される。●拝観600円。

〈法華堂への石段〉金堂から法華堂への道は、北側の石段の方が緑豊かで風情がある。途中にある鐘楼は梵鐘とともに国宝。

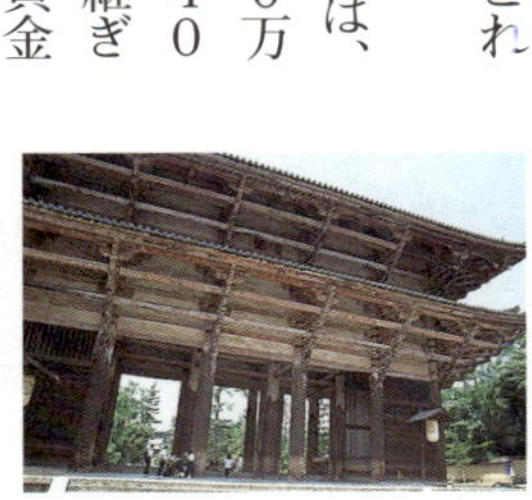

〈東大寺南大門〉

に現世に現れた仏であるのに対して、盧舎那仏は仏法そのものを表している。

▼不空羂索観音《ふくうけんさくかんのん》
八本の手のうち、向かって右下へ伸ばした手に持っている紐が羂索。羂は動物を捕える綱、索は魚を釣る糸で、これらで衆生を救い上げる。「不空」には「もれなく救う」という意味が込められている。

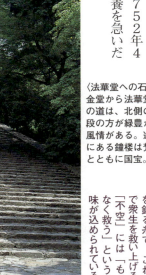

二月堂《にがつどう》

地図p.50-C
法華堂から2分、♀大仏殿春日大社前・♀東大寺大仏殿から16分

徒歩の道中▼二月堂大湯屋の北側を下る二月堂裏参道は、土塀と石畳、二月堂の風景が美しい小道。

奈良に春の到来を告げる「お水取り」で広く知られている。毎年3月1～14日に行なわれている修二会《しゅにえ》の行事のひとつで、正しくは「達陀《だったん》の行」という。

二月堂の石段下にある小屋は閼迦井屋《あかいや》といい、中に若狭井《わかさい》と呼ばれる井戸がある。お水取りの夜、若狭の国からここへ水が送られてくるといわれ、この井戸から汲み上げた香水を本尊に供える。舞台造りの現在の建物は、江戸時代の再建。回廊からの眺望がすばらしい。●拝観無料。

正倉院《しょうそういん》

地図p.51-B
二月堂から10分、大仏殿から7分、♀手貝町・♀今小路から10分

☎0742-26-2811
10:00～15:00
土・日曜・祝日休
正倉は外観のみ見学自由

正倉院の正倉は、8世紀半ばに、光明《こうみょう》皇后が奉納した**聖武《しょうむ》天皇**の遺品をはじめ、約9000点の宝物が収蔵されていた倉。宝物の中には、唐やペルシャなどから伝来した貴重な工芸品も多数あり、シルクロードの終着点ともいわれている。正倉は

〈二月堂裏参道〉

お水取りのクライマックスは3月12日夜。大松明が二月堂の回廊を駆けめぐり、火の粉を降らす

▼聖武《しょうむ》天皇
文武天皇の第一皇子で、母は藤原不比等の娘・宮子。光明皇后とともに仏教に帰依して、全国に国分寺・国分尼寺を建立。その総国分寺として東大寺と大仏を造営した。740年から5年の間に、平城宮から恭仁宮（く

高床式で、檜を使った校倉造《あぜくら》りだったため、1000年以上の時を経ても、宝物の保存状態は非常に良かった。通常の見学は外観のみ。収蔵されていた宝物は、奈良国立博物館の「正倉院展」で一般に公開される。近くにある国宝の**転害門**《てがいもん》にも立ち寄りたい。

戒壇堂《かいだんどう》

地図p.51-B
正倉院から🚶10分、♀今小路から🚶5分

戒壇とは、僧侶が戒律を守ることを仏前に誓う儀式が行なわれる場所。754(天平勝宝6)年に唐から来日した僧・鑑真和上《がんじんわじょう》が、東大寺の大仏殿の前で、日本に初めて戒律を伝えたことが建立の由来。今も厳粛な静けさに包まれている戒壇院の戒壇堂は、江戸時代の再建で、堂内には中央アジア様式の甲冑《かっちゅう》を身にまとった国宝の四天王像《してんのう》が安置されている(写真はp.58参照)。●拝観600円。

深く知る　世界的レベルでの傑作・四天王像　豊かな表情、今にも動きだしそうなポーズなど、日本彫刻美術史におけるひとつの頂点ともいわれる戒壇堂の**四天王**《してんのう》**像**。いずれも奈良時代天平期の作だが、作者の名前は分かっていない。東大寺の大仏鋳造《ちゅうぞう》の大事業に際し、天平期の東大寺には大規模な官営の造仏所が設けられ、無名の工人たちが、分業で次々と多数の仏像を制作していた。憤怒の表情の持国天《じこく》、増長天《ぞうちょう》には心をゆさぶられるが、多聞天《たもん》の沈痛な表情や、眉間に深いしわを寄せる広目天《こうもく》には、「時代の影が射しこんでいる」という梅原猛氏の解釈も興味深い。

天平末期、都は定まらず民衆の生活は苦しく、人々が明るく笑っていられる時代ではなかった。それぞれの四天王が踏みつけている邪鬼の姿にはユーモラスささえ感じられるが、天平の人々にはその姿はどのように感じられていたのだろうか。

見る

〈戒壇院〉

にのみや)、難波宮(なにわのみや)、紫香楽宮(しがらきのみや)、そして再び平城宮へと遷都を繰り返した。701〜756。

▼**転害門**《てがいもん》
切妻造り・本瓦葺きの重厚で優美な八脚門。天平時代の東大寺創建当時の姿をとどめる数少ない建造物のひとつ。国宝。外観のみ見学自由。

▼**四天王**《してんのう》
仏教では、世界の中心である須弥山(しゅみせん)に帝釈天が住み、その四方の門を四天王が守るとされている。このことから、本尊を安置する須弥壇の四隅に置かれるようになった。戒壇堂の四天王像は、広目天が筆と巻物、多聞天が法塔、増長天が槍に似た戟(げき)、持国天が剣を持っている。

東大寺戒壇堂・広目天立像（国宝）

日本庭園名勝依水園・寧楽美術館《にほんていえんめいしょういすいえん・ねいらくびじゅつかん》

地図p.51-F
戒壇院から5分、県庁東から5分

徒歩の道中▼東大寺戒壇堂の石段を下り、依水園へと向かう道は、落ち着いた邸宅のたたずまいと緑陰が美しい。

奈良市内では珍しい池泉回遊《ちせんかいゆう》式の日本庭園。前園と後園、ふたつのまったく趣が違った庭園をつないで構成。前園は、江戸時代に**奈良晒**《さらし》の商人が築庭。後園は明治時代に造られた庭で、ツツジや紅葉の季節は特に美しい。若草山・春日山を借景に、東大寺南大門の甍《いらか》を望む後園にたたずめば風情も満点。庭園入口左手の寧楽美術館では、陶磁器や書画など、東洋古美術品を展示している。依水園の隣には、苔の美しい庭園・**吉城園**《よしきえん》がある。

☎0742-25-0781
奈良市水門町74。9:30～16:30。火曜休（4・5・10・11月は無休）。1200円（入園・寧楽美術館共通）。

若草山《わかくさやま》

地図p.50-H
大仏殿春日大社前・東大寺大仏殿から15分

奈良公園の東、若草山は標高３４２ｍ、広さ33ヘクタール。1月の**若草山焼き**は奈良の風物詩として有名。三つの山が重なったような山容が特徴だ。正面に見える芝生の山は、実際に歩くと急斜面である。南北の入口から山頂へと続く階段が整備されていて、三重目の山頂までは徒歩で往復約1時間。山麓から山頂にかけて芝や茅に覆われ、一重目の山頂からでも東大寺大仏殿など、奈良盆地の景色がすばらしい。若草山の奥に広がる春日山原始林は立入禁止だが遊歩道のみ立入可能で、古代の趣を感じられる。ここは世界遺産にも登録された自然豊かなエリアだ。

☎0742-22-0375（奈良公園事務所）
入山は3月第3土曜～12月第2日曜、9:00～17:00。150円。

〈若草山〉

〈吉城園〉

〈日本庭園名勝依水園〉

▼奈良晒《さらし》
奈良産の高級麻織物。鎌倉時代に僧侶の袈裟を織ったことに始まり、江戸時代は武士の正装が麻の裃だったことで奈良最大の産業に発展。

▼吉城園《よしきえん》
起伏のある地形をいかした日本庭園。興福寺別院のあった場所にあり、現在の建物と庭園は大正時代に造られたもの。☎０７４２-２２-５９１１。奈良市登大路町60-1。9時～17時（受付は～16時30分）。2月24日～28日休（それ以外は無休）。無料。

▼若草山焼き
東大寺と興福寺、春日大社の境界争いが起源と伝えられているが、一説には山菜が育つよう、野焼きのように火を放ち、灰を肥料としたともいわれている。

興福寺《こうふくじ》

地図p.32-G

五重塔や多数の仏像にみる平城京の華麗な貴族文化

東大寺の重厚さに対して、興福寺の五重塔や東金堂が繊細で優美な印象なのは、貴族仏教を背景としているためだ。

興福寺の起源は、藤原鎌足《ふじわらのかまたり》の私邸内に建てられた山階寺《やましなでら》。710（和銅3）年、平城京遷都にともなって、藤原不比等《ふひと》が現在の場所へ移し、寺名を興福寺と改めた。奈良～平安時代にかけては、藤原氏の氏寺として隆盛を極めたが、たびたび兵火や天災や明治の廃仏毀釈などで衰退。壮麗な伽藍の面影は五重塔周辺に残るのみだったが、2018年、約300年ぶりに中金堂が再建された。五重塔、東金堂、北円堂、三重塔のほか、阿修羅像をはじめとする仏像彫刻など、境内には多数の国宝がある。

〈五重塔と東金堂〉

回る順のヒント

東大寺や春日大社など、周辺の見どころとあわせて順番を考えよう。まず初めに興福寺を訪ねるのなら、近鉄奈良駅からアーケードのある東向《ひがしむき》通り商店街を南下して、一筋目を東へ曲がるコースをとろう。地味ながらも国宝建築である北円堂や三重塔を見落とさずにすむ。また、先に東大寺や春日大社を回った場合は、興福寺を見た後、猿沢《さるさわ》池《いけ》の畔を歩いて奈良町へ向かうのもおすすめ。

他のエリアへの向かい方

東大寺・春日大社へ

東大寺や春日大社へは♀県庁前からバスで。徒歩でも行ける距離なので奈良公園を散策しながら行くのもいい（徒歩20～25分）。ほかのエリアへは近鉄奈良駅からバスや列車を利用する。

人気度 ★★★★★
風情 ★★★
世界遺産 興福寺
国宝 五重塔・東金堂など多数

☎0742-22-7755。奈良市登大路町48。境内自由。

おすすめ ゆったりルート

[移動距離] 1.6km
[徒歩] 2時間30分

近鉄奈良駅 → 徒歩5分 → 北円堂 3分 → 徒歩3分 → 南円堂・三重塔 15分 → 徒歩3分 → 中金堂 20分 → 徒歩3分 → 五重塔・東金堂 30分 → 徒歩1分 → 国宝館 60分

ゆったり歩くには…境内は近鉄奈良駅から東大寺への通り道にもなっているため、常に観光客が多い。ハイライトである中金堂や国宝館をゆっくり見るには、開館直後や閉館前が比較的空いている。

行き方・帰り方

近鉄奈良駅からは徒歩圏内なので、交通機関を利用する必要はない。JR奈良駅からは三条通りを東へ徒歩10分、バス利用の場合は♀県庁前下車。

いずれにしても駅から近いため、奈良公園あたりの散策を考える場合は、興福寺をルートの最初または最後に持ってくるのが自然だ。この寺の周囲には塀がめぐらせてあるわけではなく、東西南北どの方向からでも境内に入れるので、行きに寄るにも帰りに寄るにも都合がいい。興福寺を最後にした場合、東側から入って西側へ抜け、近鉄奈良駅へ向かえば効率的。各堂宇を回る順番も、それを加味して考えよう（回る順のヒント参照）。

見る

北円堂《ほくえんどう》

地図p.48-G
近鉄奈良駅から徒歩5分

周囲に柵がめぐらされていて、気づかずに通り過ぎてしまう人も多いが、国宝の貴重な建物だ。**藤原不比等《ふひと》**の一周忌に建立され、兵火で焼失後、1210（承元4）年に再建。興福寺に現存する最古の建物。八角形のこぢんまりとしたお堂で、堂内には国宝の弥勒仏《みろくぶつ》坐像、四天王像を安置。春と秋に特別開扉される。外観拝観自由。

南円堂《なんえんどう》

地図p.48-K
北円堂から徒歩2分、近鉄奈良駅から徒歩5分

八角形の朱塗りの堂宇《どうう》は、1789（寛政元）年の再建。創建は813（弘仁4）年、藤原冬嗣《ふゆつぐ》による。西国三十三カ所9番札所で参拝者が多く、庶民的な雰囲気が漂っている。堂内には国宝の木造不空羂索観音《もくぞうふくうけんさくかんのん》坐像、木造四天王立像を安置。堂内拝観は、10月17日の特別開扉のみ。近くには国宝の三重塔がある。拝観自由。

〈南円堂〉

▼**藤原不比等《ふひと》**
藤原鎌足の子。大宝律令・養老律令の制定に参画し、律令制度の整備に尽力した。右大臣にまで昇進して、藤原一族の繁栄の基礎を築いた。聖武天皇の后・光明皇后は不比等の娘。659～720。

このエリアへの行き方

目的地	出発点	おもなバス系統など	所要時間	下車バス停
五重塔 東金堂 国宝館	近鉄奈良駅	徒歩	5分	
	JR奈良駅東口①・②番	ほぼ全系統	4～7分	♀県庁前
	薬師寺（♀薬師寺東口）	バス77・97	22～24分	♀県庁前

バス77・97：春日大社本殿行き

興福寺国宝館《こうふくじこくほうかん》

世界の美術史家からも絶賛された仏教美術の粋を集めた必見のスポット。繊細で写実的な天平彫刻、力強く躍動的な鎌倉彫刻など、珠玉の仏像に出会える。

写真提供：飛鳥園

地図p.48-H
近鉄奈良駅から徒歩7分　9時～17時（最終入館16時45分）。700円。東金堂との共通券900円。無休。

多数の寺宝の中でも、特に八部衆立像と十大弟子立像、薬師如来仏頭はじっくり拝観したい。いずれも歴史の教科書などで一度は目にしたことがある仏像だ。そのほかユーモラスな天燈鬼《てんとうき》・龍燈鬼《りゅうとうき》立像、崇高さをたたえた千手観音《せんじゅかんのん》立像、ポーズに躍動感のある木造金剛力士像、板彫十二神将《じゅうにしんしょう》立像といった仏像や、仏教関連の美術工芸品が所狭しと並んでいる。すべてをゆっくり見て回るには1時間ぐらいかかる。

【八部衆立像《はちぶしゅうりゅうぞう》】

インド古来の神が仏教に取り入れられたもので、異教の神の姿をしている。十大弟子立像とともに西金堂に安置されていた。天平の作で、鎌倉時代に補彩されている。脱活乾漆《だっかつかんしつ》像。

〈龍燈鬼立像〉燈籠を頭に掲げるこの龍燈鬼の対像として、燈籠を肩に担ぐ天燈鬼もある。四

〈八部衆立像〉阿修羅像は異形の八部衆でありながら違和感を感じさせない

深く知る

八部衆はなぜ異様な姿なのか

インドのヒンズー教の神が仏教に取り入れられて、仏法の守護神となったのが八部衆。元来は鳥獣の王であったため、イノシシの頭をかぶった五部浄《ごぶじょう》像、鳥の顔を持つ迦楼羅《かるら》像、頭に蛇を巻き付けた沙羯羅《さから》像、角1本が生え額に第3の目がついた緊那羅《きんなら》像など、興福寺にある8体のいずれもが異形だ。有名な阿修羅《あしゅら》は戦いを好む鬼神だが、興福寺の像は愁いをふくんだ少年の面差しで表現されている（p.12参照）。

【十大弟子立像】《じゅうだいでしりゅうぞう》

釈迦の弟子の中でもとくに優れた10人の高弟の像で、興福寺には6体のみが残る。天平の作。十大弟子はインド人だが、これらの像は日本人の顔立ちだ。もとは西金堂の釈迦如来像の左右に安置。脱活乾漆像。

深く知る

個性豊かな十大弟子

この釈迦の10人の高弟の像は、人間の内面まで表現したポーズと表情が秀逸。「論議第一」といわれた迦旃延《かせんえん》像は眉間にしわを寄せて何かを必死で語りかけ、「説法第一」の富楼那《ふるな》像は深い皺に苦難をしのばせるが表情は温かい。若々しい須菩提《すぼだい》像は「解《げ》空《くう》第一」とされ、「空《くう》」の境地に達した落ち着きが感じられる。「知恵第一」の舎利弗《しゃりほつ》像は腕を失った痛々しい姿をしている。

〈十大弟子立像〉老僧が多い十大弟子のなかで、青年像の姿で表現された須菩提像

天王像に踏みつけられる邪鬼を独立させたもので、ユーモラスな印象を与える。鎌倉時代の代表的な仏師、運慶の第3子・康弁（こうべん）の手による1215（建保3）年の作

中金堂《ちゅうこんどう》

地図p.48-G
南円堂から3分

2018年、江戸時代以来約300年ぶりの再建となった、興福寺の伽藍の中心的な建造物。奈良市内では東大寺大仏殿に次ぐ木造建造物で、創建当時の威容を再現する。堂内には本尊の釈迦如来像のほかに、脇侍として薬王・薬上菩薩像、旧南円堂所在の四天王像を安置する。いずれも重文。

9:00〜17:00（最終受付16:45）。500円。

五重塔《ごじゅうのとう》

地図p.48-L
中金堂から3分、近鉄奈良駅から8分

730（天平2）年、光明皇后によって建立されたが5回焼失し、現在の塔は1426（応永33）年の再建。奈良時代からの伝統的な**和《わ》様《よう》建築**で復興されている。高さは約50m。国宝。外観のみ拝観自由。

東金堂《とうこんどう》

地図p.48-H
五重塔から1分、近鉄奈良駅から8分

726（神亀3）年、聖武《しょうむ》天皇の発願《ほつがん》により、薬師三尊を安置するために建立されたが、6回焼失。現在のものは1415（応永22）年の再建。天平時代の和様建築が踏襲され、国宝の指定だ。堂内は、重要文化財の本尊・薬師如来坐像のほか、平安初期に作られた四天王立像や鎌倉初期の維摩居士《ゆいまこじ》坐像など、国宝の仏像が**須弥《しゅみ》壇《だん》**上に安置され、見ごたえ十分。観光客の喧騒から離れた別世界だ。

9:00〜17:00（最終入館16:45）。300円。国宝館との共通券900円。

〈興福寺中金堂〉

〈興福寺五重塔〉
いにしえの都・奈良の象徴となっている

〈興福寺東金堂〉

▼**和様建築《わよう》**
鎌倉時代に中国大陸から大仏様（だいぶつよう）や禅宗様（ぜんしゅうよう）別名・唐様という建築様式が伝わり、これらに対して、日本でそれまで建てられてきた様式を継承するものを和様と呼ぶようになった。豪壮な大仏様、装飾的な禅宗様とは違い、和様（わよう）は大らかで優美な印象を与える。

▼**須弥壇《しゅみだん》**
寺の堂内に仏像や厨子を安置するための台座。床より高くすることで、仏教世界の中心にあると考えられていた須弥山（しゅみせん）を象徴したとされ、この山にちなんで命名されたという。

春日大社

かすがたいしゃ

地図p.32-H

悠久の静寂に包まれた朱塗りの社殿

春日大社の長い表参道は、うっそうとした木立に続く一筋の道。木漏れ日の中を歩きながら、日常の慌ただしさから一歩ずつ遠ざかっていく感覚が心地いい。5月上旬には神苑《しんえん》（萬葉植物園）のフジがみごと。2月と8月の万燈籠《まんとうろう》の夜には、参道沿いに並ぶ石燈籠と、社殿の釣燈籠《つりどうろう》に火がともされ、境内一円が幻想的な雰囲気に包まれる。

春日大社の創建は奈良時代。藤原氏の氏神で、藤原氏の隆盛とともに社殿の造営が進み、平安前期には現在の規模まで拡大した。中世以降は庶民の信仰を集める。美術工芸品としても貴重な宝物類が多数伝わっていて、まさに国宝の宝庫だ。また、2015～16年にかけて、第60次式年造替が実施された。20年に一度の社殿の修築事業を一目見ようと、この間、大勢の参詣客で連日賑わった。

春日大社中門の奥に国宝の本殿がある

回る順のヒント

春日大社のスケールの大きさ、神域特有のすがすがしい静寂を肌で感じるためには、一之鳥居から長い表参道をたどるルートがいい。参道を歩いて本殿を先に見てから国宝殿、神苑を訪ねるのが理想的だが、そのために同じ表参道を往復しなければならない。春日大社拝観後に、東大寺や高畑方面へ行く場合は、表参道沿いに順に見どころを回り、二之鳥居付近からそれぞれの方向へ境内を抜けていくのが効率的だ。

緑陰が心地いい表参道

人気度 ★★★★
風情 ★★★
世界遺産 春日大社
国宝 本殿・宝物など多数

☎0742-22-7788。奈良市春日野町160。境内拝観自由。

おすすめゆったりルート

[移動距離] 1.5km
[徒歩] 1時間40分

一之鳥居 → 徒歩15分 → 萬葉植物園 30分 → 徒歩10分 → 本殿 20分 → 徒歩3分 → 国宝殿 20分 → 徒歩1分 → 春日大社本殿

ゆったり歩くには…一之鳥居から社殿まで約1300m。先を急ぐような歩き方はせず、途中にある緑の園地ともいえる飛火野や神苑などに寄りながら歩みを進めたい。道沿いには茶屋があるので休息するのもいい。

他のエリアへの向かい方

奈良公園一帯のおもな見どころはおおむね徒歩圏内。

東大寺へ◆春日大社本殿の回廊の西側に沿って北へ歩き、社務所横の分岐点で右の小道へ。水谷神社の境内を抜けて石段を上り、若草山山麓の道を北へ向かうと、やがて手向山《たむけやま》八幡宮の境内。この境内を北へ抜けると、東大寺三月堂が目の前。

高畑へ◆二之鳥居の西、参道と宝物殿の分岐点で、「志賀直哉旧居へ」の標識に従い、宝物殿と反対方向の木立の中の「ささやきの小径」へ入る。小道に入ってひとつ目の分岐点で右へ行くと、ささやきの小径。志賀直哉旧居まで徒歩10分ほど。ただし、ささやきの小径は、夕方は薄暗く人通りがほとんどない。女性の一人歩きは避けたい。

行き方・帰り方

春・秋の観光シーズンの連休や週末は奈良公園内の道路が渋滞する。バスでの移動はかえって時間がかかり、歩いた方が早い場合がある。また、行事などで奈良公園内が通行規制になることもあるので、混雑する時期は行きも帰りも徒歩を覚悟しておいた方がいい。近鉄奈良駅から一之鳥居まで15分、一之鳥居から春日大社本殿まで20分ほど。

見る

春日大社本殿《かすがたいしゃほんでん》

地図p.50-L

♀春日大社本殿から1分、一之鳥居から20分

6:30～17:30（11～2月は7:00～17:00）。特別参拝9:00～16:00。500円。3月8日頃～13日、12月20日～1月7日、成人の日は拝観不可（他、午前中不可の日及び行事等で不可の場合がある）。

朱塗りの南門をくぐると、周囲には回廊がめぐらされ、正面は素木《しらき》造りの幣殿《へいでん》・舞《まい》殿《どの》。一般の参拝はこの前で行なう。また、特別参拝の場合は中門前まで入れる。中門の中には、**春日《かすが》造り**の4棟の本殿が横並びになっているが、中門からでも本殿全体までは見えない。朱塗りの回廊に釣燈籠が1000個以上も並んでいる。本殿は国宝。

深く知る **東の国から鹿に乗ってやってきた神様**

春日大社と鹿の関わりは、なんと社の創建以前にまでさかのぼる。春日大社の本殿には、第一殿に常陸《ひたち》国鹿島の武甕《タケミカ》

このエリアへの行き方

目的地	出発点	おもなバス系統など	所要時間	下車バス停
本殿・国宝殿・神苑・若宮神社	近鉄奈良駅①番	🚌77・97	8～9分	♀春日大社本殿
	近鉄奈良駅①番	🚌2,6,160 4番🚌55,56,58,61・62番	4～6分	♀春日大社表参道
	JR奈良駅東口②番	🚌77・97	11～13分	♀春日大社本殿
	東大寺南大門	徒歩	20分	
	興福寺五重塔	徒歩	25分	
一の鳥居	近鉄奈良駅	徒歩	15分	

🚌2：市内循環外回り 🚌6：中循環外回り 🚌160：高畑町行き 🚌77・97：春日大社本殿行き 🚌56・58・62：山村町行き 🚌55・61：奈良佐保短期大学行き

槌命《ヅチノミコト》、第二殿に下総国香取の経津主命《フツヌシノカミ》、第三殿に河内国枚岡の天児《アメノコ》屋根命《ヤネノミコト》、第四殿には同じく比売神《ヒメガミ》が藤原不比等《ふひと》によって勧請《かんじょう》され、祀《まつ》られているが、このうち鹿島の神様は白鹿の背に乗って、御蓋山（三笠山）にやってきたと伝えられている。この伝説の場面は宝物殿に所蔵されている「春日立神影図」でも描かれており、奈良の鹿は神の使いとして、その後も長く保護され、現在に至っている。ところで、遠く離れた東国の神がなぜ春日の地に祀られることになったのか。一説には、中大兄皇子《なかのおおえのおうじ》とともに大化改新を行ない、藤原氏の祖となった中臣鎌《なかとみのかま》足《たり》は鹿島に生まれ育ち、飛鳥に移ってのちも鹿島の神を信奉していたのだという。春日の四神では天児屋根命が藤原氏の祖神《おやがみ》であり、藤原氏との深いつながりがうかがえる。

国宝殿《こくほうでん》

地図p.50-L

春日大社本殿から3分、春日大社表参道から13分

春日大社に伝わる宝物を展示。太《た》刀《ち》や甲冑《かっちゅう》、鏡、繊細な銀細工など、平安～南北朝時代の多種多様な美術工芸品が並ぶ。精緻を極めた工芸品の他、当時の人々の生活をかいま見せる道具類も興味深い。収蔵品は国宝だけでも345点ある。展示スペースが広くないので、ゆっくり見ても20分ほど。本殿参拝前後に、**神苑《しんえん》**とともに気軽に立ち寄りたい。

10:00～17:00（最終入館16:30）。年4回展示替えのため休。500円。

春日大社境内の「砂ずりの藤」。地につくほど見事な花が下がる。

〈神苑〉

〈春日大社の釣燈籠〉

▼春日造《かすが》り

建築様式は切妻（きりづま）造りで、妻入（つまい）り。左右に反り上がった屋根のカーブ、向拝（こうはい）という庇《ひさし》を正面につけ、朱塗りの彩色が施されているのが特徴。

▼春日大社神苑《かすがたいしゃしんえん》萬葉植物園《まんようしょくぶつえん》

万葉集ゆかりの植物を集めた庭園。5月上旬のフジの花が有名だが、ほかにツバキと花菖蒲《はなしょうぶ》園《えん》もある。●9時～17時閉門（12～2月は～16時30分）。最終入園閉門30分前。12～2月の月曜（祝日の場合は翌日）休。500円。

奈良国立博物館《ならこくりつはくぶつかん》

日本で唯一の仏教美術を中心とする国立博物館。秋の正倉院展はもちろん、普段の名品展でも多数の美術工芸品が体系的に鑑賞でき、見応えがある。

写真提供：奈良国立博物館

【如意輪観音坐像《にょいりんかんのんざぞう》】

［重要文化財］平安時代　9〜10世紀

腕が6本ある密教尊像。表情からは、厳しくも観音像らしい慈悲深い印象も受ける。

【愛染明王坐像《あいぜんみょうおうざぞう》】

［重要文化財］鎌倉時代　13世紀

作者は仏師快成で、快尊・快弁が小仏師として参加。平重衡による東大寺大仏殿の兵火後の古材が使われたと推測される。

【薬師如来坐像《やくしにょらいざぞう》】

［国宝］平安時代　9世紀

伏し目の表情やなで肩の体つきなどが穏やかな印象を与えるが、目鼻立ちの彫が深く、衣文は鋭く力強い表現が施されている。一部を除きカヤの一材で彫られている。

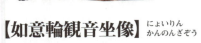

【十一面《じゅういちめん》観音立像《かんのんりゅうぞう》】

［重要文化財］奈良時代　8世紀

香木として有名な白檀から造られた彫像。素材の緻密さを活かした豊かな表現と、色彩の施しがほとんどない素地の木肌が気品を漂わせている。

※ここで紹介しているのは代表的な収蔵品。定期的に陳列替えをしているので、展示されていない場合もある

館内の展示構成

秋の正倉院展が有名だが、わが国屈指の仏教美術の宝庫でもある。館内は、なら仏像館・西新館・東新館からなり、なら仏像館と新館は地下回廊で結ばれている。チケット売り場のある入口は新館正面と、なら仏像館の2カ所。

名品展は、なら仏像館で彫刻、西新館で絵画・書跡・工芸・考古をジャンル別に展示している。青銅器館は中国古代青銅器（坂本コレクション）を常に展示。東新館はおもに特別展用。

品揃え豊富なミュージアムショップとカフェがある地下回廊へは専用の入口があり、入場無料のスペースだ。

館内を上手に回るポイント

名品展だけでも、じっくり見て回れば2～3時間は必要。

時間がなくても、なら仏像館の仏教彫刻だけは必ず見ておきたいところだ。時間をたっぷりとって、地下回廊の仏像模型や解説パネルを見学したり、ボランティアガイド（無料）に解説してもらったりすれば、仏像についての知識が深められ、寺院での拝観がさらに有意義なものになる。

秋恒例の正倉院展は人気の展覧会で大混雑も珍しくない。比較的ゆっくり鑑賞できる日は開幕直後の平日、1日の中では閉館の2～3時間前だ。

フレンチルネッサンス様式のなら仏像館

地下回廊に展示の仏像模型

地下の休憩コーナー

ショップのグッズは好評

ミュージアムショップ

ミュージアムショップには博物館オリジナルのグッズもあり、入館者のお土産に人気だ。

↑「奈の鹿ちゃん」ストラップ880円

↑琵琶紋様のハンカチーフ770円

↑元気が出る仏像スタンプ「仏足」「天人」各330円

↑手ぬぐいたおる各880円

→クリアファイル各275円

↑香「天平のさくら」1320円
→香立て550円

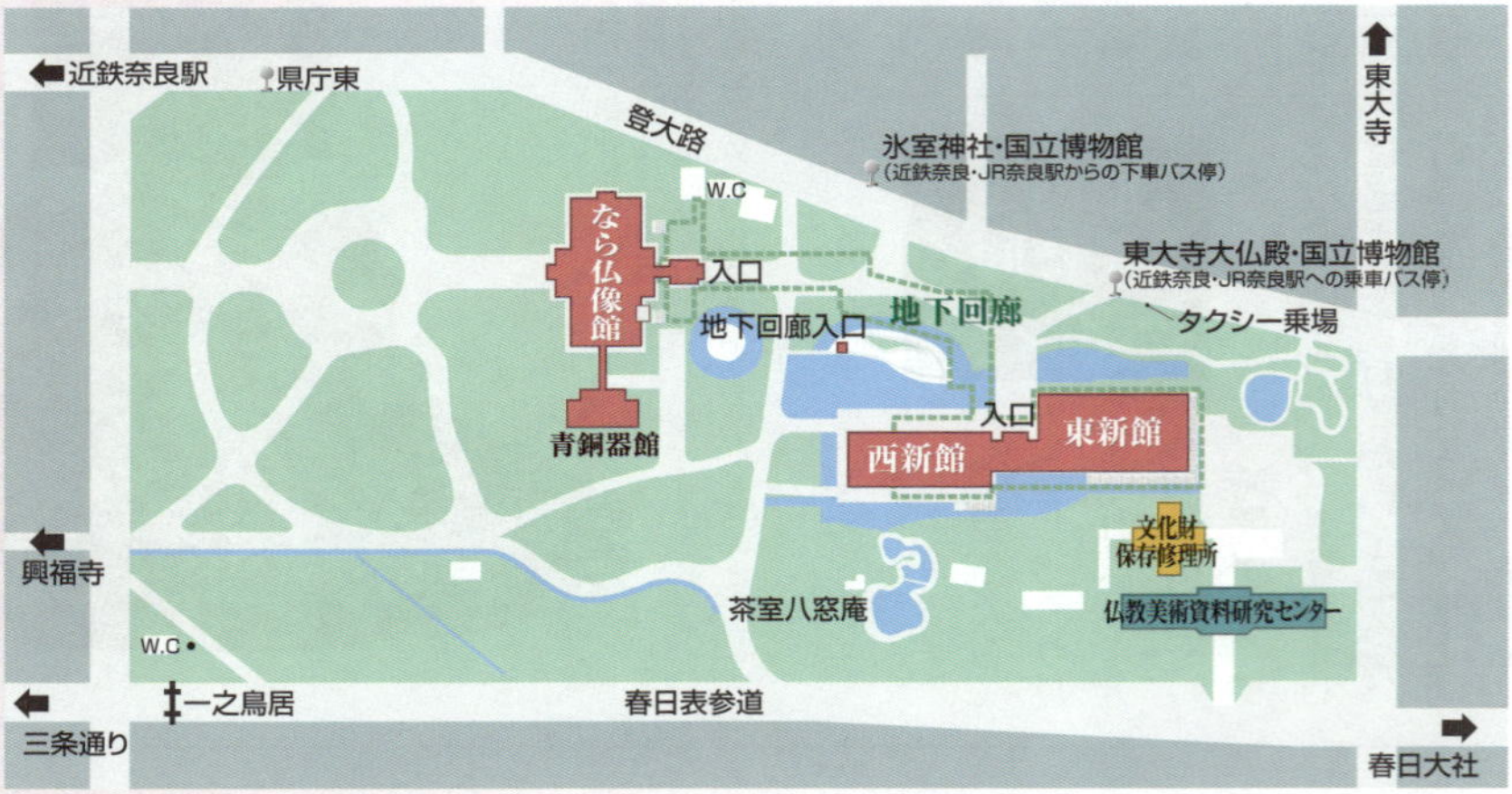

地図 p.51 - J
近鉄奈良駅から徒歩15分、バス2（市内循環外回り）で3分の氷室神社・国立博物館から徒歩1分。
☎050-5542-8600（ハローダイヤル）、奈良市登大路町50番地。
9:30～17:00。名品展、特別陳列は毎週金・土曜が～19:00。その他、開館延長日あり。いずれも入館は閉館の30分前まで。月曜（休日の場合は翌日、連休の場合は終了後の翌日、12/28～1/1）休。名品展は一般700円、特別展は展覧会ごと別途料金設定。
奈良国立博物館ホームページ
https://www.narahaku.go.jp/

高畑・白毫寺《たかばたけ・びゃくごうじ》

地図p.32-L

人気度★★★
風情★★★★★
国宝
新薬師寺／本堂、薬師如来像など

静かな住宅地を抜け趣のある古寺を訪ねる

志賀直哉旧居周辺は、春日社《しゃ》家《け》の面影が残る閑静な住宅街。新薬師寺へ続く土塀の道は、風情がある。新薬師寺は仏像が並ぶ本堂内の雰囲気がいい。時間がない場合は新薬師寺の後に、天気が良ければ高台にある白毫寺、天気が悪ければ入江泰吉記念奈良市写真美術館へ行くといい。

回る順のヒント

♀破石町《わりいしちょう》から、志賀直哉旧居を経て新薬師寺へ行く道は、道標があるので迷わない。白毫寺は高台にあるため、回る順に関わらず坂を登らなくてはならない。春日大社から志賀直哉旧居がある高畑へ向かう場合は、ささやきの小径が近道のうえ、散策の道としてもおすすめ。馬酔《あし》木《び》の森を抜ける、木漏れ日の心地いい道だ。ただし寂しい道なので、女性のひとり歩きは注意したい。♀破石町から志賀直哉旧居へは、高畑町交差点を東へ向かう広い道よりも、その一本北側の道の方が風情たっぷり。

古寺の風情漂う白毫寺の石段

他のエリアへの向かい方

東大寺、春日大社、興福寺へは徒歩での移動も可能。西へ👟15分ほどで奈良町へ。近鉄奈良駅へは♀破石町から市内循環バス（内回り）で8分。

行き方・帰り方

♀白毫寺を経由する路線バスは少ない。白毫寺への行き帰りは、市内循環バスの♀高畑町が便利。春・秋の観光シーズンの日曜・祝日など奈良公園内の道路が渋滞する。バスの所要時間を少し多めにみておいた方がいい。近鉄奈良駅と♀破石町・♀高畑町を結ぶ路線は、1時間に10本以上と頻繁にある。

このエリアへの行き方

目的地	出発点	おもなバス系統など	所要時間	下車バス停
志賀直哉旧居 新薬師寺 入江泰吉記念 奈良市写真美術館	近鉄奈良駅①、④番	1番🚌2、6、160 4番🚌57・58・61・62	5～7分	♀破石町
	春日大社本殿	👟	10～15分	
	興福寺（♀県庁前）	🚌2・6・57・58・61・62・160	4～6分	♀破石町
	薬師寺（♀薬師寺東口）	🚌（※1）77・97	約30～40分	♀破石町
	平城宮跡（♀朱雀門ひろば前）	🚌160	26～29分	♀破石町
白毫寺	近鉄奈良駅①、④番	1番🚌2・6・160 4番🚌57・58・61・62	6～9分	♀高畑町

🚌2：市内循環外回り　🚌6：中循環外回り　🚌160：高畑町行き　🚌58・62：山村町行き　🚌57：藤原台行き　🚌61：鹿野園町行き　※1🚌77・97：春日大社本殿行き（近鉄奈良駅①番乗場で2・6系統などに乗り換え）

志賀直哉旧居《しがなおやきゅうきょ》

地図p.32-H
破石町から7分、春日大社二の鳥居から10分

志賀直哉《しがなおや》が昭和4～13年まで住み、『暗夜行路《あんやこうろ》』の後編を執筆した住宅。多くの作家や画家が出入りする文化サロンだった。志賀直哉自らがこの場所を選び、建物の細部まで設計したという。夫人や子どもたちに南向きの居間を与えるなど、家の構造から家族を大切にした直哉の一面がうかがえる。

深く知る

志賀直哉の奈良暮らし

1925（大正14）年、志賀一家は京都山科から奈良市幸町に転居する。町外れの借家住まいだったが、彼の後を追うように武者小路実篤《むしゃのこうじさねあつ》や小林秀雄、瀧井孝作ら数人の作家や芸術家たちがその周辺に引っ越してきた。人なつっこい性格の志賀は彼らと将棋、花札、謡いなどに興じた。特に麻雀には熱中し、勝負は一晩ぶっ通しとなることもしばしば、志賀の「エイッ」と牌を捨てる鋭い掛け声が部屋の外まで聞こえてきたという。その後、ここ高畑町に新居を構えたが、子どもの学校進学のため、住み慣れた奈良の地をしぶしぶ後にした。

☎0742-26-6490。奈良市高畑町1237-2。9:30～17:30（12月～2月は～16:30、入館は各30分前）。年末年始休。350円。

新薬師寺《しんやくしじ》

地図p.32-L
志賀直哉旧居から7分、破石町から15分

徒歩の道中▼志賀直哉旧居から新薬師寺へは、白壁の土塀が続く静かな道。

光明《こうみょう》皇后が聖武《しょうむ》天皇の眼病平癒を祈願して、747（天平19）年に建立したといわれている。創建時は七堂伽藍《がらん》を構える大寺だったが、現在は本堂のみ。本堂は

☎0742-22-3736。奈良市高畑町1352。9:00～17:00（最終受付16:30）。600円。

〈志賀直哉旧居〉

〈新薬師寺〉

▼志賀直哉《しがなおや》
小説家。宮城県生まれ。東京帝国大学英文学科中退。友人の武者小路実篤とともに雑誌『白樺』を創刊し、多数の作品を発表。その的確で簡潔な文体から「小説の神様」と呼ばれた。代表作は『城の崎にて』『和解』『小僧の神様』『暗夜行路』など。1883～1971。

▼十二神将《じゅうにしんしょう》
仏法を護る天部の神々で十二夜叉大将。もとはインドの鬼神だったが、仏教成立後、薬師如来の従者となる。甲冑を身につけ、忿怒（ふんぬ）の表情が一般的。

▼入江泰吉《いりえたいきち》
写真家。奈良市出身。戦前は文楽の作品で知られ、戦後は故郷の奈良で、大和路の風景や風物を撮り続けた。写真集『大

天平時代の建築で国宝。国宝の仏像12体が安置された堂内は、荘厳さに圧倒される。本尊の薬師如来坐像を囲む十二神将《じゅうにしんしょう》立像は、1体を除き天平時代の仏像だ。

入江泰吉記念 奈良市写真美術館《いりえたいきちきねんならししゃしんびじゅつかん》

地図p.32-L
新薬師寺から🚶2分、♀破石町から🚶10分

☎0742-22-9811。奈良市高畑町600-1。9:30～16:30（入館）。月曜（祝日の場合は次の平日）休。展示替え休館あり。500円。

奈良・大和路の風景や仏像、伝統行事を撮り続けた入江泰吉《いりえたいきち》の作品を収蔵展示している写真美術館。入江作品の展示のほか、第一線で活躍する写真家の企画展を開催。入江作品をテーマ別に構成したハイビジョンギャラリーや国内外の写真集を揃えた資料閲覧室のほか、ミュージアムショップもある。

深く知る　写真家人生を決めた、戦争直後の噂

入江泰吉が故郷・奈良へ戻ったのは、終戦間際。戦争が激化して写真家としての仕事はなく、不安と焦燥を抱えた生活の中、傷心の入江を癒したのが古寺のたたずまいだった。終戦後「アメリカ軍が賠償として日本の古美術を接収する」という噂を耳にして、「せめて写真に残さなくては」と仏像の撮影を開始。単なる噂であったが、繊細な仏像と奈良の風景に魅了され、奈良をテーマに写真を撮り続けることになった。

白毫寺《びゃくごうじ》

地図p.32-L
新薬師寺から🚶15分、♀高畑町から🚶20分、♀白毫寺から🚶10分

☎0742-26-3392。奈良市白毫寺町392。9:00～17:00。500円。

奈良の三名椿のひとつ、五色椿と萩が美しい花の寺。萩に彩られた土塀と石段の風景は、ことのほか風情がある。創建は奈良時代初期といわれ、現在の本堂、御影堂は江戸時代の再建。晴れた日には奈良市街から二上山《にじょうざん》、葛城連峰まで一望できる。

〈入江泰吉記念奈良市写真美術館〉

〈白毫寺〉

和路巡礼』などを多数発表した。1905～1992。

▼奈良の三名椿
白毫寺のほか、花びらが一枚ずつ散っていく伝香寺《でんこうじ》の「散り椿」、白い斑が糊をこぼしたように見えることから「のりこぼし」と名づけられた東大寺開山堂の椿がある。開山堂は非公開なので、塀越しに眺めるしかない。
■伝香寺／地図p.75-A。椿の開花は3月中旬頃～4月上旬。☎0742-22-1120。9時～17時。月曜休（椿の開花時は無休）。300円（椿の開花時は400円）。

奈良町
1:4,500
0
100m
周辺広域地図 P.32
N
一之鳥居
浅茅ヶ原
旅館江泉 P.100
大仏館 P.100
菊水楼 P.89
るさわ池
善提院
しだや P.100
ペンション古っ都ん100% P.100
江戸三 P.94
四季亭 P.95
青葉茶屋 P.98
ならまち
荒池
荒池
馬の目 P.90
C
D
飛鳥荘 P.100
169
浮見堂
鷺池
ボートのりば
奈良ホテル P.92
イムズならまち
ホテル尾花 P.97
瑜伽山
▲112
奈良ホテル
瑜伽神社
天理教
祓戸社
住吉社
奈良ホテル
旧大乗院庭園
奈良町天神社
温石
なら和み館
鵲町
高畑町
G
H
名勝大乗院庭園文化館 P.78
ならまち工房2
新薬師寺へ
カナカナ
福智院町
福智院町
頭塔
ならまち工房
P.82 今西清兵衛商店
福智院
P.78 今西家書院
奈良高畑局
チャボロ
蕎麦 玄
福智院町
興善寺
法徳寺
香炉里
八木酒造
十輪院 P.78
十輪院南門
アルカイック（ケーキ）
十輪院町
ボナペティ
めしあがれ
トロ
飛鳥公民館
超願寺
寺
よつばカフェ
L
紀寺町
正覚寺
飛鳥小
K
48-49
東大寺
50-51
近鉄奈良駅
西紀寺町
紀寺町
興福寺
春日大社
猿沢池
JR奈良駅
良地方気象台
74-75
紀寺町
紀寺町
ENEOS
奈良町
0
1km
紀寺町
崇道天皇社
市立奈良病院
東紀寺町（一）
璉城寺
天理へ
奈良女子大附属
中等教育学校

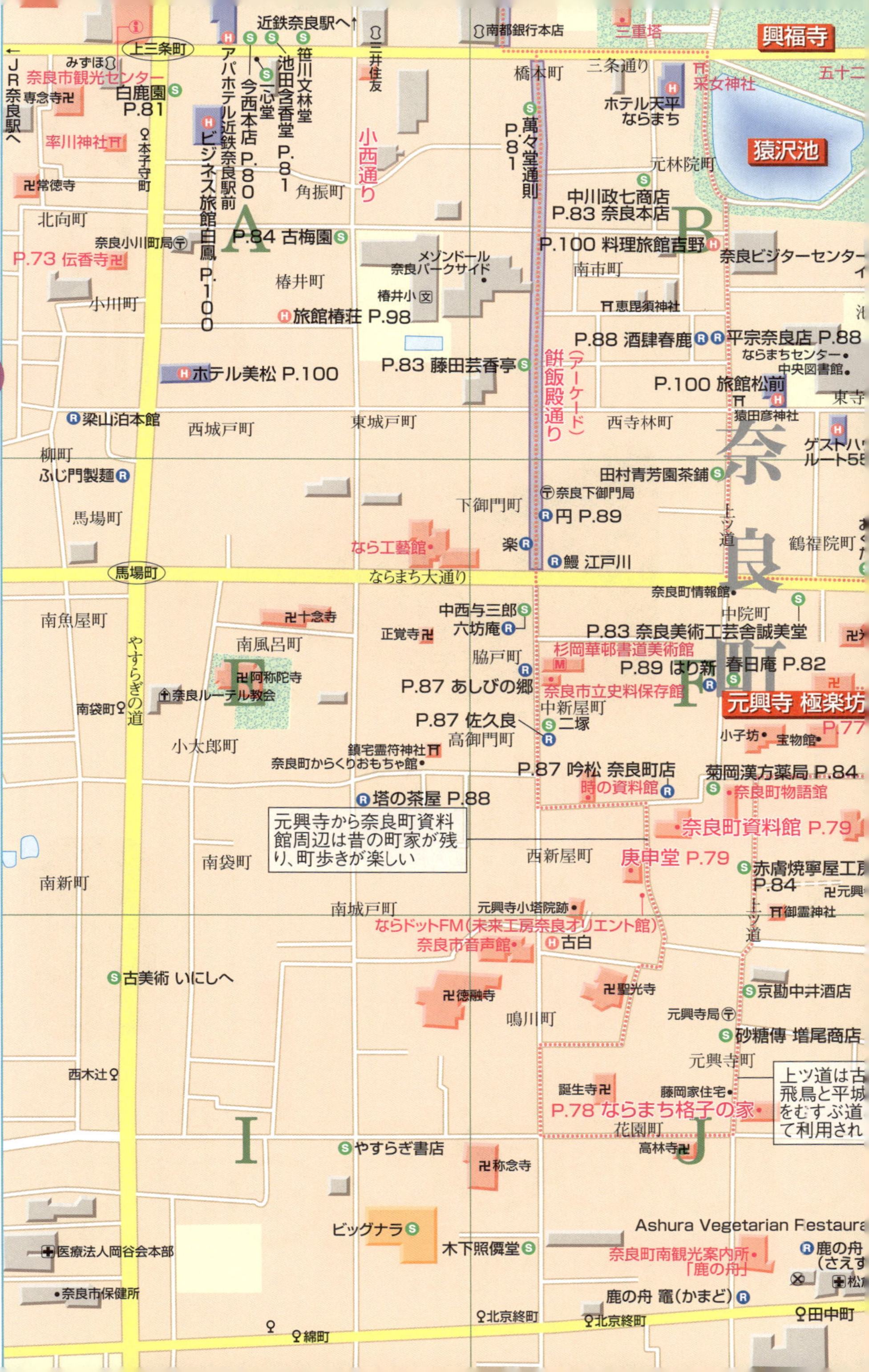
近鉄奈良駅へ
南都銀行本店
三重塔
興福寺
上三条町
JR奈良駅へ
みずほ
奈良市観光センター
専念寺
白鹿園 P.81
率川神社
本子守町
アパホテル近鉄奈良駅前
今西本店 P.80
一心堂
池田含香堂 P.81
笹川文林堂
三井住友
小西通り
橋本町
三条通り
采女神社
五十二
ホテル天平ならまち
猿沢池
萬々堂通則 P.81
元林院町
常徳寺
角振町
ビジネス旅館白鳳 P.100
北向町
A
P.84 古梅園
中川政七商店 P.83 奈良本店
B
P.100 料理旅館吉野
奈良ビジターセンター
奈良小川町局
P.73 伝香寺
メゾンドール奈良パークサイド
南市町
椿井町
椿井小
恵毘須神社
小川町
旅館椿荘 P.98
P.88 酒肆春鹿
平宗奈良店 P.88
ならまちセンター
中央図書館
P.83 藤田芸香亭
餅飯殿通り（アーケード）
ホテル美松 P.100
P.100 旅館松前
猿田彦神社
東寺
梁山泊本館
西城戸町
東城戸町
西寺林町
奈
ゲストハウス ルート55
柳町
ふじ門製麺
田村青芳園茶舗
奈良下御門局
下御門町
円 P.89
馬場町
上ツ道
鶴福院町
なら工藝館
楽
鰻 江戸川
良
馬場町
ならまち大通り
奈良町情報館
南魚屋町
十念寺
中西与三郎
六坊庵
中院町
正覚寺
P.83 奈良美術工芸舎誠美堂
南風呂町
脇戸町
杉岡華邨書道美術館
P.89 はり新
春日庵 P.82
E
阿弥陀寺
町
P.87 あしびの郷
奈良市立史料保存館
奈良ルーテル教会
中新屋町
元興寺 極楽坊
南袋町
やすらぎの道
F
P.87 佐久良
二塚
P.77
高御門町
小子坊
宝物館
小太郎町
鎮宅霊符神社
奈良町からくりおもちゃ館
P.87 吟松 奈良町店
菊岡漢方薬局 P.84
時の資料館
奈良町物語館
塔の茶屋 P.88
元興寺から奈良町資料館周辺は昔の町家が残り、町歩きが楽しい
奈良町資料館 P.79
南袋町
西新屋町
庚申堂 P.79
赤膚焼窯屋工房 P.84
南新町
元興寺
南城戸町
元興寺小塔院跡
御霊神社
ならドットFM（未来工房奈良オリエント館）
上ツ道
奈良市音声館
古白
古美術 いにしへ
京勘中井酒店
徳融寺
聖光寺
鳴川町
元興寺局
砂糖傳 増尾商店
元興寺町
西木辻
上ツ道は古代飛鳥と平城京をむすぶ道として利用され
誕生寺
藤岡家住宅
P.78 ならまち格子の家
I
花園町
高林寺
J
やすらぎ書店
称念寺
ビッグナラ
Ashura Vegetarian Restaurant
医療法人岡谷会本部
木下照僊堂
奈良町南観光案内所「鹿の舟」
鹿の舟
奈良市保健所
鹿の舟 竈（かまど）
北京終町
北京終町
田中町
綿町

奈良町

ならまち

地図p.32-G

町い家の風情が漂い買い物や食事も楽しめる散策に最適な町

意外なことに、奈良町という行政上の地名はない。現在呼ばれている奈良町とは、猿沢池《さるさわのいけ》の南側一帯、かつての元興寺《がんごうじ》の大伽藍《がらん》跡に形成された地域を指している。特に現在の元興寺の周囲には、格子の造りが美しい町家が今も残っている。町家の暮らしを伝える施設や現代風に改装した食事処やギャラリーなどが点在するほか、入場無料で一息つけるスポットが多いのもうれしい。

人気度 ★★★
風情 ★★★★★
世界遺産 元興寺
国宝 元興寺極楽坊本堂、十輪院本堂など

回る順のヒント

奈良町は北端から南端まで歩いても10分もかからず、気ままな町歩きが楽しめる。見落とせないのは世界遺産の元興寺のほか、十輪院《じゅうりんいん》、今西家書院。もっとも奈良町らしい町並みは、奈良町物語館から庚申堂《こうしんどう》、ならまち格子の家のあたり。上《かみ》ツ道《みち》沿いには、しゃれた雑貨店やカフェ・レストランが多い。

格子や虫籠窓が美しい、奈良町の町家

他のエリアへの向かい方

奈良市内や近郊の主な見どころへは次のように行く。

東大寺へ◆元興寺から5分の田中町で、1（市内循環内回り）に乗車して11分、東大寺大仏殿・国立博物館下車。

興福寺へ◆上ツ道を北へ歩き、猿沢池から五十二段を上って10分

高畑へ◆元興寺から今西家書院前の道を東へ向かい、新薬師寺まで20分。

平城宮跡・西ノ京・法隆寺へ◆

おすすめ ゆったりルート

[移動距離] 3.2km
[徒歩] 2時間30分
[自転車] 2時間

近鉄奈良駅 → 徒歩20分 自転車5分 → 元興寺 30分 → 徒歩3分 自転車1分 → 今西家書院 20分 → 徒歩8分 自転車2分 → ならまち格子の家 15分 → 徒歩3分 自転車1分 → 庚申堂 5分 → 徒歩1分 自転車1分 → 奈良町資料館 15分

春日大社本殿 → 徒歩35分 → 元興寺

ゆったり歩くには…歩きやすい小路が続くエリアなので、上のルートは参考程度にして、気の向くまま歩くのが楽しい。

見る

元興寺《がんごうじ》

地図p.75-F
近鉄奈良駅から徒歩15分、♀福智院町から徒歩5分

☎0742-23-1377。奈良市中院町11。9:00～17:00（受付は～16:30)。500円（秋期特別展は600)。

現在の奈良町をほぼすべて含む広大な寺域を有し、南都七大寺に数えられて隆盛を極めたが、平安後期から次第に衰退。今の極楽坊《ごくらくぼう》は鎌倉時代に僧房を改築したもの。中世以降は庶民の信仰を集め、境内には多数の石仏が並んでいる。本堂・禅堂の丸瓦は日本最古の瓦で、珍しい行基葺き《ぎょうきぶき》で有名だ。国宝の五重小塔や仏像は収蔵庫に展示している。

深く知る　正式名称は「元興寺極楽坊」？

奈良時代には金堂や講堂、僧坊、塔などの大伽藍を構えていた元興寺だが、平安時代に朝廷からの保護がなくなると衰退。室町時代の土一揆で、ほとんどの建物が焼失してしまった。

現在、一般に「元興寺」と呼ばれているのは真言律宗の元興寺極楽坊のこと。華厳宗となっている元興寺と区別するために「極楽坊」と表記されている。華厳宗の寺には東大塔の礎石が残っている。

〈元興寺極楽坊〉

▼行基葺き《ぎょうき》
一端がもう一方の端より細く作られている丸瓦を使い、太い部分を下に向けて置き、上方の細い部分に次の瓦の太い部分を順々に重ねあわせていく葺き方。

行き方・帰り方

近鉄奈良駅からは往復とも徒歩での移動が基本。東向通り、餅飯殿通りのアーケードを抜けると近い。特に観光シーズンの週末は交通渋滞でバスのダイヤが乱れる場合がある。

♀福智院《ふくちいん》町から🚌51・82・92などで6～8分の♀近鉄奈良駅へ。後は各エリアページ参照。

このエリアへの行き方

目的地	出発点	おもなバス系統など	所要時間	下車バス停
元興寺・十輪院 ならまち格子の家 庚申堂 奈良町資料館	近鉄奈良駅①番	🚌2・6	11分	♀田中町
名勝大乗院庭園文化館 今西家書院	近鉄奈良駅③番	🚌50・51・82・92	4分	♀福智院町

🚌2：市内循環外回り、🚌6：中循環外回り、🚌50・82・92：天理駅行き
🚌51：下山行き

今西家書院《いまにしけしょいん》

地図p.74-G
近鉄奈良駅から20分、福智院町から2分

室町時代の書院造りを残す貴重な建物で重要文化財。興福寺大乗院《だいじょういん》の坊官を務めた福智院家の居宅だったが、大正時代に今西家の所有となった。今西家は1884（明治17）年創業の地酒「春鹿」醸造元である。庭に下りると、唐破風の優美なたたずまいが眺められる。入館料に800円をプラスすれば、抹茶と和菓子などが味わえる。

☎0742-23-2256。奈良市福智院町24-3。10：30～16：00（入館は～15：30）。月・火・水曜休（8月中旬頃・12月下旬～1月上旬休）。400円。

十輪院《じゅうりんいん》

地図p.74-G
近鉄奈良駅から15分、福智院町から3分

元興寺の塔頭《たっちゅう》のひとつといわれ、鎌倉前期に建立された本堂は国宝。ゆるやかな傾斜の屋根が優美で、当時の住宅の面影を伝えている。本堂の奥に、本尊の石造地蔵菩薩を安置。本尊を納めた石造の厨子《ずし》を石仏龕《せきぶつがん》といい、釈迦如来などが刻まれている。薄暗い本堂から見る地蔵菩薩像は神々しい。

☎0742-26-6635。奈良市十輪院町27。9:00～16:30。月曜（祝日の場合は翌日）・8月16日～31日、12月28日～1月5日、1月27・28日休。500円。

ならまち格子の家《ならまちこうしのいえ》

地図p.75-J
近鉄奈良駅から20分、田中町から2分

奈良町の伝統的な町家を再現し、町家での暮らしぶりを紹介している。吹き抜け

☎0742-23-4820。奈良市元興寺町44。9:00～17:00。月曜（祝日の場合は翌日）・祝日の翌日（土・日曜は除く）、12月26日～1月5日休。無料。

〈今西家書院〉

赤い魔除けが町家の軒先に下がる風景に、奈良町らしい風情が漂う

▼大乗院《だいじょういん》

公家の子弟が出家した院家(いんげ)で、僧侶でありながら広大な屋敷を構え、豪奢な生活を送っていたという。今西家書院の近くに、復元された大乗院庭園を望む名勝大乗院庭園文化館がある。
地図p.74・G
☎0742-24-0808。9時～17時。月曜（祝日の場合は翌

で明かりとりのある土間の台所、中庭をはさんでの離れ、「つし二階」（屋根裏部屋）への箱階段などを、座敷に上がって見学できる。「みせの間」に座ると、外から見えにくく、中からは外がよく見える格子の機能を実感できる。散策の休憩所としても最適だ。

庚申堂《こうしんどう》

地図p.75-F
近鉄奈良駅から17分、田中町から5分

☎0742-22-3900（奈良市観光センター）。奈良市西新屋町。見学自由。

中国の道教に由来する庚申信仰《こうしん》は、江戸時代から続く庶民の信仰。堂内には「庚申さん」と呼ばれる青面《しょうめん》金剛像などが安置されているが、外からは見えない。しかし、堂の前にも屋根の上にも、庚申さんの遣いである猿がいっぱい。愛嬌たっぷりの表情がほほえましい。軒下にずらっと並んだ赤いお守りも、猿をかたどった「身代り申」。奈良町でよく見かける魔除けだ。●外観のみ拝観自由。

奈良町資料館《ならまちしりょうかん》

地図p.75-F
近鉄奈良駅から17分、田中町から10分

☎0742-22-5509。奈良市西新屋町14-2。10：00〜17：00。無休。無料。

奈良町での生活を民俗資料で紹介する私設資料館。奈良町で掲げられていた重厚な絵看板、江戸〜明治の生活民具、美術工芸品などを展示している。入口に祀った平成の吉祥天女、とげぬき観音にお参りする人も後を絶たない信仰の館でもある。また、庚申さんの遣いの「身代り申」はここで販売している。猿（申）をイメージした赤いぬいぐるみで、すべて手作り。災難が入ってこないように家の中に吊るすが、身代り申の背中に願いごとを書いて吊るすと、願いが叶うという。

〈奈良町資料館〉

〈庚申堂〉

〈ならまち格子の家〉

〈十輪院〉

日）・祝日の翌平日、12月26日〜1月5日休。庭園200円。

▼塔頭《たっちゅう》
大寺院の境内にある小寺院で、大寺院に所属する僧侶の住居。中国の禅寺で高僧が没した後に遺骨を塔に納め、そのそば（「頭」は「ほとり」の意味）に弟子が師の徳を慕って住居を構えたことに由来する。

▼庚申信仰《こうしん》
60日ごとに巡ってくる庚申の日（かのえさるのひ）の夜、人間の体内にいる三尸（さんし）という虫が、人間が眠っている間に体から抜け出して天に昇り、天帝にその人が犯した罪を告げる。天帝に罪を知られると早死にしてしまうと信じられ、三尸が体から出ないように仲間とともに徹夜する習わしとなった。

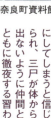

買う 奈良公園周辺

奈良漬から銘菓や伝統工芸品まで奈良みやげが目白押しで、買い物三昧が楽しめる

近鉄奈良駅周辺

みやげ全般 ◎近鉄奈良駅周辺

【きてみてならSHOP】

地図p.48-G
近鉄奈良駅から1分

[赤膚焼ぐいのみ3300円～など]

奈良県商工観光館の1階にあり、奈良県内のみやげ物がひと通り揃う。近鉄奈良駅のすぐそばにあるので、買い物の時間があまりないときに便利。吉野葛、奈良漬、柿の葉すし、大和茶などの食品のほか、高山茶筅、奈良筆、赤膚焼《あかはだやき》、奈良人形一刀彫、奈良漆器、奈良墨、奈良団扇《うちわ》、奈良晒《さらし》など、奈良を代表する伝統工芸品も充実している。

〈きてみてならSHOP〉
☎0742-26-8828。
奈良市登大路町38-1。
10:00～18:00。
月曜（祝日の場合は翌日）休。

華麗な伝統工芸品からお手軽なみやげものまで揃う

和菓子 ◎近鉄奈良駅周辺

【千代の舎竹村】《ちよのやたけむら》

地図p.48-G
近鉄奈良駅から3分

[奈良饅頭175円]

元禄年間創業の老舗。〝青丹《あおに》よしさん〟と地元で呼ばれる銘菓「青丹よし」で知られるが、日本で初めて林浄因《りんじょういん》という人が作ったとされる饅頭を今に伝える奈良饅頭もお土産に喜ばれる。さらっとしたこしあんと香ばしい皮が上品な味わいだ。味が落ちるのを避け、支店も卸しも出さないので、ここで買うか電話注文でしか味わえない。

〈千代の舎竹村〉
☎0742-22-2325。
奈良市東向南町22。
10:00～17:30。
木曜休（季節変更あり）。

奈良公園の象徴、鹿が愛らしく焼きつけられた奈良饅頭

奈良漬 ◎近鉄奈良駅周辺

【今西本店】《いまにしほんてん》

地図p.49-J
近鉄奈良駅から5分

[純正奈良漬972円～]

奈良漬最古の老舗として江戸時代末期から純正の味を守り続ける。みりん粕や人工添加物は使わない。最低3↖

透かし彫りと鮮やかな色合いが美しい

〈池田含香堂〉
☎0742-22-3690。
奈良市角振町16。
9:00〜19:00。
無休（9〜3月は月曜休）。

定番の奈良漬も、老舗のものはやはりひと味違う

〈今西本店〉
☎0742-22-2415。奈良市上三条町31。
9:30〜18:00。
水曜・第3日曜休。

年、長くて19年も酒粕に漬け込まれ、清酒粕だけで6回以上も漬け替えるという手作業が本物の風味をわからせてくれる。よく見る奈良漬よりも色が黒く、酒のきつい匂いや甘さが少ない。築約400年という建物にも風格がにじみでている。

奈良団扇 ◎近鉄奈良駅周辺

【池田含香堂】いけだがんこうどう

地図p.49-J
近鉄奈良駅から6分

[奈良団扇2200円〜]

春日大社の神官が作り始めたとされ、中世に今日の透かし彫りを施した形となったと伝わる奈良団扇《うちわ》。明治初期、この店の2代目がその技法を復活させ、今では奈良団扇を作る唯一の店となっている。店の奥では伝統的な技法での手作業が行なわれている。カラフルな和紙に透かし彫りされた正倉院の宝物模様や奈良の風物など、風流の極み。奈良絵が描かれた奈良絵扇子《せんす》3520円もきらびやかだ。

揚げた皮の香ばしさと良質のあんで美味

〈萬々堂通則〉
☎0742-22-2044。
奈良市橋本町34。
9:00〜19:00。
木曜不定休。

ほのぼのとした温もりが伝わる「抱雛」。1万5000円〜

〈白鹿園〉
☎0742-22-7624。
奈良市上三条町8。
8:00〜17:30。
水曜休。

奈良人形一刀彫 ◎近鉄奈良駅周辺

【白鹿園】はくろくえん

地図p.49-J
近鉄奈良駅から7分

[立雛1万円〜]

奈良人形一刀彫の店。主人の染川さん自身も奈良人形師。奈良人形は、春日大社の祭礼に由来し、能や雅楽関係のモチーフが多い。刀で面を出しながら形作るのが特徴。今井町の民家の蔵から出てきた250年前の人形を再現した「抱雛」はここでしか買えない。

和菓子 ◎近鉄奈良駅周辺

【萬々堂通則】まんまんどうみちのり

地図p.48-K
近鉄奈良駅から5分

[ぶと饅頭1個216円]

老舗和菓子店で、名物はぶと饅頭。遣唐使が持ち帰り春日大社の神饌《しんせん》として用いられていた「ぶと」を、一般向けに食べやすくしたもの。北海道産のあずきがたっぷり入っていて、油で揚げてあるわりにはしつこくない。

〈砂糖傳〉
☎0742-26-2307。
奈良市元興寺町10。
9：00〜18：00。
年末年始休。

近鉄奈良駅から
猿沢池まで 10分
近鉄奈良駅から
元興寺まで 20分

奈良町周辺

砂糖 ◎奈良町周辺

【砂糖傳《さとうでん》 増尾《ますお》商店《しょうてん》】

地図p.75-J
元興寺から 6分

【御門米飴1800円】

1854（安政元）年創業の砂糖の専門店。人気の御門米飴《みかどこめあめ》は、米を麦芽で糖化したもので、昔ながらの手作り。母乳の出がよくなるともいわれ、栄養価も高い。コクがあり、素朴な味わいはどこか懐かしい味。和三盆、黒糖などこだわりの砂糖や奈良特産品のハチミツも販売している。

「戦後の水飴は大量生産の、ただ甘いだけのものになってしまいましたが、御門米飴はコクがあって味わい豊かですよ。」（奥さんの増尾さん）

〈今西清兵衛商店〉
☎0742-23-2255。
奈良市福智院町24-1。
10:00〜17:00（16:30LO）。
無休（お盆・年末年始に休みあり）。

「奈良は日本清酒発祥の地といわれています。きき酒をしながら、春鹿の酒造りのお話をお楽しみ下さい。」（五代目蔵元の今西さん）

日本酒 ◎奈良町周辺

【今西清兵衛《いまにしせいべい》商店《しょうてん》】

地図p.74-G
元興寺から 3分

【春鹿純米大吟醸720㎖2750円】

清酒「春鹿《はるしか》」の醸造元。世界10数カ国にも輸出される代表銘柄の純米超辛口がおすすめ。江戸時代築の重厚な店内では、鹿をあしらった手作りのオリジナルグラス500円を購入すると季節限定酒など5種類のきき酒が楽しめる（イベント時を除く）。酒蔵見学は2月の土・日曜のみで要予約。

地元で人気のさつま焼

和菓子 ◎奈良町周辺

【春日庵《かすがあん》】

地図p.75-F
元興寺から 2分

【さつま焼160円】

1897（明治30）年の創業以来、

可愛らしい親子の鹿の張り子

「和紙の手触りは温かく、美しく、一枚一枚に個性があり、手にすると愛おしいかぎりです。」（店主の藤田さん）

〈藤田芸香亭〉
☎0742-22-2082。
奈良市光明院町12。
11:00〜18:00。
木曜休（不定休あり）。

〈春日庵〉
☎0742-22-6483。
奈良市中新屋町28。
9:00〜18:00。
不定休。
2階に茶房あり。

「さつま焼は口コミだけで評判が広まったものです。今でも家内工業的にひとつずつ手焼きしてます。」（春日庵代表取締役・野崎さん）

変わらぬ手焼きで作られてきたさつま焼。ひとつずつクシを刺して焼くので、さつまいも型の真中に穴があいているのが手作りらしくて素朴だ。極上の砂糖と北海道産のあずきを使い上品な甘さと、皮の香ばしさが絶妙。

和紙工芸◎奈良町周辺

【藤田芸香亭《ふじたうんこうてい》】

地図p.75-B
猿沢池から3分

［オリジナル張り子2200円〜］

挿絵画家である店主の藤田さんが厳選した和紙と和紙製品、美術工芸品が揃う。吉野の名産である草木染め和紙は、ヨモギやアケビなどを材料に古都奈良らしい穏やかな色合い。猫、ウサギ、犬、カエルなど動物の張り子は、可愛くておみやげにぴったり。

奈良人形一刀彫り・奈良漆器◎奈良町周辺

【奈良美術工芸舎誠美堂《ならびじゅつこうげいしゃせいびどう》】

地図p.75-F
元興寺から1分

［立雛一対7150円〜］

平安末期から春日大社のお祭りに奉納されてきた一刀彫。力強い彫りと繊細な彩色が魅力だ。「羽衣」「杜若」など能の題材による人形には物語性があり、岩絵具や純金が使われた重厚感のあるものが多い。能人形で、17万6000円から100万円ぐらいまでと値段も幅広い。立雛などはお祝いにも喜ばれる品だ。

〈誠美堂〉
☎0742-22-3060。
奈良市中院町13。
11:00〜18:00。
水曜休。

「奈良人形一刀彫は古雅な風格をもつ縁起物。気軽に来店して、魅力に触れてみて下さい。」（奈良美術工芸舎誠美堂の中尾さん）

伝統工芸全般◎奈良町周辺

【中川政七商店 奈良本店《なかがわまさしちしょうてん ならほんてん》】

地図p.75-B
猿沢池から2分

［花ふきん770円〜］

衣食住それぞれにまつわる機能的で美しい「暮らしの道具」を全国に展開する中川政七商店が、創業地である奈良にオープンした複合商業施設。定評ある花ふきんをはじめとするテキスタイルに加え、奈良の伝統工芸品やみやげを多面的に展開。

〈中川政七商店 奈良本店〉
☎0742-25-2188。
奈良市元林院町22 鹿猿狐ビルヂング。
10:00〜19:00
※コロナ禍により短縮の可能性あり（11:00〜19:00）。
無休。

グッドデザイン賞金賞を受賞

秘伝の名墨
「紅花墨」

〈古梅園〉
☎0742-23-2965。
奈良市椿井町7。
9:00〜17:00。
土・日曜、祝日休。

〈赤膚焼寧屋工房〉
☎0742-23-3110。
奈良市芝新屋町18。
10:30〜17:00。
水曜休。

繊細で優美な燈火器は当主の作

赤膚焼 ◎奈良町周辺

【赤膚焼寧屋工房】あかはだやきなやこうぼう

地図p.75-F

元興寺から👟3分

［奈良絵豆皿1万1000円〜］

赤膚山に窯をもつ武田高明さんが展示販売、絵付けや素焼きを行なう工房。赤膚焼《あかはだやき》は古都奈良の陶器にふさわしく茶道具としての歴史が深い。昔の物語絵である奈良絵の茶碗などは代表的。絵もプリントものはいっさいなく大量生産もできない。お盆には、実際にろうそくを点した燈火器が店の中に並び、幽玄の美を垣間見ることができる。

「赤膚焼は分業せず、全工程を一人で行ないます。技術や薬の種類も多く、作家が育つのに時間がかかるんです。」（当主の武田さん）

墨 ◎奈良町周辺

【古梅園】こばいえん

地図p.75-A

猿沢池から👟6分

［紅花墨1540円〜］

1577（天正5）年創業の奈良墨の老舗。秘伝の銘墨「紅花墨《こうかぼく》」は墨の代名詞といわれるほど普及している。青みを帯びた色になる「青墨」、ほかに「茶墨」などさまざま。風格のある店舗などは国登録有形文化財。

〈菊岡漢方薬局〉
☎0742-22-6611。
奈良市中新屋町3。
9:00〜19:00。
月曜休。

効能は食欲不振・胃部・腹部膨満感・消化不良・胃弱・食べ過ぎ・飲みすぎ・胸やけ・胃もたれなど

漢方薬 ◎奈良町周辺

【菊岡漢方薬局】きくおかかんぽうやっきょく

地図p.75-F

元興寺から👟3分

［陀羅尼助1320円〜］

平安時代の末期から約800年、春日大社や興福寺の守護などの要職を務める傍ら、漢方薬に携わってきた菊岡家。代々受け継がれてきた薬学の知識をもとに、各人に合う生薬を調合する漢方薬の老舗だ。木根草皮などの生薬が全身の調和を整え、体質を根本的に改善してくれる。おすすめの陀羅尼助丸は、役行者が製法を教えたと伝わる胃腸薬だ。

東大寺周辺

近鉄奈良駅から東大寺南大門まで20分、今小路までバス5分

奈良漬 ◎東大寺周辺
【森奈良漬店】もりならづけてん

地図p.51-F
近鉄奈良駅から20分

[きざみ奈良漬つぼ入1320円]

大仏殿参道にある奈良漬の老舗。酒粕だけを使い、着色料や保存料、甘味料などはいっさい使っていない。瓜、キュウリなどのほか、李《すもも》やニンジン、セロリなどさまざまな種類がある。人気のきざみ奈良漬は、瓜とキュウリをミックスしたもの。

〈森奈良漬店〉
☎0742-26-2063。
奈良市春日野町23。
9:00～18:00。
無休。

人気商品のきざみ奈良漬

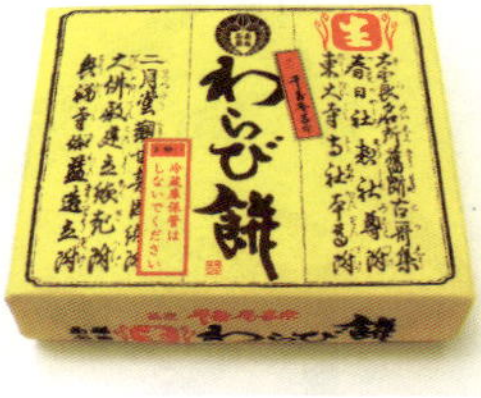

千壽庵吉宗の生わらび餅

和菓子 ◎東大寺周辺
【千壽庵吉宗奈良総本店】せんじゅあんよしむねならそうほんてん

地図p.51-A
今小路から1分

[わらび餅650円]

買う

千壽金時。見た目も涼しく、生わらび餅との相性も抜群

〈千壽庵吉宗奈良総本店〉
☎0742-23-3003。
奈良市押上町39-1。
10:00～18:00
(茶寮11:00～16:30LO)。
無休(茶寮は水曜休)。

わらび餅が美味しい和菓子店。国産の本わらび粉を使用し、昔ながらの製法で練り上げて作るわらび餅は、独特の弾力があって口どけが良く、ほんのりと甘い。店内には茶寮が併設されていて、わらび餅やお抹茶が楽しめる。かき氷の千壽金時は、きなこがたっぷりで好評。

高畑周辺

近鉄奈良駅から破石町までバス7分

ギャラリー ◎高畑周辺
【あーとさろん宮崎】あーとさろんみやざき

地図p.32-L
破石町から2分

[暮らしの食器・雑器1000円～]

江戸末期の町家を改造したギャラリー。芋毛健作・久岡冬彦(陶)、岡田親彦・長田博夫(ガラス)、くら田たまえ・山口景子(人形)など様々なジャンルの作家の展示会を2週間～1か月ごとに展開。奥の喫茶コーナーでは四季折々に変わる水田の景色とともに寛げる。

古い町家の内部はモダンなアートスペース

〈あーとさろん宮崎〉
☎0742-23-2588。
奈良市高畑町812。
10:00～18:00。
月曜休。

食べる 奈良公園周辺

本格派もお手軽派も満足できる多種多様な料理店と甘味処が勢揃いする

近鉄奈良駅周辺

春日御膳は食後にドリンクが付く

〈和風れすとらん春日〉
☎0742-22-4031。
奈良市登大路町40。
11:00～14:00、
17:00～20:00LO。
月曜（休日の場合は翌日）休。

和食 ◎近鉄奈良駅周辺

【和風れすとらん春日】《わふうれすとらん かすが》

地図p.48-G
近鉄奈良駅から🚶3分

［春日御膳1980円］

春日ホテル内。松花堂や季節会席などで、奈良らしい味覚をゆっくりと楽しめる。春日御膳は小鉢、作り豆腐、天麩羅、麺椀（煮麺）御飯 漬物、デザートが付いて1980円。松花堂は口取り、造り、焚き合せ、焼き物、天麩羅 御飯、味噌椀、漬物、デザートで2970円。月替わり季節会席6050円は前日までに予約を。

JR奈良駅周辺

女性に人気のまほろば御膳

〈和処よしの〉
☎0742-35-5819。
奈良市三条本町8-1。
11:30～14:30LO、
17:30～20:30LO。
不定休。

和食 ◎JR奈良駅周辺

【和処よしの】《わどころよしの》

地図p.49-I
JR奈良駅西口から🚶1分

［まほろば御膳2150円(昼)］

ホテル日航奈良の和食処。古都奈良の風情を生かした料理を味わえる。昼は「奈良のうまいもの」の認定メニューも提供。ランチで女性に人気なのが、新鮮な刺身や地のの野菜を使ったまほろば膳2150円。夜のおすすめは料理

緑の部分はモチモチ、トッピングがのった生地が薄いのが特徴のナポリピッツァ

〈トラットリア・ピアノ〉

☎0742-26-1837。

奈良市橋本町15-1。

ランチタイム11:00～14:30LO。ディナータイム17:00～22:00LO。

無休。

イタリア料理 ◎JR奈良駅周辺

【トラットリア・ピアノ】《とらっとりあ・ぴあの》

地図p.48-K
近鉄奈良駅から🚶3分

［カプリチョーザピザ1680円］

地元奈良の新鮮な野菜や肉、土佐清水から直送の鮮魚など、素材の味を生かしたシンプルな料理が好評のイタリア料理店。本格的な石窯で焼き上げるピッツァ大和は人気の一品。新大宮駅前にも姉妹店がある。

食べる

〈あしびの郷〉
☎0742-26-6662。
奈良市脇戸町29。
11:30～16:30。
不定休。

近鉄奈良駅から
猿沢池まで10分
近鉄奈良駅から
元興寺まで15分

奈良町周辺

長が厳選した6銘柄と料理を合わせて楽しむ会席と奈良地酒めぐり7000円や贅沢ミニ会席秋篠8000円。

和食 ◎奈良町周辺

【あしびの郷《あしびのさと》】

地図p.75-F
元興寺から5分

[おつけもの御膳1600円]

江戸時代から続く奈良漬の老舗「あしびや本舗」がプロデュースする食事処。風情のある庭に面したカフェや漬物、奈良工芸品の売店も併設。人気メニューのおつけもの御膳は、米、茶、味噌まで旬の漬物に合う食材にこだわり、取り寄せている。

甘味処 ◎奈良町周辺

【佐久良《さくら》】

地図p.75-F
元興寺から5分

[葛きり880円]

吉野葛専門に扱う売店と甘味処。葛きりや葛もち880円は、吉野葛の葛根からとれる貴重な吉野本葛のみを使い、注文を受けてから手作りしている。伝統的な奈良の町家を使った店には、テーブル席、座敷、庭の見える奥座敷があり、古都の趣を味わえる。

〈佐久良〉
☎0742-26-3888。
奈良市高御門町2。
10：00～17：00。
木曜休。

吉野本葛ならではの美味しい葛きり

打ちたて、ゆでたて、揚げたてが味わえるミニ天丼セット

〈吟松　奈良町店〉
☎0742-23-1355。
奈良市西新屋町18。
11:30～14:00。
月曜（祝日の場合は不定休）休。

そば処 ◎奈良町周辺

【吟松《ぎんしょう》 奈良町店《ならまちてん》】

地図p.75-F
元興寺から1分

[天ざる1430円]

奈良町資料館の前。そばは石臼挽きで、手打ち。細くて歯ごたえがあり、香りのいいそばが食べられる。人気メニューは天ざる。注文を受けてからそばをゆで、揚げたてを出すために少し時間がかかる天ぷらも魅力。サクッとした食感の天ぷらとコシヒカリ米が美味しいミニ天丼セット1155円。そばが売り切れることもあるので早めに。高畑に本店がある。

〈酒肆春鹿〉
☎0742-26-4703。
奈良市今御門町27-4。
17:00〜22:00。
日曜不定休。

奈良の地酒の「春鹿」と一緒に味わいたい一品料理

和食 ◎奈良町周辺

【酒肆春鹿】しゅしはるしか

地図p.48-K
猿沢池から 2分

［コース料理3800円〜］

建物は昭和初期の趣ある2階家で、カウンター席の奥には庭を囲んで座敷が4つ。奈良の酒、春鹿に合う一品もの、コース料理が充実している。たいあら煮、たら白子焼など、酒に合う肴が目白押し。お造り盛り合わせも新鮮そのもの。毎朝の仕入れによりお品書きも変わり、ていねいな手作り料理を堪能できる。

柿の葉ずしは持ち帰りもできる

〈平宗奈良店〉
☎0742-22-0866。
奈良市今御門町30-1。
11:30〜20:30（20:00LO）
持ち帰りは10:00〜。
月曜（祝日の場合は翌日）休。

和食 ◎奈良町周辺

【平宗奈良店】ひらそうならてん

地図p.48-K
猿沢池から 2分

［柿の葉ずし盛合せ（吸物付き）1240円］

柿の葉ずしが有名な和食の店。まろやかなサバと身が締まったサケにほのかな柿の葉の香りがうつり、さわやかな味わい。夏場でも常温で2日はもつのでみやげにも最適。柿の葉ずしのほか、茶がゆ、吉野葛の胡麻豆腐など奈良の名産を盛り合わせた八重桜3785円も人気。吉野に本店がある。

茶店から町家風の店構えに

〈塔の茶屋〉
☎0742-22-4348。
奈良市南城戸町18。
11:30〜16:00（夜は予約制で懐石のみ、茶がゆ弁当は15:30LO）。
火曜（祝日の場合は翌日）休。

人気の茶がゆ弁当

茶粥 ◎奈良町周辺

【塔の茶屋】とうのちゃや

地図p.75-E
元興寺から 5分

［茶がゆ弁当2530円］

興福寺境内にあった茶粥の名店が奈良町に移転して1年。午後4時までの限定メニュー、茶がゆ弁当があいかわらず女性を中心に人気。茶粥に柿の葉寿司や野菜の炊き合わせ、焼き物など10数品ものおかずが盛られていて、見た目も優しくボリューム満点。

また本格的な茶がゆ懐石も味わえ、昼は5500円〜、夜は要予約で6600円〜となっている。

旬の食材を盛り込んだかみつみち弁当

〈はり新〉
☎0742-22-2669。
奈良市中新屋町15。
11:30～14:30LO、
18:00～20:00LO。
月曜（祝日の場合は翌日）休。

目にも美しい奈良の四季の味覚

〈円〉
☎0742-26-0291。
奈良市下御門町38
ミカドビル2F。
11:30～14:00、
17:00～21:00。
不定休。

和食 ◎奈良町周辺

【円】《えん》

地図p.75-F
元興寺から 3分

[茶がゆ膳（昼）2200円]

茶がゆ、そうめん、奈良漬、酒粕、梅、柿など、奈良の特産品をさまざまに生かし、奈良らしい食事が楽しめる。昼は茶がゆ膳や昼の膳を。味噌漬け豆腐、酒粕天ぷら、旬のものなどが美しく盛られている。夜は3500円～。要予約で、おまかせの奈良づくし7700円～。自家製の藤や萩などの果実酒も美味。

和食 ◎奈良町周辺

【はり新】《はりしん》

地図p.75-F
元興寺から 3分

[かみつみち弁当3190円]

江戸末期の商家の建物を生かした食事処。庭を眺める広い座敷で食事できる。藤原京と平城京を結ぶ幹線道路だった上《かみ》ツ道《みち》の出発点付近にあることにちなんだかみつみち弁当が看板料理。牛乳を煮つめた古代食の蘇《そ》や、季節感あふれる手作りの料理を多彩に盛り込んだ箱膳で、奈良町散策の観光客に人気だ。夜は、かみつみち弁当のほか、予約でミニ会席や会席料理も味わえる。

興福寺周辺

近鉄奈良駅から
県庁前まで 2分
近鉄奈良駅から
氷室神社・国立博物館まで 3分

クラッシックモダンの趣の玄関。建物は登録有形文化財

〈菊水楼〉
☎0742-23-2001。
奈良市高畑町1130。
11:00～14:30LO。
要予約。火曜休。

会席料理 ◎興福寺周辺

【菊水楼】《きくすいろう》

地図p.48-L
近鉄奈良駅から 10分

[会席料理1万2650円～]

趣向を凝らした会席料理で有名な老舗料亭旅館。宿の方は休業中だが、料理の方は健在。旬の素材をいかした本格的な会席料理が昼1万2650円～、夜1万8975円～で堪能できる。建築も濃厚で贅を尽くしたもので、客室は床柱から欄間まで、それぞれ意匠に富み、細やかな心配りは老舗ならではのもの。料亭以外に、和食、うなぎなどが味わえるレストランが2種あり、それぞれランチが堪能できておすすめ。ただし要予約。

〈馬の目〉
☎0742-23-7784。
奈良市高畑町1158。
11:30〜15:00、
17:30〜20:30。
木曜休（祝日の場合は営業）。

骨董品の家具や絵画を配した店内で味わう惣菜料理が人気

和食 ◎興福寺周辺

【馬の目】《うまのめ》

地図p.51-J
♀春日大社表参道から 5分

［昼3500円〜　夜8000円〜］

旬の素材を使い、工夫をこらしたオリジナルメニューが美味な和食処。黒を基調とした店内に根来塗り風の朱色のテーブルが映える。昼のメニューは惣菜5品に吸い物、デザート、ごはんに漬物が付く。ちなみに店名は、瀬戸焼の〝馬の目皿〟にちなんだもの。夜は要予約。

近鉄奈良駅から
♀氷室神社・国立博物館まで 3分、
♀押上町まで 4分

東大寺周辺

吉野葛料理 ◎東大寺周辺

【天極堂奈良本店】《てんぎょくどうならほんてん》

地図p.51-E
♀押上町から 1分

［葛きり990円］

奈良公園に隣接した葛料理の店。吉野本葛で作る、つるつるとしたのどごしと弾力が絶妙な葛切り、小豆たっぷりのぜんざいと食べる葛切りあずきり990円、ぷるんっとした食感の葛餅660円が美味しい。また、おすすめメニューをすべて味わえる葛づくしコース3520円も人気だ。

〈天極堂奈良本店〉
☎0742-27-5011。
奈良市押上町1-6。
10:00〜19:30
(LOは19:00)。
火曜（祝日の場合は翌日）休。

特製の黒蜜や独特の喉ごしが美味しい葛きり

具だくさんの七種釜めし

〈志津香公園店〉
☎0742-27-8030。
奈良市登大路町59-11。
11:00〜15:00LO。
火曜休（ほかに月一回不定休あり）。

釜飯 ◎東大寺周辺

【志津香公園店】《しづかこうえんてん》

地図p.51-F
♀氷室神社・国立博物館前から 1分

［七種釜めし1375円］

奈良の釜飯といえば志津香という定評がある。創業50年。釜飯は注文を受けてからひと釜ひと釜、火加減を調節しながら米から炊き上げる。ふたを開けた時の香りやおこげの香ばしさが郷愁と食欲をそそる。七種釜めしはエビ、アナゴ、ゴボウ、タケノコなど、実際

食べる

は七種以上の具が入る人気メニュー。赤だしと漬物付き1242円で、炊き合せ付きは1925円。これに付出しやフルーツも付く志津香定食2640円がおすすめだ。奈良特産の大和肉鶏釜めし1320円などの通年メニューに加えて、春はしらす、秋はクリやマツタケ、冬はカキの釜飯なども味わえる。

カフェレストラン ◎東大寺周辺

【カフェ葉風泰夢】《かふぇはーふたいむ》

地図p.51-J
♀氷室神社・国立博物館から2分

[スイーツセット1050円]

奈良国立博物館の地下にあるスタイリッシュなカフェ。ガトーショコラ、木苺のミルフィーユ、スフレチーズケーキ、塩キャラメルロールなど、スイーツが充実している。それだけでなく、地中海野菜入りの生パスタ1300円、特製カレーライス1100円など、食事も美味しい。コーヒーなどのソフトドリンクは600円～。界隈に食事処が少なく、ここは博物館に入館しなくても利用できるのが嬉しい。

↑テラス席でゆったり過ごす。
←フレンチパンケーキ プレーン

＜カフェ葉風泰夢＞

☎0742-22-1673。

奈良市登大路町50。

10:00～17:00（16:30LS）。

月曜（祝日の場合は翌日、連休の場合は終了後の翌日）休。その他、営業時間・休業日は国立奈良博物館に準じる。

春日大社 高畑周辺

近鉄奈良駅から
♀大仏殿春日大社前まで4分、
♀石破町まで7分

茶店 ◎春日大社周辺

【春日荷茶屋】《かすがにないちゃや》

地図p.50-K
♀大仏殿春日大社前から5分

[万葉粥1100円]

春日大社の萬葉植物園正門横にある茶店。七草、桜、よもぎなど、万葉集にちなんだ季節の素材を使用した粥が味わえる。昆布ダシ、白味噌仕立てで上品な味わい。また、万葉粥に柿の葉寿司、デザートが付いた大和名物膳1650円。

季節の万葉粥

〈春日荷茶屋〉

☎0742-27-2718。

奈良市春日野町160。

10:00～16:00。

月曜休（4・5・10・11月は無休）。

喫茶 ◎高畑周辺

【たかばたけ茶論】《たかばたけさろん》

地図p.32-H
♀破石町から7分

[コーヒー550円]

オープンカフェスタイルの喫茶サロン。南仏プロバンスの田舎家を模して建てられた、大正時代の洋館の庭を開放したもので、緑や季節の花に囲まれて心地いいひとときを過ごせる。

季節の果物を使った自家製ケーキ600円が人気

〈たかばたけ茶論〉

☎0742-22-2922。

奈良市高畑町1247。

13:00～18:00。

月～木曜休。

奈良文化は宿にも息づいている

歴史とともに歩んだ宿

長い歴史に磨かれた古都・奈良の宿。建物や調度品、器に秘められたエピソードを知ることで、旅はさらに味わい深いものになる。

1909（明治42）年に迎賓館として開業した奈良の老舗ホテル。鴟尾（しび）を掲げた瓦屋根など、古都の景観に配慮した桃山御殿風檜造りの本館は、内部も開業当時の姿をとどめている

バーの入口のすりガラスは開業当時のまま。東大寺鐘楼の模様

100余年の時の流れの記憶

奈良ホテル《ならほてる》

地図p.74-C

☎0742-26-3300
◆♀奈良ホテルから👟1分
開業：1909年／全127室
◆W2万2000円～／T2万2000円～／和室2万9000円～

外国からの賓客を迎えるために明治末期に建てられた奈良ホテルは、時代の移り変わりを見つめてきた歴史の証人でもある。本館の建築は東京駅を設計した辰野《たつの》金吾《きんご》らによる和洋折衷様式で、玄関ホールに入ると、正面階段の手すりの擬宝珠《ぎぼし》をあしらった和風デザインが目を引く。この擬宝珠は珍しい陶器製。開業当時は鉄製だったが戦時中に供出させられ、代用品として奈良名産の赤膚焼《あかはだやき》で製作されたのだ。

奈良ホテルはまた、多数の美術品を収蔵していることでも知られていて、メインダイニングルーム「三笠」にさりげなく飾られた横山大観《よこやまたいかん》の日本画や、玄関ホールの上村松園《うえむらしょうえん》の「花嫁」は見落とせない。

玄関ホールから続く本館階段の手すりは開業当初の姿をとどめる。戦時中のエピソードを秘めた赤膚焼の擬宝珠に注目したい

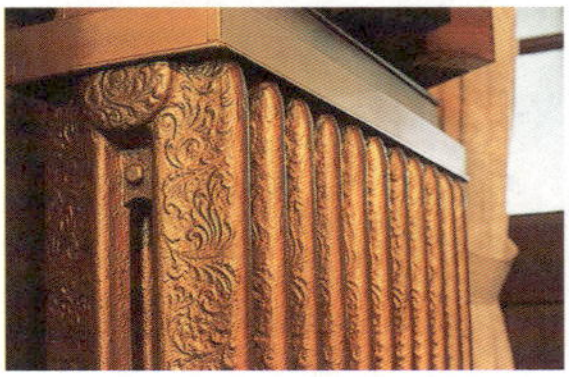

オブジェとして、装飾に注目したいクラシックなスチームヒーター。現在、暖房機能はない

ベッドやテーブルを置いた洋室に、日本画や御簾で和風の趣を添えた本館のデラックスルーム

玄関ホールに掲げられた上村松園の「花嫁」

このほかにも、大正天皇を迎えるため大正3年に本館全館に導入されたスチームヒーターなど、館内のいたるところに歴史の証がある。

華美を排したこぢんまりとした造りの「影向」は、志賀直哉お気に入りの部屋。現在は食事のみに使用

文豪志賀直哉がこよなく愛した宿

江戸三《えどさん》

地図p.51-J
☎0742-26-2662
◆近鉄奈良駅から👟15分
開業：1907年／全10棟
◆1泊2食付2万2000円〜

志賀直哉や小林秀雄、『大和古寺風物誌』の亀井勝一郎をはじめ、志賀と親しかった洋画家の九里四郎、藤田嗣治ら、多くの文人墨客に愛されてきた。

志賀直哉は友人・九里四郎のすすめで奈良へ引っ越し、当時の江戸三の主人と親しく交際。高畑《たかばたけ》の家を世話したのも江戸三主人だった。志賀はたびたび客室「影向《ようごう》」で食事を楽しみ、ほうれん草の上に具をこんもりと盛りつけた鍋料理を、新緑の若草山に見立てて「若草鍋」と命名したりした。また、志賀を慕って奈良を訪れた小林秀雄も江戸三に約8ヵ月間逗留。当時まだ無名だった小林は、無記名の原稿を書いたり家庭教師のアルバイトをする程度で、結局小林の宿代は志賀が立て替えたという。

東大寺の塔頭を移築した純和風旅館。美しい日本庭園に囲まれ、宿の中は東大寺南大門前の賑わいを忘れさせるほど、静寂に包まれた別世界だ。高野槇の浴室も快適

前庭左手の老門は、鎌倉時代建造の法隆寺の門を移築したもの

天平時代の柱が残る時空を超えた客室

観鹿荘《かんかそう》

地図p.51-F
☎0742-26-1128
◆♀大仏殿春日大社前・♀東大寺大仏殿から👟2分／開業：1954年／全7室
◆1泊2食付2万5300円〜

重厚な武家門、櫛目に引かれた玉砂利の前庭、虎が描かれた江戸時代の杉戸など、落ち着いた趣の建物は寺院を移築しただけに重厚で端整なたたずまいを見せる。丹精込めて手入れされた日本庭園には巨大な礎石や飛鳥時代の石棺が庭石代わりに置かれ、館内のいたるところに貴重な古美術品が飾られている。さりげなく贅を尽くした歴史ある古都らしい環境は、古美術商の別邸を宿に改めたからこそ実現できたもの。特に「天平の間」(写真上)の床柱は1200年前の東大寺塔頭《たっちゅう》の丸柱であったと伝えられる古美術の逸品だ。

「天平の間」は食事のみ利用可能で宿泊はできない。

「魚鼓《ぎょく》」「銅鑼」など部屋ごとに違う鳴り物は、創業当時、客室係を呼ぶために使われた

【お得情報】 食事のみの利用もでき、会席料理や若草鍋は各1万120円。お昼はミニ会席5775円もある。いずれも2名以上で要予約。

明治40年に料亭として開業し、現在は全室離れ形式の料理旅館。奈良公園内に点在する客室はすべて建築もしつらえも違う。近代的設備よりも静けさと風情を求める人におすすめ。写真は「八方亭」。丸窓から見えるのはソメイヨシノ

広々とした部屋には必ず控えの間がついていて、ゆったりとした気分になれる。庭からの光も障子越しに柔らかい。

しっとりとした情緒に包まれて宿は佇む

老舗料亭の心休まるもてなし

四季亭 しきてい

地図p.51-1

☎0742-22-5531
◆近鉄奈良駅から徒歩15分
開業：1899年／全９室
◆１泊２食付2万2000円～（税込み）

奈良公園の中にあり、屈指の老舗料亭としても知られる宿。大和路料理と名付けられた会席料理は、四季折々の素材をふんだんに使用。特別あつらえの赤膚焼の器に盛りつけられ、見た目も美しい。全室に控えの間があり、高野槙か檜の浴室が備わり、ゆったりくつろげる。

【お得情報】 食事のみも可能で、椅子席のレストランならミニ懐石が昼は４１８０円から味わえる。

季節の素材を惜しげもなくつかった会席料理が名物。写真は夏の一例

「お得情報」は変更される可能性がありますので、予約の際ご確認ください

落ち着いて品のある旅館

春日大社周辺

月日亭《つきひてい》

世界遺産「春日山原始林」の中に佇む、1日3組限定の料理旅館。建物は情緒あふれる日本建築で、全室離れとなっている。ゆったりとした貸切風呂は、奈良の風景を描いたステンドグラスが印象深い。

［お得情報］ 食事のみの利用も可能で、懐石料理が昼は1万円、夜は1万5950円～（要予約）

地図p.32-H
☎0742-26-2021
◆♀春日大社本殿から🚶15分／開業：1961年／全5室
◆1泊2食付3万9900円

春日大社周辺

古都の宿むさし野《ことのやどむさしの》

若草山の麓に位置し、谷崎潤一郎、山岡鉄舟など、古くから文人墨客に親しまれてきた歴史ある宿。檜風呂のある特別室や、掘ごたつの部屋など12室あり、写真の客室「笹」は間宮吉彦氏デザイン・設計。モダンな和風で大きな窓の外に拡がる春日の森がすばらしい。

［お得情報］ 食事のみの利用も可能で、会席料理が昼は6325円～（要予約）。

地図p.50-H
☎0742-22-2739
◆♀春日大社本殿から🚶5分／開業：江戸後期／全11室
◆1泊2食付3万1900円～

JR奈良駅周辺

ホテル日航奈良《ほてるにっこうなら》

JR奈良駅西口直結のシティホテル。建物の1〜2階部分はショップが集まる「シルキア奈良」で、3〜10階がホテルとなっている。全室デュベタイプの寝具とWi-Fi完備の充実客室で、旅の疲れを癒やす宿泊者専用大浴場（無料）や、4つのレストランとラウンジもある。

地図p.49-I
☎0742-35-8831
◆JR奈良駅から1分／開業：1998年／全330室
◆S8400円〜／T5100円〜

JR奈良駅周辺

ピアッツァホテル奈良《ぴあっつぁほてるなら》

JR奈良駅直結・改札から徒歩1分の好立地。シンプルな客室とスイートを備えたモダンなホテル。オリジナルカクテルを提供する「チェントバー」、シェフが目の前で焼き上げる鉄板焼「山河」、スタイリッシュなブッフェレストラン「ラ・フェスタ」がある。

地図p.32-G
☎0742-30-2200
◆JR奈良駅から1分／開業：2017年／全137室
◆T9300円〜

JR・近鉄奈良駅周辺

ホテルアジール・奈良《ほてるあじーるなら》

2012年夏「奈良のお宿自慢」の部門（建物・お部屋自慢の宿）大賞受賞。男女交代制大浴場、貸切風呂、ロビーにあるカフェラウンジや暖炉、囲炉裏の他、直営日本料理店「かがりや」など充実した設備の宿。食事付きの宿泊プランもそろっている。

地図p.49-E
☎0742-22-2577
◆JR・近鉄奈良駅から5分／開業：2000年／全39室
◆T8600円〜

シティホテル＆ビジネスホテル

佐保・佐紀路

奈良ロイヤルホテル《ならろいやるほてる》

国道24号線沿い、平城宮跡に近いシティホテル。日本料理「竹の家」では季節の懐石や奈良の地酒が楽しめる。また、日本家屋を改装した中国料理店「沙山華」も人気。天然温泉やリラクゼーション施設も充実している。

［お得情報］ 天然温泉・駐車場は宿泊者無料。

地図p.33-F
☎0742-34-1131
◆近鉄新大宮駅から10分／開業：1985年／全127室
◆W（シングルユース）9160円〜

奈良町周辺

ホテル尾花《ほてるおばな》

奈良町の近くにある全室禁煙の清潔なホテル。旧ホテルサンルート奈良。カジュアルな雰囲気で、女性客も気軽に利用できる。館内の日本料理「おばな」では、奈良の食材を生かした朝食バイキングや、夜は会席料理を味わえる。

地図p.74-C
☎0742-22-5151
◆近鉄奈良駅から10分、猿沢池から2分／開業：1981年／全95室
◆S5687円〜／T7990円〜

JR奈良駅周辺

奈良ワシントンホテルプラザ《ならわしんとんほてるぷらざ》

JR奈良駅、近鉄奈良駅のどちらにも近く、観光に便利。また三条通りに面し、奈良町周辺での買い物や食事、散策に出るにもいい。客室は全室段差のないバリアフリー設計で、身障者対応ルームが1室ある。しゃぶしゃぶを味わえるレストランも併設している。

地図p.49-F
☎0742-27-0410
◆JR奈良駅から5分／開業：2000年／全211室
◆S8300円〜／T8000円〜

S…シングル　T…ツイン

興福寺周辺

青葉茶屋《あおばちゃや》

奈良公園の中にある料理旅館。趣のある数寄屋風の建物で、部屋からは鹿の姿が眺められる。会席料理や、冬の時期に出てくる青葉鍋などの料理が人気。
[お得情報] 食事のみも可能で、会席6050円〜。青葉カフェは価格もリーズナブル。

地図p.51-J
☎0742-22-2917
◆近鉄奈良駅から15分／開業：1938年／全6室
◆1泊2食付1万5180円（税別）〜

興福寺周辺

春日ホテル《かすがほてる》

近鉄奈良駅のそばで交通至便。開放感のある露天風呂が好評で、岩風呂と石風呂の2種類（男女入れ替え制）。湯船からは、庭園が眺められる。客室は和・和洋・洋室、露天風呂付と多彩。「和風レストラン春日」では万葉弁当が味わえる。

地図p.48-G
☎0742-22-4031
◆近鉄奈良駅から3分／開業：1954年／全30室
◆1泊2食付1万9855円〜

近鉄奈良駅周辺

奈良白鹿荘《ならはくしかそう》

近鉄奈良駅から徒歩3分、奈良市内の観光の拠点として便利。宿の自慢は、古代檜風呂。直径2mの古代檜の倒木から造られており、浴槽の中に溶け込んだ檜の精油が旅の疲れを癒してくれる。夕食はお部屋でゆっくり味わえる。

地図p.48- G
☎0742-22-5466
◆近鉄奈良駅から2分／開業：1939年／全26室
◆1泊2食付1万4400円〜

くつろげる旅館&ホテル

新若草山ドライブウェイ

ANDO HOTEL 奈良若草山《あんど ほてるならわかくさやま》

新若草山ドライブウェイ沿い。旧遊景の宿平城をリノベーションし2020年オープン。大仏殿、五重塔をはじめ古都一望のパノラマが自慢。全室、岩盤足癒付きでリラックス効果がある。

地図p.32-D
☎0742-23-5255
◆JR・近鉄奈良駅から10分（送迎あり、要予約）／開業：1964年／全20室
◆1泊2食付2万1100円〜

奈良町周辺

旅館椿荘《りょかんつばきそう》

純和風の旅館。旧棟は民家を改造したもので、部屋ごとに違った趣がある。家庭的な雰囲気でくつろげる。近鉄奈良駅や奈良町に近い。
[お得情報] オフシーズンや連泊の場合は料金相談に応じてくれる。

地図p.75-A
☎0742-22-5330
◆近鉄奈良駅から5分、猿沢池から5分／開業：1948年／全9室◆素泊まり1万3000円〜（部屋により料金異なる）

東大寺周辺

ホテルニューわかさ《ほてる にゅーわかさ》

東大寺・奈良公園近く。大仏殿や若草山の眺めがよく、奈良町情緒を味わえる女性に優しい宿。展望ジャクジーや露天ジャクジー付き客室もある。奈良格子や奈良晒を用いた若草山側客室は、奈良の歴史を感じさせる。料理も楽しみの宿だ。

地図p.48-D
☎0742-23-5858
◆♀押上町から3分／開業：1988年／全30室
◆1泊2食付1万4850円〜

JR奈良駅周辺

ABホテル奈良《えーびーほてるなら》

JR奈良駅東口から徒歩2分の好立地に、2017年にオープンしたABホテルグループのホテル。(ABはAmenity & Brightの略) 東大寺や日本庭園名勝依水園、興福寺といった奈良の有名観光スポットへも徒歩圏内にある。

地図p.184-I
☎0742-27-1005
◆JR奈良駅から👟1分／
開業：2017年／全148室
◆S5600円～／T9800円～

佐保路

ホテルリガーレ春日野《ほてるりがーれかすがの》

公立学校共済組合の宿泊施設だが、一般の人でも利用可。シングル、ツインのホテルタイプ以外に和室もある。海龍王寺や不退寺、平城宮跡にも近く、観光散策の拠点に便利。1階はレストラン。食事付きの宿泊プランも各種ある。

地図p.32-G
☎0742-22-6021
◆♀佐保小学校からすぐ／
開業：1971年／全29室
◆1泊2食付1万1000円～

東大寺周辺

小さなホテル奈良倶楽部《ちいさなほてるならくらぶ》

正倉院の北側にあり、奈良公園の散策に便利。白壁に黒い瓦の外観は蔵をイメージ。インテリアには、韓国のポジャギを取り入れている。野菜がたっぷりの朝食も好評。

[お得情報] オフシーズンは通常料金の1100円引き。

地図p.32-D
☎0742-22-3450
◆♀今在家から👟3分／
開業：1989年／全8室
◆1泊朝食付7700円～

リーズナブルな宿&プチホテル

近鉄奈良駅周辺

HOTEL花小路《ほてるはなこみち》

奈良市の中心部、小西通り沿いにあり、観光やショッピングに便利。1階に新たに和食ダイニング「櫃屋」がオープン。旬の素材をいかした創作和食が人気。客室はシングル、ツイン、ダブル、和室、和洋室がそろい、食事付きプランもある。

地図p.48-G
☎0742-26-2646
◆近鉄奈良駅から👟1分／
開業：1978年／全38室
◆T6000円～

佐保・佐紀路

かんぽの宿奈良《かんぽのやどなら》

天然温泉の露天風呂が好評。客室は和室が中心だが、ツインの洋室もある。会席料理や季節料理が付く宿泊プランのほか、日帰りプランも用意している。平城宮跡が目の前で、展望室からは朱雀門や第一次大極殿などが眺められる。

地図p.33-E
☎0742-33-2351
◆大和西大寺駅から👟15分／
開業：1966年／全40室
◆1泊2食付7400円～

高畑周辺

KKR奈良みかさ荘《けーけーあーるならみかさそう》

端正な和風情緒を手頃な料金で味わえる公共の宿。枯山水の日本庭園があり、庭の小道から春日大社の原生林へ散歩できる。

[お得情報]「茶寮みかさ」では庭園を眺めながらのランチや懐石料理を提供している（要予約）。

地図p.32-H
☎0742-22-5582
◆♀破石町から👟7分／
開業：1952年／全8室
◆1泊2食付1万2300円～

「お得情報」は変更される可能性がありますので、予約の際ご確認ください

	宿名称	☎&住所・料金	地図	コメント
ビジネスホテル	スーパーホテル JR奈良駅前・三条通り	☎0742-20-9000 奈良市三条町500-1 ◆S4000円～（朝食無料）	p.49-I	JR奈良駅の前。バス乗場、繁華街がすぐ。
	スーパーホテル 奈良・新大宮駅前	☎0742-35-9000 奈良市芝辻町4-2-7 ◆S4600円～（朝食無料）	p.33-F	新大宮駅から徒歩1分。健康朝食が人気。
	ホテル・葉風泰夢	☎0742-33-5656 奈良市芝辻町2-11-6 ◆S6700円～、T1万3400円～	p.33-F	1Fは本格中華料理店。近鉄新大宮駅徒歩1分。
	ビジネスホテル たかまど	☎0742-34-7272 奈良市大宮町6-5-3 ◆S4600円～、T7000円	p.33-F	近鉄新大宮駅徒歩4分。朝食500円～。
	ビジネス旅館 白鳳	☎0742-26-7891 奈良市上三条町4-1 ◆素泊4000円～	p.49-J	市内の中心部で便利。
	スマイルホテル 奈良	☎0742-25-2111 奈良市三条本町4-21 ◆S4000円～、T3600円	p.49-I	シングルは幅140cmのダブルベッドを使用。
旅館&観光ホテル	ホテル美松	☎0742-24-3636 奈良市小川町10 ◆1泊2食付1万2100円～	p.49-J	興福寺五重塔、南円堂を望む客室がある。
	大仏館	☎0742-23-5111 奈良市高畑町250 ◆1泊2食付1万1550円～	p.48-L	興福寺五重塔が目の前。冬は興福鍋が味わえる。
	旅館江泉	☎0742-23-3289 奈良市高畑町1125 ◆1泊2食付1万2000円～	p.48-L	猿沢池東畔。朝食を茶粥に変更できる。
	さるさわ池 よしだや	☎0742-23-2225 奈良市高畑町246 ◆1泊2食付1万7280円～	p.48-L	猿沢池に隣接。半露天風呂付き客室あり。
	料理旅館 吉野	☎0742-22-3727 奈良市今御門町19 ◆1泊2食付2万3100円～	p.48-K	興福寺五重塔を望む展望風呂采女の湯が人気。
	飛鳥荘	☎0742-26-2538 奈良市高畑町1113-3 ◆1泊2食付1万9250円～（税別）	p.48-L	猿沢池の近く。内湯以外に展望露天風呂も。
	旅館松前	☎0742-22-3686 奈良市東寺林町28-1 ◆素泊5500円～	p.48-K	奈良町にあるホテル形式の宿。
	観光ホテル タマル	☎0742-22-6318 奈良市押上町41 ◆1泊2食付1万3000円～	p.48-D	奈良公園散策に便利。広い和室でくつろげる。
	奈良 パークホテル	☎0742-44-5255 奈良市宝来4-18-1 ◆1泊2食付1万4300円～（2名以上～）	p.8-B	源泉から引いた「宝来温泉」には露天風呂も。
	奈良万葉若草の宿三笠	0120-77-5471 奈良市川上町728-10 ◆1泊2食付1万5000円～	p.32-D	若草山の中腹。「天平の湯」は大きな風呂。
公共の宿/YH	奈良ユース ホステル	☎0742-22-1334 奈良市法蓮佐保山4-3-2◆素泊（会員以外）3900円～	p.32-C	奈良電力鴻ノ池パーク。朝食675円。
ペンション	プチホテル 古っ都ん100%	☎0742-22-7117 奈良市高畑町1122-21◆S5000円～、T4400円～	p.48-L	猿沢池近くの洒落た宿。朝食650円。
	旅籠長谷川	☎0742-26-7766 奈良市高畑町1474 ◆素泊5500円～（軽朝食サービス付）	p.32-L	旧柳生街道入口で春日の森に囲まれている。

S…シングル　T…ツイン

佐保・佐紀路
西ノ京

西大寺大茶盛式（さいだいじおおちゃもりしき）
新春、春、秋に催される、西大寺の名物行事。高さ21センチ、直径36センチの火鉢ほどの茶碗で、左右の人に支えてもらいいただく。鎌倉時代の中興の祖、叡尊の時代に始まった。p.113参照。

佐保・佐紀路《さほ・さきじ》

地図p.8-B

人気度 ★★★
風情 ★★
世界遺産 平城宮跡
国宝 法華寺／十一面観音立像

観光問い合わせ先
●奈良市観光センター
☎0742-22-3900
●奈良市観光協会
☎0742-27-2223

平城宮跡に、旧街道に、そして古寺に天平人の秘めた夢をたどる

東大寺の転害門《てがいもん》から西へ延び、西大寺へと至る一条通りは、かつての平城宮の北辺を通る、一条南大路。不退寺から東が佐保路、西が佐紀路と呼ばれていた。緑豊かな丘陵の山裾には古寺が点在し、世界遺産の平城宮跡や古墳群など歴史の遺構も数多い。1日かけて歩きたいエリアだ。

回る順のヒント

佐保・佐紀路の全行程を1日で回るのは、かなりハード。拝観時間の配分を考え、自分の興味にあわせてスポットを選び、無理なく回れる計画を練りたい。

平城宮跡の第一次大極殿院の大極殿。平城遷都1300年にあたる2010年に復原された

歴史の道の目印になる要所に立つ石柱

秋篠寺と般若寺は、ほかの見どころと離れている。秋篠寺は西ノ京エリアと、般若寺は東大寺エリアと組み合わせてプランを立ててもいい。

このエリアで注目の見どころは平城宮跡。大極殿、朱雀門をはじめとする復原された遺構や、資料館、展示館などの施設がある。平城宮跡の敷地は広く、それらの施設をじっくり見て回るなら、半日はかかるだろう。近隣には法華寺や海龍王寺などもある。

行き方・帰り方

このエリアの一般的な起点は近鉄奈良駅と、近鉄奈良線で5分の大和西大寺駅。

近鉄奈良駅からバスを利用する場合、法華寺や平城宮跡の大極殿へは13番乗り場（大和西大寺駅行きなど）、平城宮跡朱雀門へは11番乗り場（学園前駅行きなど）とバス系統が異なる。13番乗り場は他の乗り場と離れているので注意。ＪＲ奈良駅からは、西口15番乗り場の大和西大寺駅行きなどのバスで。

大和西大寺駅から平城宮跡へは徒歩でも約10分。

他のエリアへの向かい方

西ノ京へ◆大和西大寺駅から橿原神宮前行き普通３～６分、西ノ京駅下車。平城宮跡朱雀門からは、👟10分の♀三条大路四丁目からバスを利用。🚌63・72・78系統奈良県総合医療センター行きで唐招提寺は♀唐招提寺、薬師寺は♀薬師寺下車、あるいは🚌88・98系統法隆寺前行きで♀唐招提寺東口、♀薬師寺東口または♀薬師寺駐車場下車。

斑鳩へ◆西ノ京と同様に♀三条大路四丁目から🚌88・98系

大和西大寺駅前にレンタサイクルがあるが、佐保・佐紀路の一条通りは狭くて交通量が多いためサイクリング向きではない。ウワナベ古墳・コナベ古墳をめぐる道は比較的走りやすいコース。

東大寺の転害門を出発点として歩く場合、転害門から♀佐保小学校までの一条通りは歩道のない狭い道。興福院前から不退寺や佐紀盾列古墳群へは、裏道をつないだ「歴史の道」がある。奈良市が定めたハイキングコースの一部で、交通量の多い一条通り沿いより断然歩き心地がいい。

不退寺の境内は緑が多い

このエリアへの行き方

目的地	出発点	おもなバス系統・列車	所要時間	下車バス停・駅
秋篠寺	♀大和西大寺駅	🚌72	4分	♀秋篠寺
平城宮跡（大極殿跡）	近鉄奈良駅⑬番	🚌12・14	11～15分	♀平城宮跡・遺構展示館
平城宮跡（平城宮跡資料館）	近鉄奈良駅	近鉄奈良線	5～7分	大和西大寺駅
	近鉄奈良駅⑬番	🚌12・14	13～18分	♀二条町
平城宮跡（朱雀門ひろば）	近鉄奈良駅⑪番	🚌160・161	17分	♀朱雀門ひろば前
	♀薬師寺東口	🚌77・97	5～6分	♀三条大路四丁目※
	♀唐招提寺東口	🚌77・97	4分	♀三条大路四丁目※
ウワナベ・コナベ古墳	近鉄奈良駅⑬番	🚌13・14	11～12分	♀航空自衛隊
法華寺・海龍王寺	近鉄奈良駅⑬番	🚌12・13・14	7～9分	♀法華寺
	♀大和西大寺駅①番	🚌12(※1)・14(※2)	7～10分	♀法華寺
不退寺	近鉄奈良駅⑬番	🚌12・13・14	5～7分	♀一条高校前
	♀大和西大寺駅①番	🚌12(※1)・14(※2)	9～13分	♀不退寺口
般若寺	近鉄奈良駅②番	🚌27・81・118	6分	♀般若寺
	近鉄奈良駅㉑番	🚌153・154	6分	♀般若寺

🚌72：押熊行き　🚌12・14：大和西大寺駅行き　🚌13：航空自衛隊行き　🚌12(※1)・14(※2)：JR奈良駅行き　🚌27・81・118：青山住宅行き　🚌153・154：州見台八丁目行き　🚌77・97：春日大社本殿行き※朱雀門ひろばまで徒歩約10分　🚌160・161：学園前駅(南)

統で。大和西大寺駅から11分の筒井駅で🚌63・92系統王寺駅行きに乗り、12分の♀法隆寺前下車も。

食事処アドバイス

佐保・佐紀路と平城宮跡周辺には食事処が少ないので注意が必要。大和西大寺駅周辺には比較的多い。平城宮跡では、朱雀門ひろばの天平うまし館のレストラン「トキジク・キッチン」、カフェ「イラカ」が明るくおすすめ。

【トキジク・キッチン】
（平城宮周辺・地図p.33-B）ランチプレート1500円～。☎0742-93-9015。11時～14時、17時～22時（21時LO）。無休。

【くるみの木《くるみのき》】
（不退寺周辺・地図p.32-G）喫茶&軽食。季節のランチ1760円。デザート類も充実している。☎0742-23-8286。11時～16時、土・日曜・祝日は～17時。水曜・第3火曜休（祝日の場合は不定休）。

拡大版 おすすめゆったりルート 佐保・佐紀路

このエリアは各見どころが離れているため、赤と青の2ルートを設定した。スタート地点まではバスを利用する。

コナベ古墳 15分 → 徒歩3分 → ウワナベ古墳 15分 → 徒歩15分 → 不退寺 20分 → 徒歩4分 → 不退寺口

法華寺
バスの本数は近鉄奈良駅からの方が多くて便利。平城宮跡からは、東院庭園横の標識に従って、東院庭園の裏を回って住宅街を抜ける近道がある。

不退寺
近鉄奈良駅からバスで行く場合は♀一条高校前で下車。向かい側に不退寺の看板がある。その道を北へ徒歩7分ほど。大和西大寺駅からのバスは♀不退寺口で下車。

古墳群をめぐるなら「歴史の道」

「歴史の道」は、多数の古社寺や古墳を結んで整備されたウォーキングコース。奈良公園、佐保・佐紀路、西ノ京の見どころを網羅し、田園地帯を抜けて奈良市内を一周している。全長は約27km。小さな石の道標があり、歩行者専用の小道も多くて歩きやすい。秋篠寺から西大寺、平城宮跡の北側の佐紀盾列古墳群周辺は風情がある。地図は、近鉄奈良駅などの奈良市観光案内所に置いてある。

広い平城宮跡を歩くヒント

平城宮跡資料館、朱雀門、東院庭園、大極殿、遺構展示館をすべてめぐると、見学時間を除いて徒歩1時間ほど。砂利道なので歩きやすい靴で出かけたい。平城宮跡のイラストマップは公園内の各施設で入手できる。食事処は大和西大寺駅周辺のほか、朱雀門ひろばにカフェやレストランがあるので利用したい。北側、二条通り沿いにはほとんどないので注意。

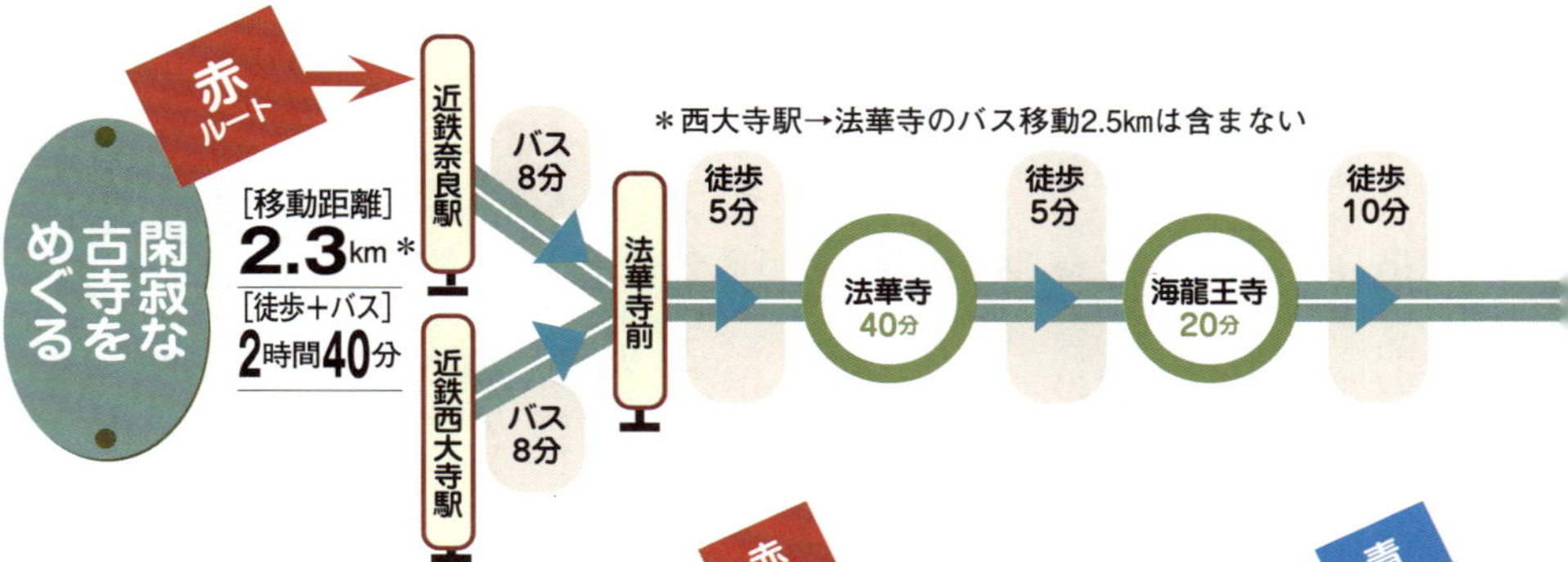

佐紀路の名所めぐり

青ルート

佐保・佐紀路のおもな見どころは、伎芸天《ぎげいてん》像で有名な秋篠寺、かつては東大寺と並び栄えた西大寺、世界遺産の平城宮跡。青ルートはこの3カ所に絞り、広大な平城宮跡内も平城宮跡資料館と第一次大極殿院だけを手早く回るプラン。西ノ京と組み合わせれば1日コースになる。

ひなびた古寺を歩く

赤ルート

ひっそりとした古寺や古墳、花の寺をめぐる赤ルートは、静かな郊外の風情が満喫できる。法華寺へは近鉄奈良駅か大和西大寺駅からバスを利用。時間があれば、法華寺から平城宮跡の東院庭園や朱雀門に立ち寄ってもいい。古墳群は外からの見学のみだが、周囲は散策に適した道だ。

バスを利用して快適に

大和西大寺駅から秋篠寺は近いが、対面通行できない狭い車道を歩く区間もあり、バスがおすすめ。レンタサイクルは、道幅が狭くて交通量が多い一条通りを往復しなければならないので、すすめられない。帰路はバスで近鉄奈良駅、あるいは大阪・京都方面へ向かうなら大和西大寺駅へ。

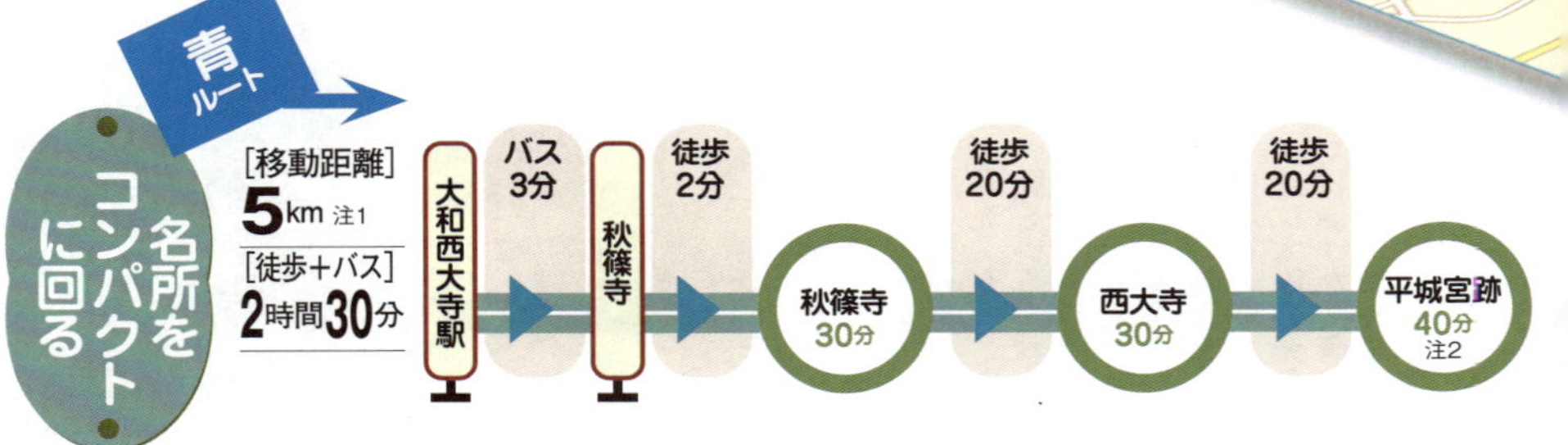

注1）大和西大寺駅→秋篠寺のバス移動1.3kmは含まない
注2）資料館と大極殿のみ見学

秋篠寺《あきしのでら》

地図p.33-A
♀秋篠寺から2分

奈良時代末期、光仁天皇の勅願で創建された。現在の本堂（国宝）は鎌倉時代に講堂を改修したものだが、和様で奈良時代の優雅な面影を残している。25体の仏像が安置された本堂内は、古寺巡礼の醍醐味が味わえる厳かな空間。

深く知る　熱心なファンの多い伎芸天像

堀辰雄《ほりたつお》が『大和路・信濃路』で「東洋のミューズ」と称賛したことで広く知られるようになった秋篠寺の伎芸天像（p.14参照）。わずかに口を開いて歌唱しているようにも見え、吉祥と芸能を司る日本で唯一の伎芸天像といわれる。天平時代に頭部が作られ、首から下は500年以上後の鎌倉時代の作。

☎0742-45-4600。奈良市秋篠町757。9:30〜16:30。500円。

平城宮跡《へいじょうきゅうせき》

地図p.33-E・F
♀平城宮跡から1分

近鉄奈良線の線路の間際にそびえる朱雀門。その北の広大な緑地がかつての都、平城京の中心だった平城宮跡だ。現在は、展示施設もあり、およそ1300年前に誕生した日本初の国際都市の姿を知るてがかりになる。

■平城宮跡資料館《へいじょうきゅうせきしりょうかん》（大和西大寺駅から10分、または♀二条町から3分）

平城宮跡の西北角。発掘調査・研究の成果をもとに、平城宮を解説。木簡や貨幣などの出土品の展示以外にも、宮殿と官衙（役所）内部の実物大模型が興味深い。

■第一次大極殿《だいいちじだいごくでん》（平城宮跡資料館から10分、または♀平城宮跡・遺構展示館から5分）

平城宮跡資料館・遺構展示館
☎0742-30-6753（奈良文化財研究所）
奈良市佐紀町。各施設は9:00〜16:30（入場は〜16:00）。月曜（祝日の場合は翌平日）休。無料。

見る

〈秋篠寺〉

▼**薬師如来三尊《やくしにょらいさんぞん》**
本尊である薬師如来と、その左右に安置された日光菩薩・月光（がっこう）菩薩をいう。秋篠寺の日光・月光菩薩像は、それぞれ日輪・月輪を表す鏡を持ち、両菩薩像としては珍しい姿。日光菩薩は太陽の光のように温かな如来の慈悲を、月光菩薩は月の光のように清涼な知恵を象徴している。

平城宮跡第一次大極院エリアの最大の宮殿で、高さ約29m、間口約44m、奥行き約20m。復原完成は2010年。内部には天皇が座った高御座《たかみぐら》の実物大模型が置かれている。第一次大極殿の東側の内裏《だいり》跡は、発掘された柱跡がツゲの木で示されている。

■遺構展示館《いこうてんじかん》（第一次大極殿から👟5分、または♀平城宮跡・遺構展示館から👟1分）

平城宮跡の遺構を、発掘されたそのままの状態で保存・公開する覆屋の展示施設。建物の柱穴、溝などリアルな発掘状況を間近に見学できる。また、平城宮跡からの出土品の展示もある。近くに、奈良時代の国営醸造所ともいえる造酒司の井戸も復原されている。

■東院庭園《とういんていえん》（遺構展示館から👟10分、♀平城宮跡・遺構展示館から👟15分）

平城宮跡の東端。奈良時代後半の回遊式庭園を復原したもので、日本庭園の原型ともいわれる。曲線を描く池を中心に、橋や水面に張り出した露台が配されている。この優美な庭園で、天皇や貴族による宴会や儀式が行なわれた。

■朱雀門《すざくもん》（♀朱雀門ひろば前から👟3分、または東院庭園から👟15分）

平城京のメインストリート朱雀大路の北端に建っていた平城宮の正門で、元日や外国使節の送迎の儀式のとき利用された。壮大な二重門が復原されている。

深く知る　発掘のヒントは地名「大黒の芝」

平城宮は都が長岡京（現在の京都）に遷るとすぐに廃れて、跡地は田んぼになってしまい、明治時代に発掘されるまですっかり忘れ去られていた。

平城宮跡発見は、1899（明治32）年のある日、奈良県の古社寺修理監督を務めていた関野貞《せきのただし》氏が郊外を散歩したことに始まる。関野氏は、佐紀路の田んぼの中にある小高い草地が地元で「大黒《だいこく》の芝」と呼ばれていることを知り、「ダイコク」から直感的に「大極殿《だいごくでん》」を連想したのだ。その後、奈良市の植木商・棚田嘉十郎《たなだかじゅうろう》らが私財をなげうち平城宮跡の保護に尽力を注いだ。

〈第一次大極殿〉

▼大極殿《だいごくでん》
上級の役人が政務をとり行なったり、公の儀式が行なわれたエリアを朝堂院といい、大極殿《だいごくでん》はその正殿。即位や賀正の大儀など、天皇が臨席する重要な儀式は大極殿で行なわれた。

〈東院庭園〉

法華寺《ほっけじ》

地図p.33-F
法華寺から 3分

藤原不比等《ふひと》の邸宅を、不比等の娘・光明皇后が総国分尼寺として建立したためか、貴族的な優雅さが感じられる。現在の本堂・鐘楼は豊臣秀頼の母・淀君の寄進。国宝の十一面観音立像は光明皇后がモデルといわれ、例年3月20日～4月7日・6月5日～9日・10月22日～11月10日（変更あり）に拝観できる。隣接して**海龍王寺《かいりゅうおうじ》**がある。

☎0742-33-2261。奈良市法華寺町882。9:00～17:00（最終受付16:30）。本堂700円（本尊開帳時は800円）。華楽園300円。

不退寺《ふたいじ》

地図p.33-B
法華寺から15分、一条高校前から5分

四季折々の花に囲まれた本堂は王朝風の優美さをたたえている。平安遷都後、平《へい》城《ぜい》天皇がここに萱《かやの》御所を造営し、孫の**在原業平《ありわらのなりひら》**が寺に改めた。本尊の聖観世音《しょうかんぜおん》菩薩《ぼさつ》立像《りゅうぞう》は極彩色の装飾で妖艶な美しさ。恋多き男として名高い在原業平自作の仏像というのもうなずける。レンギョウ、黄ショウブ、椿などの花の季節に訪れたい。

☎0742-22-5278。奈良市法蓮町517。9:00～17:00。500円（秘仏公開600円、5月28日業平忌拝観は700円）

般若寺《はんにゃじ》

地図p.32-D
般若寺から 3分

本堂や石仏、十三重石塔を彩って咲き乱れるコスモスで有名な花の寺。飛鳥時代の創建と伝えられ、西大寺の僧・叡尊《えいそん》が復興した。楼門は鎌倉時代の建築で国宝。コスモスは6月～7月と9月中旬～10月中旬が見頃。山吹やアジサイもみごとだ。

☎0742-22-6287。奈良市般若寺町221。9:00～17:00（最終受付16:30）。500円。春・秋の特別拝観300円。

〈法華寺〉

〈不退寺〉

〈般若寺〉

▼**海龍王寺《かいりゅうおうじ》**
築地塀と山門に枯れた趣が漂う古寺。731（天平3）年、光明皇后が建立。多数の伽藍は失われ、今は本堂、西金堂、経蔵が残るばかり。西金堂内部に、国宝の五重小塔を安置。●☎0742-33-5765。9時～16時30分（特別公開時～17時）。8月12～17日、12月24～31日休。500円。地図p.33-F

▼**在原業平《ありわらのなりひら》**
平城天皇の皇子・阿保親王の第五子。官位はあまり高くなかったが、平安初期に歌人として活躍した。六歌仙・三十六歌仙のひとりに数えられる。美男として名高く、奔放な恋愛を情熱的な和歌に詠んだ。825～880。

西ノ京

にしのきょう

地図p.8-B

人気度 ★★★★
風情 ★★★★
世界遺産 薬師寺、唐招提寺
国宝 薬師寺東塔、唐招提寺鑑真和上坐像など多数

のどかな田園風景の中 天平の祈りを伝える寺院

名前の通り、平城京の西部に開けた西ノ京。都市化が進む奈良市中心部に比べ、田園地帯ののどかさが残っていて、古都奈良本来の魅力が感じられる。

回る順のヒント

はじめに最大の見どころである薬師寺と唐招提寺をゆっくり拝観し、あとは時間と体力にあわせてコースを短縮してもいい。薬師寺から垂仁《すいにん》天皇陵の間は、じっくり風景を楽しんで歩きたい散策路。薬師寺から唐招提寺へ向かう道は、くずれかけた土塀や伝統的な構えの民家が続き、歴史と風情が漂う。時間がないときや疲れたときは、垂仁天皇陵のすぐ近くにある尼ヶ辻《あまがつじ》駅から大和西大寺駅まで近鉄を利用しよう。

竜宮造りの薬師寺金堂

他のエリアへの向かい方

奈良公園へ

■電車で 薬師寺・唐招提寺からは、西ノ京駅で近鉄橿原線大和西大寺行きに乗車して3～6分、大和西大寺駅で奈良線奈良行き（普通・快速急行・急行）に乗り換えて5～7分の終点・奈良駅下車。近鉄奈良駅からは、各エリアのページを参照。

■バスで バス停の位置に注意。♀薬師寺と♀唐招提寺は、奈良県総合医療センター行きの降車専用だ。乗車バス停は秋篠川の東、幹線道路沿いにある♀薬師寺東口・♀唐招提寺東口となる。ここから奈良交通🚌77・97系統に乗車。バスの便は1時間3本程度。

行き方・帰り方

近鉄橿原線沿線のコースなので、エリア間の移動は近鉄が便利。奈良公園へはバス路線があるが、日曜・祝日は道路が渋滞しやすいため、近鉄を利用した方が確実だ。

このエリアへの行き方

目的地	出発点	おもなバス系統・列車	所要時間	下車バス停・駅
薬師寺	近鉄奈良駅	近鉄奈良線、近鉄橿原線	約13～27分	西ノ京駅
	東大寺（※1）	🚌78	27分	♀薬師寺
	♀法隆寺前	🚌97	33～45分	♀薬師寺東口
唐招提寺	近鉄奈良駅⑧番	🚌63・78・98	21分	♀唐招堤寺
垂仁天皇陵	近鉄奈良駅	近鉄奈良線、近鉄橿原線	11～22分	尼ヶ辻駅
西大寺	近鉄奈良駅	近鉄奈良線	5～7分	大和西大寺駅

🚌63・70：六条山行き　🚌97：春日大社本殿行き　※1：♀東大寺大仏殿・国立博物館

薬師寺《やくしじ》

地図p.33-I、p.111-B

西ノ京駅から北口へ2分、南口へ5分

☎0742-33-6001。奈良市西ノ京町457。8:30～17:00（最終受付16:30）。白鳳伽藍800円（玄奘三蔵院との共通券1100円、西塔・食堂との共通券1600円）。

朱塗りの回廊を巡らした薬師寺は、680（天武9）年に天武天皇の発願《ほつがん》により創建された。平城遷都にともなって飛鳥から現在の場所へ移転。東塔・西塔を備えた独特の薬師寺式伽藍《がらん》だったが何度も火災に遭い、東塔以外の堂宇《どうう》をすべて焼失した。昭和に西塔・金堂、平成になり大講堂が復元された。多くの国宝があり、拝観は1時間ぐらいかかる。少し遠回りだが、駅に近い北口ではなく、やや遠い南口へ回り、重厚な南門から入る方が大寺院の風格が感じられる。

深く知る **写経で再建された金堂**　1967（昭和42）年、薬師寺管主に就任した高田好胤《こういん》氏は金堂復興を発願した。戦国時代に金堂が焼失して以来、薬師三尊像を安置していた仮金堂の雨漏りがひどく、長らく再建が望まれていたのだ。しかし、建造費用は当時の金額で約10億円、寺の年間収入の10倍以上だった。

大企業からの寄付の申し出もあったが、般若心経の写経を1巻1000円（現在は2000円）で永代供養し、計百万巻の浄財を募る方法をとった。「寺説法」で親しまれた管主の精力的な勧進行脚《かんじん》が実り、1976（昭和51）年に金堂は完成。高田氏の死後も勧進運動は引き継がれ、2003年に大講堂、2017年には食堂《じきどう》が再建された。

■**東塔《とうとう》**　伽藍の中で唯一残った創建当時の建築（国宝）。六重に思えるが、各層に「裳階《もこし》」と呼ばれる庇《ひさし》が付いた三重塔。高さは33.6m。最上部の相輪《そうりん》部分だけで約10mある。上部にある火焔《かえん》形の装飾「水煙《すいえん》」には、音楽を奏でながら舞う24人の飛《ひ》天《てん》が繊細な透かし彫りで表現されている。アメリカの美術史家のフェノロサが「凍

〈金堂〉

〈東院堂〉

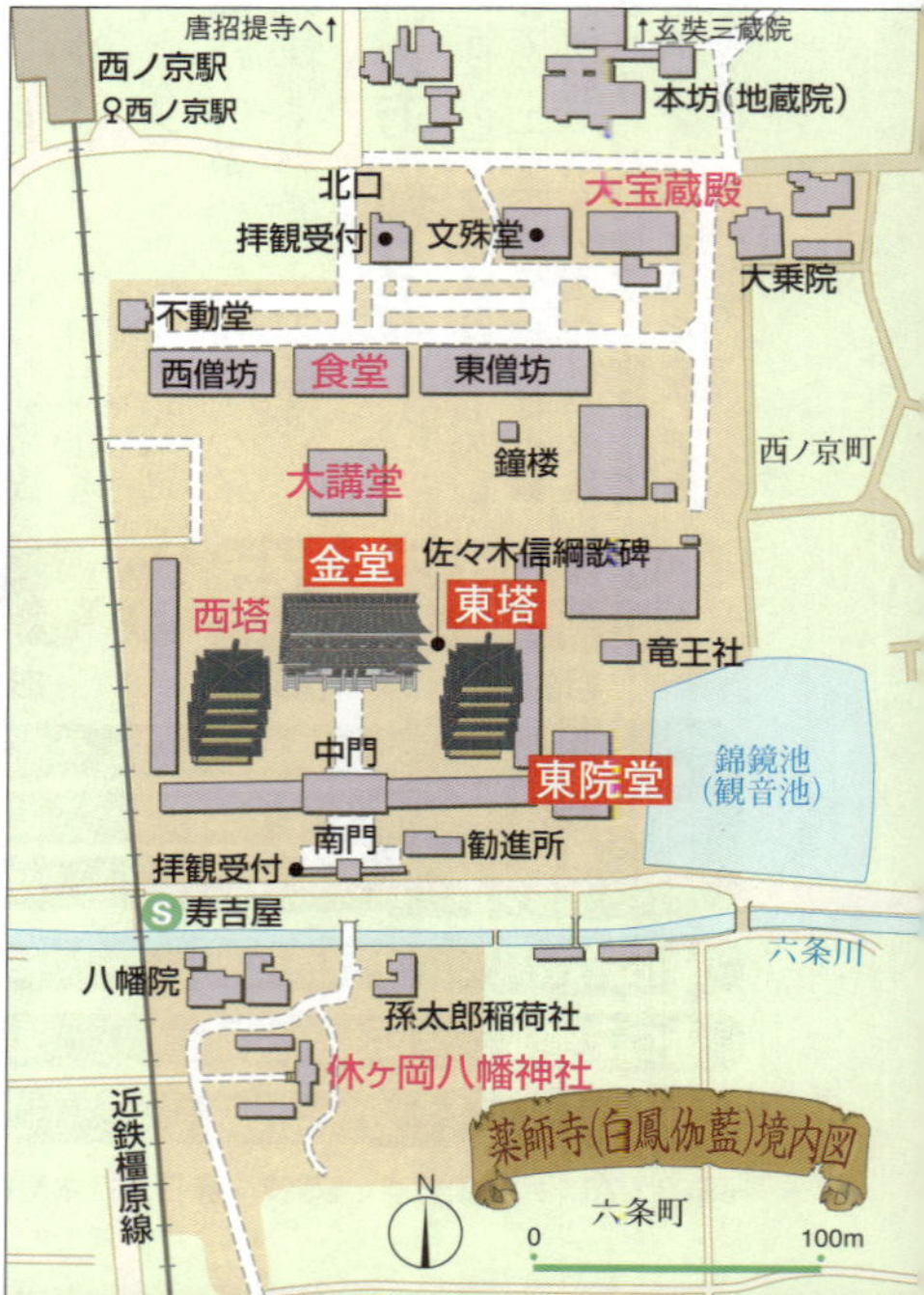

▼フェノロサ
アメリカの哲学者・東洋美術研究家。1878（明治11）年に来日し、法隆寺夢殿秘仏の研究などを行なう。奈良の仏教美術を極めて高く評価し、美術史家として本格的に世界に紹介した初めての西洋人。1853～1908。

▼グプタ王朝
320～550年頃の古代インド王朝。仏教美術や哲学

れる音楽」と評したことで名高い。※解体修理中（2020年春完成予定）。

■**金堂**《こんどう》　朱と緑が目に鮮やかな堂宇は、裳階をつけた華やかな竜宮《りゅうぐう》造り。1976（昭和51）年、白鳳時代の姿に再建されたものだ。堂内には、本尊の薬師如来坐像と日光《にっこう》・月光《がっこう》菩薩立像を安置。薬師如来が中央に据えられ、向かって右が日光、左が月光菩薩。三体をあわせて「薬師如来三尊像《やくしにょらいさんぞん》」（p.106脚注参照）と呼び、いずれも白鳳彫刻の傑作で国宝。柔らかな動きのある姿態をじっくり拝観したい。

本尊の台座も国宝。白鳳期のもので、ギリシアやペルシャ、インド、中国などの文様が組み合わされていて、当時すでに国際交流が盛んだったことが分かる。本尊の真裏に回り込むと、間近に見られる。

■**西塔**《さいとう》　朱塗りの麗々しい西塔は、昭和の再建。戦国時代に兵火で焼失したが、1981（昭和56）年、綿密な調査に基づいて、寺院特有の伝統的な木造建築工法で創建当時の姿に復原された。内陣には釈迦八相像のうち成道像《じょうどうぞう》など4体が安置されている。内部は、正月、春、盆、秋に玄奘三蔵院とともに公開される。

■**東院堂**《とういんどう》　回廊の東外側、つい見すごしてしまいそうな場所にあるが、重要な見どころなのでぜひ立ち寄りたい。奈良時代初期に元明《げんめい》天皇のために建立されたといわれ、現在の建物は鎌倉時代に禅堂として再建されたもので国宝。本尊の聖観音菩薩立像《しょうかんのんぼさつりゅうぞう》（国宝）は、白鳳期と天平期両方の特徴を備え、さらにインドの**グプタ王朝**の影響も見られる。

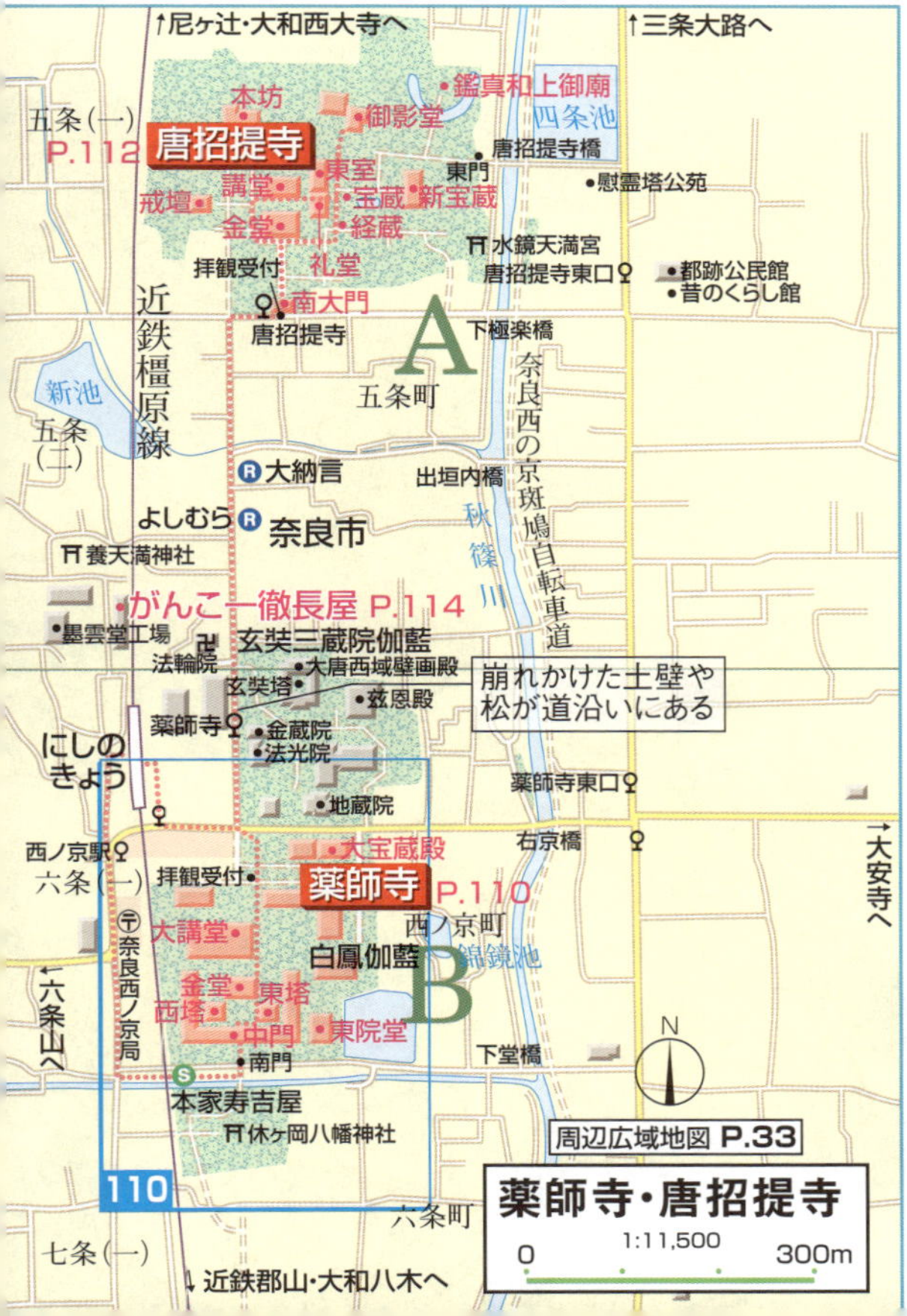

〈西塔〉

など、この時期インド文化が飛躍的に発展した。

唐招提寺

とうしょうだいじ

地図p.33-I、p.111-A

薬師寺北口から🚶10分、西ノ京駅から🚶10分、♀唐招提寺から🚶1分

徒歩の道中▼薬師寺北口から唐招提寺へは、松並木と土塀、伝統的な民家が続き、趣がある道だ。

天平時代後期、僧が戒律を学ぶための道場として創建された名刹で、天平らしい大らかさを色濃く残している。広々とした境内には、国宝の金堂や講堂をはじめ、インド風の戒壇《かいだん》や校倉《あぜくら》造りの経蔵《きょうぞう》など、さまざまな建造物が点在。開祖の**鑑真**《がんじん》が唐から苦難に耐えて渡来した経緯は、井上靖《やすし》の小説『天平の甍《いらか》』で知られている。

■金堂《こんどう》　ゆるやかな屋根や正面の**エンタシス**の柱に天平建築の特徴が見られる。国宝の尊像が並ぶ内陣も厳かな雰囲気に包まれている。

■講堂《こうどう》　創建時に、平城宮の東朝集殿を移築したもの。現存する唯一の天平宮殿建築で、国宝。平城宮の往時を思い描いてみたい。

■礼堂《らいどう》　講堂と鼓楼(国宝)の東にあり、鎌倉時代の建築。細長い建物の南側8間が鼓楼に安置された仏舎利を礼拝するための礼堂（重文）。北側10間は僧房の東室《ひがしむろ》。

■経蔵《きょうぞう》**・宝蔵**《ほうぞう》　東室の東に並ぶ二棟の校倉造りの建物。経蔵は唐招提寺創建以前に建てられたものを移築。日本最古の校倉建築といわれている。ともに国宝。

深く知る　うちわまきが伝える慈悲の心　伝統行事「うちわまき」が行なわれる5月19日は、鎌倉時代に唐招提寺を復興した覚盛《かくじょう》上人の命日。戒律を重んじた覚盛は、法要中に覚盛の血を吸う蚊を叩こうとした弟子に「殺生をしてはいけない。蚊

☎0742-33-7900
奈良市五条町13-46
8:30〜17:00
（最終受付16:30）。1000円、鑑真和上坐像特別公開500円、新宝蔵200円。

「オンバサラ、ダラマ、キリク…」うちわには千手観音と烏須沙摩明王の真言が印刷されている

〈唐招提寺講堂〉

▼鑑真《がんじん》　唐の高名な学僧で、聖武天皇に授戒するなどし、日本の仏教の発展に尽くした。御影堂の鑑真像（国宝）は渡航の艱難により盲目となった僧の慈悲深さを表現した肖像彫刻の傑作といわれ、命日の6月6日を挟んだ3日間のみ公開。687〜763。

に血を与えるのも行のひとつである」と戒めたという。せめて蚊を追い払えるようにと、慈悲深い上人を偲んで命日にうちわを供えたのが、行事の起源といわれている。

垂仁天皇陵《すいにんてんのうりょう》（宝来山古墳《ほうらいやまこふん》）

地図p.33-E
唐招提寺から🚶10分、尼ヶ辻駅から🚶3分

外部のみ見学自由。

徒歩の道中▼唐招提寺南大門から西へ向かい、線路を渡って右手の線路沿いの道を歩く。小さな石の道標「歴史の道」が目印。高台の田園地帯を抜ける爽快な小道だ。

濠に囲まれた全長約227mの前方後円墳の被葬者は、宮内庁によると垂仁天皇とされるが、定かではない。濠の小島は、不老不死の実を持ち帰った忠臣の墓という伝承も。

西大寺《さいだいじ》

地図p.33-E
垂仁天皇陵から🚶30分、大和西大寺駅南出口から🚶3分

☎0742-45-4700。奈良市西大寺芝町1-1-5。8:30〜16:30（聚宝館は9:00〜）。本堂400円、四王堂300円、愛染堂300円、聚宝館300円、全館共通1000円。

称徳《しょうとく》天皇の勅願《ちょくがん》で奈良時代後期に創建。東大寺と並ぶ大寺院として栄えたが、大伽《が》藍《らん》は焼失。東塔の巨大な基壇だけが往時の壮大さを物語っている。本尊の釈迦如来立像などを安置する本堂のほか、四王堂の十一面観音立像と四天王立像も見どころ。1月15日、4月第2日曜と前日、10月第2日曜に催される「大茶盛式」も有名。

深く知る **大茶盛にどうして巨大な茶碗を使うのか？** 1239（延応元）年1月、西大寺中興の祖、叡尊《えいそん》は寺の鎮守の八幡神社に詣でた。そのおり、にわかに雪が降りはじめ、境内は純白の美観を呈した。感銘を受けた叡尊は当時は貴重な薬だった茶を八幡神に献上し、参拝者にもふるまった。これが大茶盛式のはじまりで、現代の大茶碗は高さ21cm、直径36cm。茶筌《ちゃせん》の高さも36cmと特大だ。

〈唐招提寺鑑真和上御廟〉

〈垂仁天皇陵〉

〈西大寺本堂〉

▼エンタシス
円柱の中央部に施されたわずかなふくらみのこと。古代ギリシア・ローマ建築の外壁に多用された。視覚的に安定感を与えるためと考えられ、ギリシアからシルクロードを経て日本に伝えられたといわれる。法隆寺にも見られる。

▼垂仁《すいにん》天皇
伊勢に斎宮を建立し、農業用の治水工事を行ない、殉死を禁止して埴輪を作らせたという伝承が残るが、生没年は特定できていない。140歳まで生きたとされるなど、実像は明かではない。

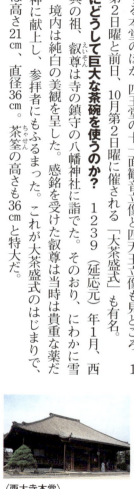

食べる 買う

胡麻豆腐、鮎料理、寿司盛、茶粥などが並ぶ八重桜

〈平宗別館 倭膳たまゆら〉
☎0742-35-2300。
奈良市七条東町4-25。
11:30～14:30LO、17:30～21:00LO
（平日の夜は予約制）。
月曜（祝日の場合は翌日）休。

ランチ限定まほろば

和食 ◎薬師寺周辺

【平宗別館《ひらそうべっかん》倭膳たまゆら《わぜんたまゆら》】

地図p.33-I
九条駅から🥾10分

［ミニ会席万葉歌４３００円］
柿の葉ずしの老舗平宗が手がける日本料理店。旬の素材で手作りした繊細な滋味あふれる料理でもてなす。万葉歌は、旬の食材を使った月替わりの献立て。郷土料理八重桜３７８５円も人気。

【がんこ一徹長屋《がんこいってつながや》】

地図p.111-A
西ノ京駅から🥾5分

奈良の伝統工芸である奈良筆、一刀彫、赤膚焼《あかはだ》、茶筌《ちゃせん》、漆、筆軸、組紐の7つの工房が軒を連ね、職人技を見学したり、みやげ選びが楽しめる。併設した墨の資料館では墨の型入れの実演（10月～5月頃）を行なっている。

長屋の入口をはいってすぐ、一番手前には「書画用品 墨運堂」が店を構えている。墨造り210年の墨運堂が製造する伝統の奈良墨を一堂に集められ、固形墨から液体墨まで厳選した書道用品が並ぶ。店内には書画材を知り尽くしたコンシェルジュが常駐して、書画に関する相談に対応し、納得のいく書画用品を選ぶことができる。

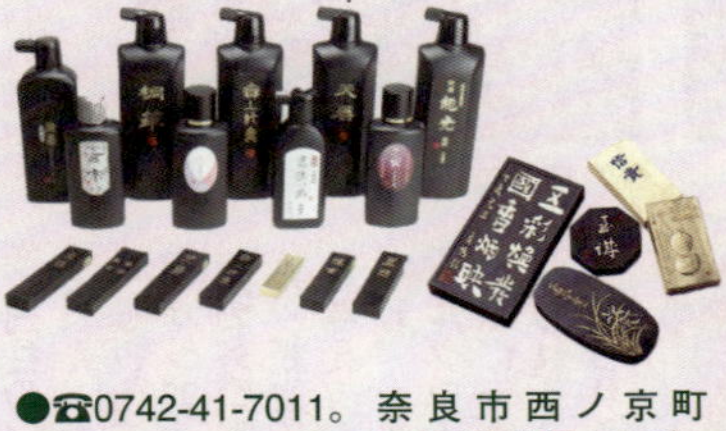

●☎0742-41-7011。奈良市西ノ京町215-1。10:00～17:00（最終入場16:30）。月曜休（祝日の場合は翌日、5～7、9月は土・日曜、祝日休、8月は全休）

大和の7人の匠が伝統の技を見せる職人長屋

「入木筆　博文堂」明治維新より筆作りを生業とし、多くの文人墨客に愛され「書ける筆作り」をモットーに研鑽を重ね、地場に根付く。写真の「鹿の巻き筆」は春日大社の願文揮毫に使われ、一般の祝事に広まった。神鹿の毛を5色に染め分けて上毛にした縁起筆

「赤膚焼　大塩恵旦」乳白色の柔らかい風合いと奈良絵文様が特徴で、多様な作品がある

地図 p.6-H

柳生《やぎゅう》

小説やテレビでおなじみの剣豪・柳生十兵衛の故郷。戦国時代末期、徳川家の兵法指南役から大名にまでのぼりつめた柳生家ゆかりの見どころが点在する。

見る

旧柳生藩家老屋敷《きゅうやぎゅうはんかろうやしき》

柳生から、5分

☎0742-94-0002。奈良市柳生町155-1。9:00～17:00（最終入館16：30)。年末年始休。350円。

柳生藩の国家老を務めた小山田主《やまだしゅ》鈴《れい》の屋敷で、豪壮な石垣が目を引く。母屋は江戸時代後期の姿をとどめている。柳生観光協会を兼ねていて、地図やパンフレットが手に入る。

柳生花しょうぶ園《やぎゅうはなしょうぶえん》

旧柳生藩家老屋敷から8分、柳生から10分

☎090-8379-6537。奈良市柳生町403。9:00～16:00。開園期間中は無休。650円。

460品種80万本のショウブが、広大な敷地に咲き揃う光景は圧巻。ショウブの紫が山の緑に映え、カメラマンにも人気。5月下旬～7月初旬にかけて開園。年によって変わることも。

芳徳禅寺《ほうとくぜんじ》

旧柳生藩家老屋敷から10分、柳生から15分

徒歩の道中▼芳徳禅寺への途中、公民館横に旧柳生藩陣屋跡がある。緑豊かな史跡公園で、休憩にもいい。

柳生但馬守宗矩《たじまのかみむねのり》が創建した柳生家の菩提寺。柳生の里を見下ろす高台に位置し、すぐ下にある重厚な建物は、柳生十兵衛ゆかりの正木坂《まさきさか》道場。宮本武蔵《みやもとむさし》が柳生石舟斎宗厳《せきしゅうさいむねよし》を二度も訪ねたのに会えなかった柳生陣屋跡もある。本堂前を左へ行くと、柳生一族の墓所がある。中央奥が柳生宗矩、その右手前「三厳《みつよし》」が十兵衛の墓。

☎0742-94-0204。奈良市柳生下町445。9:00～17:00（11～3月は～16:00)。200円。

このエリアの行き方

柳生散策の起点は柳生。近鉄奈良駅4番乗場からバスで40～48分。

回る順のヒント

柳生へのバスの便が少ないうえ、往復に時間がかかるため、柳生の里だけでも半日はかかる。主な見どころはいずれも、起点の柳生から30分以内。東海自然歩道の標識に従って歩くと、ほの暗い山道や緑に輝く茶畑など、山里らしさが満喫できる。

奈良破石町から柳生街道の滝坂道をハイキングして、円成寺を拝観した後、バスで柳生の里へ向かうと1日コース。帰路に円成寺に寄った場合、春や秋の観光シーズン中はバスが混んで、近鉄奈良駅まで30分以上立ちっぱなしになることもある。行きに円成寺へ寄り、帰りは柳生から乗車した方が座れる可能性が高い。

一刀石《いっとうせき》

♀柳生から👟30分

薄暗い木立の中、巨岩をご神体とする天乃石立《あまのいわたて》神社は神秘的な雰囲気が漂う。その横を通り抜けた奥に、まっぷたつに割れた丸い岩がある。柳生新陰流《しんかげりゅう》の創始者・柳生石舟斎宗厳《せきしゅうさいむねよし》が修行中、天狗との試合で岩を一刀両断にしたという伝説が残っている。

見学自由。

円成寺《えんじょうじ》

地図p.8-C

近鉄奈良駅から🚌で28分、♀忍辱山下車、👟1分

藤原時代の浄土式庭園をめぐらし、檜皮葺《ひわだぶ》きの楼門を構えた優美な古刹。本堂の右に国宝の鎮守社春日堂・白山堂がある。また、多宝塔内には運慶作の大日如来坐像（国宝）を安置している。

☎0742-93-0353。奈良市忍辱山町1273。9:00～17:00。400円。

食べる

食事処 ◎柳生

【十兵衛食堂】じゅうべえしょくどう

♀柳生から👟1分

【とろろ定食1100円】うどん・そばと書かれた暖簾が目印。人気はとろろたっぷりのとろろ定食と柳生家の家紋「二蓋笠」を、2枚の椎茸で表現した「十兵衛うどん（そば）」が名物で600円。12～3月の冬場にかけてはボタン鍋がおすすめ。1人前1760円。

☎0742-94-0500。奈良市柳生町83-3。9:00～16:00。月曜（祝日の場合は翌日）休。

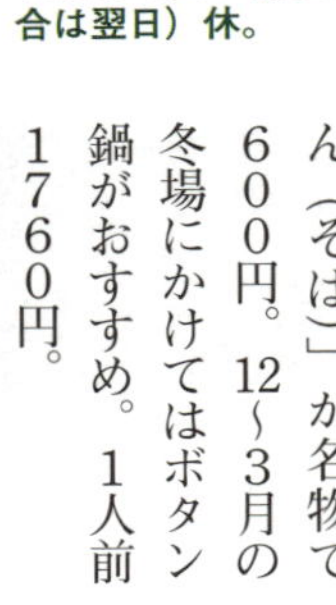

【柳生街道《やぎゅうかいどう》】

奈良から春日山中を抜け、柳生の里へと通じる旧街道。奈良市街の♀破石町《わりいしちょう》（地図p.32-H）から徒歩約25分で、滝坂道《たきさかみち》と呼ばれる石畳の山道になる。秋の紅葉の時期は特に風情があって美しい。街道沿いには夕日観音、地獄谷石窟仏《せっくつぶつ》、春日山石窟仏など多数の石仏が点在し、変化に富んだハイキングが楽しめる。♀破石町から円成寺まで約9㎞で約3時間、円成寺から柳生まで約6㎞で約2時間。休憩場所は峠の茶屋などで数は少ない。弁当と水筒を持参しよう。

斑鳩

法隆寺
西円堂修二会（さいえんどうしゅにえ）
底冷えのする2月1～3日、法隆寺西円堂で「薬師悔過」という法要が行なわれる。
結願（けちがん）する最終日の夜、西円堂の裏手にある総社（そうしゃ）へ、お参りの行列が続く。

斑鳩・矢田　エリアの概略

このエリアの早分かりポイント

【どんな場所?】　大和盆地の北部、西側に丘陵地帯を望む位置にある。斑鳩は盆地内の平坦な土地だが、矢田は丘陵に接し、矢田寺はその中腹にある。

【歴史は?】　斑鳩は飛鳥時代に聖徳太子により斑鳩宮が造営され、国内の政治・文化の中心地として栄えた。外国との交流も盛んで仏教文化が花開き、数々の寺やそこに安置されている仏像などにその名残が見られる。

【見る歩くポイントは?】　このエリアでは法隆寺が別格。ほかに矢田寺（矢田）も見ておきたい。花の季節に訪れる人が多く、アジサイの時期は多くの人で賑わう。法隆寺界隈は、法隆寺以外に中宮寺、法輪寺、法起寺などの見逃せない寺がある。田園風景を楽しみながら歩ける場所なので、余裕があるスケジュールを組んでおきたい。

■宿泊のヒント■　斑鳩は見どころが多い土地のわりには宿泊施設が少ない。矢田には宿坊などがあるが、いずれも収容能力は大きくない。奈良市内からのアクセスも法隆寺界隈へは便利なので、奈良市内に宿をとるほうが選択肢は広がる。早朝からたっぷり行動したいという場合は、斑鳩の「泊まる」に挙げた旅館を参照。

■回り方のヒント■　このエリアの観光には最低でも2日は欲しいところ。2日の場合、斑鳩一帯の観光にゆっくり時間をあて、来た日か帰る日に矢田の見どころを短時間で回るのがいい。注意したいのは矢田丘陵に点在する寺々へのバスが少ないこと。乗り継ぎや待つだけでもかなり時間をとられる可能性がある。矢田もそれなりに見たい場合は、早起きして、見逃せないポイントだけに絞ってコースを組めば、ひと通りめぐることはできるので、じっくり検討してみよう。バス便の時刻は事前に確認を。

観光問い合わせ先

斑鳩町観光協会
☎0745-74-6800
大和郡山市観光協会
☎0743-52-2010

法隆寺の土塀

このエリアへの行き方

このエリアへの最寄り駅はJR関西本線（大和路線）と近鉄橿原線の路線上にある（各最寄り駅については各エリアガイドの先頭ページを参照）。おもな最寄り駅への行き方は左記のとおり。

京都駅から…郡山・法隆寺へはJR奈良線快速で43～53分の奈良駅でJR関西本線に乗り換え、郡山駅まで5～6分、法隆寺駅まで11～12分。近鉄郡山駅へは近鉄京都線・橿原線急行で43～53分。

奈良駅から…郡山駅・法隆寺駅へは京都駅からと同様。近鉄郡山駅へは近鉄奈良線で5～7分の大和西大寺駅で近鉄橿原線に乗り換え、5～8分。

天王寺駅から…JR法隆寺駅・JR郡山駅へはJR関西本線大和路快速で法隆寺駅まで22～27分、郡山駅まで28～33分。

矢田寺のアジサイ

斑鳩
いかるが

地図p.8-E

コスモスと古寺が美しい秋の斑鳩

斑鳩の里を歩けば素朴な風景に心がなごむ。のどかな田園風景に美しい堂塔が点在する聖徳太子ゆかりの地

今なお太子信仰が息づく斑鳩の里は、飛鳥時代の遺構や国宝に出会うことのできる、仏教美術の宝庫。また、多くの観光客で賑わう法隆寺の寺域を一歩離れれば、そこには静かな山里の風景が広がっている。春はレンゲに菜の花、秋はコスモスやススキが波打つ、そんな風景の野辺の道を、法輪寺、法起寺へとたどるのが斑鳩歩きのメインコース。時間があれば藤ノ木古墳や、古風な家並みが続く西里にも立ち寄りたい。

はじめの一歩

荷物を預けたい時は　法隆寺バスターミナル（♀法隆寺前）にコインロッカー（300円～）が設置されている。また寺院の拝観時間内なら、法隆寺参道の飲食店の手荷物一時預かり1個200円～を利用できる。

人気度 ★★★★★
風情 ★★★
世界遺産 法隆寺、法起寺
国宝 法隆寺19棟、百済観音など

行き方

奈良市内からの法隆寺行きバスは1時間に1本と少ない。JR法隆寺駅から法隆寺参道行きのバスは9時～15時の時間帯、1時間に3本運行する。法隆寺駅へはJR奈良駅から11～12分。

このエリアへの行き方

目的地	出発点	おもなバス系統	所要時間	下車バス停・駅
法隆寺西里	JR奈良駅	JR関西本線（大和路線）	11～12分	JR法隆寺駅
	♀法隆寺駅	🚌72	8分	♀法隆寺参道
	近鉄奈良駅⑧番	🚌98	62～66分	♀法隆寺前
	♀春日大社本殿	🚌98	69～73分	♀法隆寺前
	♀近鉄郡山駅②番	🚌98	24～30分	♀法隆寺前
	♀薬師寺東口	🚌98	35～45分	♀法隆寺前
藤ノ木古墳	♀法隆寺前	🚌62・63・92	2分	♀斑鳩町役場
中宮寺	♀法隆寺駅	🚌72	4分	♀中宮寺前
	♀近鉄郡山駅②番	🚌98	17～21分	♀中宮寺東口
	♀薬師寺東口	🚌98	29～34分	♀中宮寺東口
法輪寺法起寺	♀法隆寺前	🚌97	4分	♀法起寺前
	♀近鉄郡山駅②番	🚌98	19分	♀法起寺前
	♀薬師寺東口	🚌98	27～32分	♀法起寺前

🚌72：法隆寺門前行き　🚌98：法隆寺前行き　🚌97：春日大社本殿行き　🚌62・63・92：王寺駅行き

観光情報の入手には　法隆寺参道入口の「法隆寺iセンター」（斑鳩町観光協会）へ。観光ボランティアガイドの申込み、レンタサイクル1時間200円、5時間以上1000円もある。☎0745-74-6800、斑鳩町法隆寺1-8-25、8時30分～18時、無休。

回る順のヒント

起点になるのは♀法隆寺前。ここから、下の「ゆったりルート1」のように、法隆寺と、隣接する中宮寺を徒歩でめぐるのが一般的。時間があれば「ゆったりルート2」のように、法輪寺と法起寺にも足をのばし、法隆寺の五重塔とあわせて「斑鳩三塔」と称される美しい三重の塔を眺めるのもおすすめ。

案内板が出ている

■法隆寺・中宮寺 ゆったりルート1

名建築、名仏がぎっしり詰まった法隆寺。春、夏の修学旅行シーズンは、金堂や五重の塔内の仏像を拝観するにも行列ができるので、十分に時間をとっておこう。

終点となる♀中宮寺前から近鉄奈良駅方面へは、1時間に1本の間隔でバスがある。中宮寺から起点の♀法隆寺前に戻るなら、法隆寺の南側の小路が風情があり気持ちよく歩ける。

■斑鳩三塔と中宮寺 ゆったりルート2

法隆寺から中宮寺へまわり、東里の家並みを抜けると周囲は田園風景に。天満池から法輪寺への道は、クルマが通らないサイクリングロードなので快適だ。

終点となる♀法起寺前から近鉄奈良駅方面へのバスは1時間に1本。なお、法起寺から法隆寺へ戻る場合には、住宅街の中を

【法隆寺・中宮寺】おすすめ ゆったりルート1

［移動距離］2.0km
［所要時間］2時間50分

法隆寺前 →徒歩10分→ 中門 5分 →徒歩1分→ 五重塔 15分 →徒歩1分→ 金堂 15分 →徒歩1分→ 大講堂 10分 →徒歩3分→ 大宝蔵院・百済観音堂 50分

ゆったり歩くには…人気の寺だけにいつも人が多い。修学旅行生などの団体に遭遇したときは、見る順番やタイミングを意識的にずらして拝観しよう。寺の宝庫、大宝蔵院・百済観音堂だけは時間をとって見学したい。

【斑鳩三塔と中宮寺】おすすめ ゆったりルート2

［移動距離］4.0km
［所要時間］4時間

法隆寺前 →徒歩10分→ 法隆寺西院 1時間40分 →徒歩8分→ 法隆寺東院（夢殿） 15分 →徒歩3分→ 中宮寺 20分 →徒歩20分→ 法輪寺 20分

ゆったり歩くには…法隆寺周辺では春のレンゲ、秋のコスモスが美しい。花を愛でながらのハイキング気分を楽しめる。周辺の休息・食事ポイントとしては「北小路」がおすすめ。

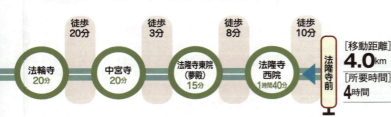

30分ほど歩き続けることになる。

このルート2をレンタサイクルで回る場合、法隆寺境内にはレンタサイクルが入れないため、法隆寺拝観後、iセンターに戻って自転車を借りスタートする。レンタサイクルの乗り捨てはできない。

法隆寺界隈の町並み

他のエリアへの向かい方

奈良市内方面へ向かうには、法隆寺駅からJR大和路線を利用、または♀法隆寺前から奈良交通バスを利用する。大和郡山・矢田方面へは、♀法隆寺前から奈良交通バスを利用して近鉄郡山駅へ。また大和郡山へは、法隆寺駅からJR大和路線でJR郡山駅へ行く方法もある。橿原・飛鳥方面へ向かうには、♀法隆寺前からバスで近鉄郡山駅へ行き、近鉄橿原線を利用する。

行き方・帰り方

奈良市内から◆近鉄奈良駅からのバス、近鉄郡山駅からのバス、JR法隆寺駅からのバス(p.119)のほか、近鉄橿原線の筒井駅からバスで法隆寺へ行く方法もある。近鉄奈良駅から大和西大寺駅乗り換え、筒井駅まで所要約20分、92系統王寺駅行きバス(日中1時間に1本)で♀法隆寺前まで12分。

薬師寺から◆西ノ京駅から筒井駅まで近鉄電車7分。そこから右記のバスで。

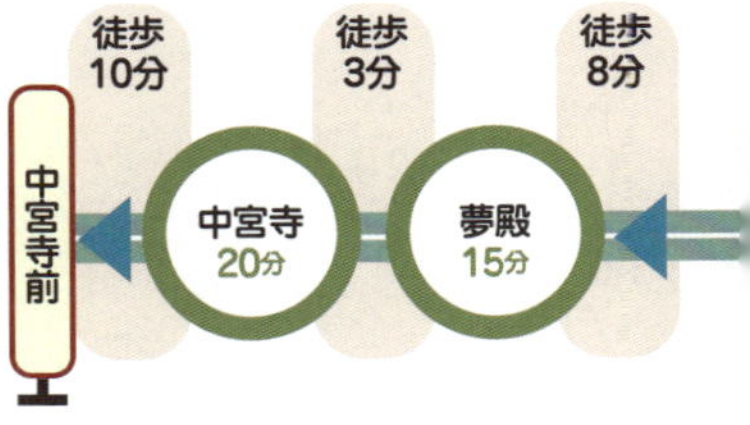

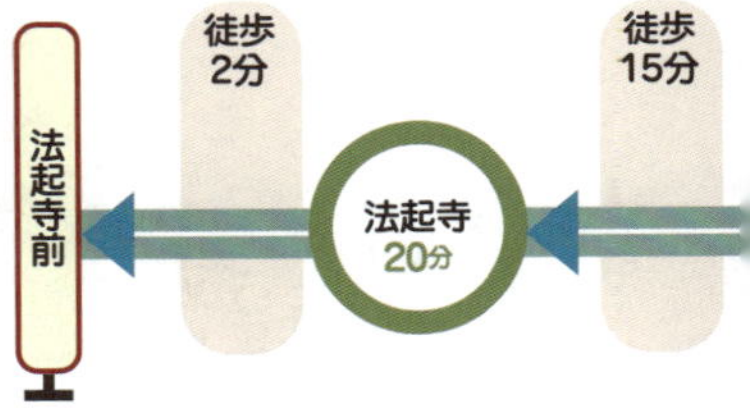

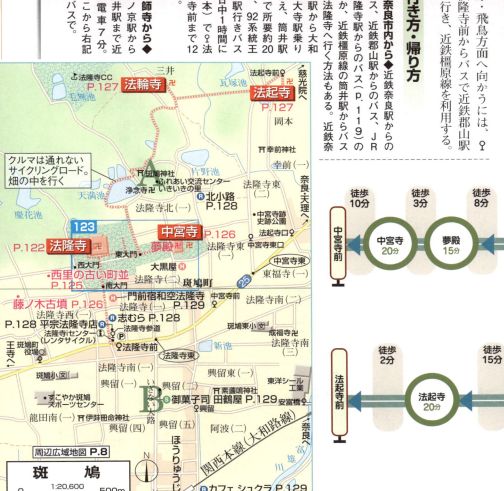

法隆寺《ほうりゅうじ》

地図p．121-A
JR法隆寺駅から徒歩25分、バス法隆寺前から徒歩10分、バス法隆寺門前から徒歩1分

☎0745-75-2555。斑鳩町法隆寺山内1-1。8:00〜17:00（入場は〜15:55、11月4日 〜2月21日は〜16:30）。1500円（西院伽藍・大宝蔵院・東院伽藍共通）。

7世紀初頭、聖徳太子と**推古《すいこ》天皇**が創建した寺。別名を斑鳩寺といい、現在の建物は8世紀初めに再建されたもの。約18万7000㎡の寺域に50余棟の建物があり、五重塔や金堂など主要伽藍《がらん》が建ち並ぶ「西院」、夢殿《ゆめどの》がある「東院」とに大きく分かれている。これらは世界最古の木造建造物として平成5年、ユネスコの**世界遺産**（p．124の脚注参照）に登録。所蔵する寺宝も2300余点におよぶ。

広い境内なので、実際に歩くにあたっては順番を考えておきたい。法隆寺の総門にあたる南大門をくぐると、石畳の参道の正面に閉め切った中門。西院伽藍の入口はこれに続く廻廊の西端にあるが、先に西円堂へ立ち寄ることにしよう。西院伽藍の北西、小高い丘に建つ八角造の国宝で、ここからの眺めが素晴らしい。

西院はまず拝観入口でチケットを買い、五重塔、金堂、大講堂などを見学した後、廻廊の東端から出て大宝蔵院・百済《くだら》観音堂へと回る。夢殿のある東院伽藍は東大門をくぐった先、土塀づたいに参道を歩いた正面だ。

法隆寺西院《ほうりゅうじさいいん》

■南大門《なんだいもん》　法隆寺の玄関となる国宝の八脚門で、室町時代の1438（永享10）年に再建されたもの。屋根は入母屋《いりもや》造《づくり》本瓦葺き。どっしり落ち着いたその姿が、松の馬場と呼ばれる参道の松並木とあいまって荘厳な雰囲気を漂わせている。

■中門《ちゅうもん》・廻廊《かいろう》　左右に金剛力士像（奈良時代）が立つ中門は間口4間、奥行き3間

〈法隆寺西院中門〉

▼斑鳩《いかるが》の地名の由来
この地に群居していた「斑鳩（イカル）」という鳥にちなんだ命名だと考えられている。全長23㎝ほどの鳥で、くちばしが太くて黄色。全体に灰色で、頭・翼・尾

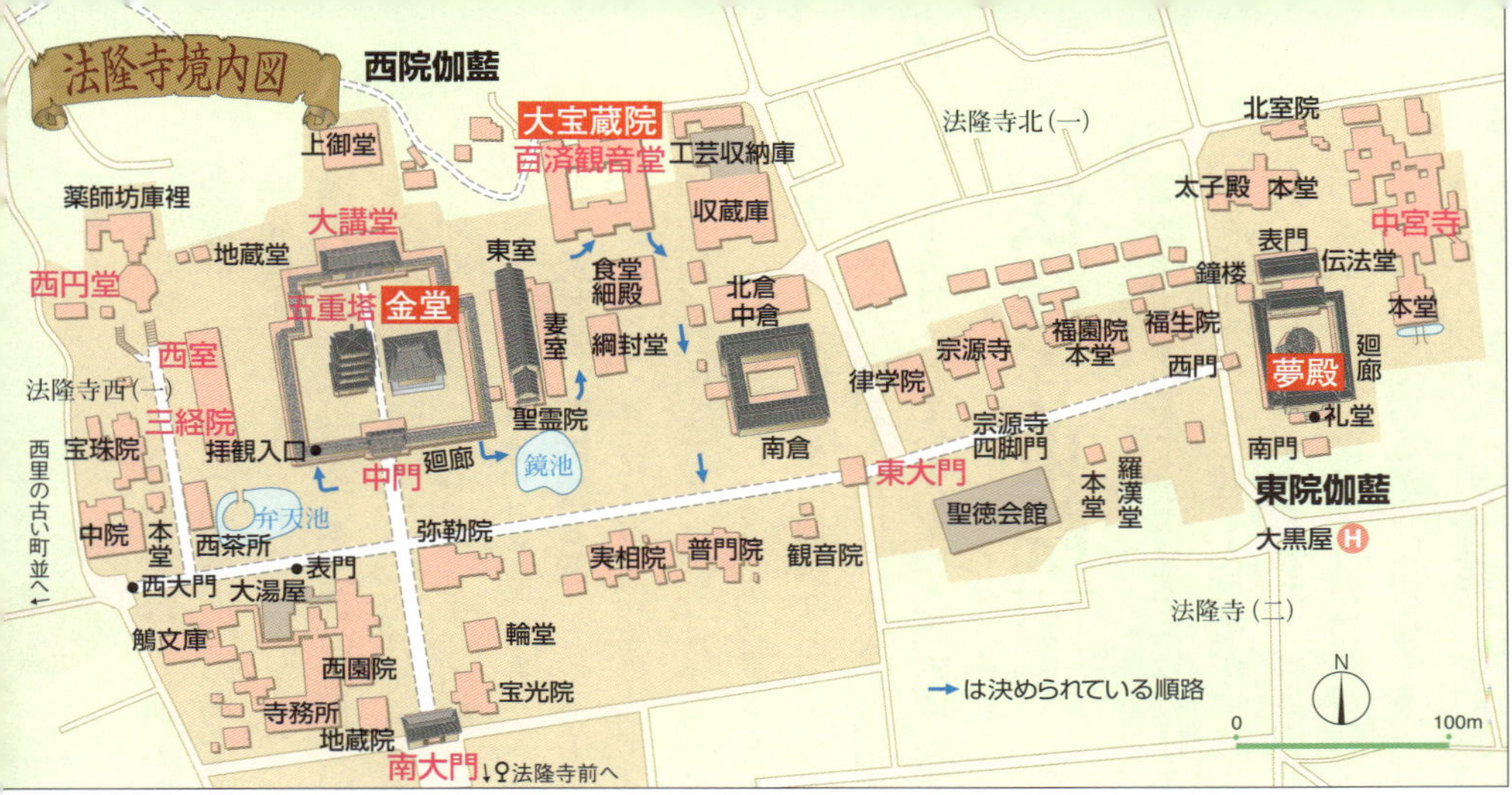

の重層入母屋造の楼門。わずかに反りのある屋根、軒隅の雲肘木《くもひじき》、卍《まんじ》崩しの勾欄《こうらん》など、飛鳥建築の粋を集めた貴重な建築だ。中門から大講堂に達する廻廊はエンタシスの柱と連子窓《れんじまど》の対比が美しい。ともに国宝。

■金堂《こんどう》 法隆寺の本尊を安置。堂内の須弥壇《しゅみだん》の中央には、聖徳太子の冥福を祈るための止利《とり》仏師の手による釈迦三尊像（国宝）があり、その東側に太子の父親である用明天皇のために造られた薬師如来坐像（国宝）、西側に母親の穴穂部間人皇女《あなほべのはしひと》のために造られた阿弥陀如来像（重文）が鎮座している。また、有名な壁画は１９４９（昭和24年）に焼損したが、今はその模写が壁面を飾っている。

■五重塔《ごじゅうのとう》 高さは約31・5ｍ。わが国に現存する最古の五重塔（国宝）だ。ゆるやかな勾配を描く優美な屋根は、初層より2層目、2層目より3層目と上へ行くほど面積が小さくなるその減少率が比較的大きく、独特の安定感を感じさせる姿となっている。初層内陣の四方に安置されて

〈法隆寺西院五重塔〉

〈法隆寺西院廻廊〉

が黒、翼に白い斑点がある。北海道から九州までの山の森林で、比較的よく見られる。

▼推古天皇《すいこ》
敏達（びだつ）天皇の皇后で、後にわが国最初の女帝となった。敏達天皇没後、用明（ようめい）天皇が即位したが2年で病没。その後を継いだ崇峻（すしゅん）天皇は、蘇我馬子と対立して暗殺されたため、推古天皇として即位した。聖徳太子を摂政として、その治世は36年間にも及んだという。５５４～６２８。

いる塔本四面具《とうほんしめんぐ》（国宝）は、仏典の有名な場面を表現した塑像群。特に北面の釈迦入滅の場を表現した群像は有名で、悲痛に歪むリアルな表情の描写から「泣き仏」ともいわれる。

■大講堂《だいこうどう》　入母屋造本瓦葺の建物（国宝）で、経典の講義や法要を行なう施設として建てられた。現在の建物は平安後期の990（正暦元）年に再建。本尊の薬師三尊像（国宝）や四天王像も再建当時のものだ。

■大宝蔵院《だいほうぞういん》・百済観音堂《くだらかんのんどう》　寺宝の大半がこの宝物館に収蔵されている。必見は百済観音（国宝）、夢違観音《ゆめちがえ》（国宝）、**玉虫厨子《たまむしのずし》**（国宝）など。なかでも百済観音堂にある百済観音のすらりとした姿は、均整のとれた美しさでよく知られている。木彫りや肖像画などで表現されている数々の聖徳太子像や、昭和24年に、火災で焼損する以前に金堂内陣から取り外されていた壁画・飛天図（重文）も見逃せない。

法隆寺東院《ほうりゅうじとういん》

■夢殿《ゆめどの》　聖徳太子が飛鳥から移り住んだ斑鳩宮跡に、739（天平11）年、行信僧《ぎょうしんそう》都《ず》が太子を偲んで建てた伽藍が上宮王院《じょうぐうおういん》。夢殿はその中心となる優美な八角円堂だ。太子の夢に菩薩があらわれ、経典の疑問に答えてくれたという逸話があり、その折の太子の居室に似せてこの建物が造られたのがその名の由来だ。鎌倉時代に大修理が行なわれているが、屋根を飾る宝珠《ほうしゅ》・露盤《ろばん》は天平時代のものが残っている。春と秋の年2回開帳される本尊の救世《ぐぜ》観音（国宝）は太子の等身像と伝えられるもの。

西院五重塔の塑像群の圧巻は北面の釈迦の入滅。嘆き悲しむ弟子たちの表情は生々しいほどリアルだ。残念ながら、暗いため外からははっきりとは見えない

▼世界遺産
ユネスコが世界の貴重な文化財や自然を、過去から受け継がれてきた人類共通の遺産として保護することを目的に登録。２０１９年９月現在、日本には文化遺産20、自然遺産４がある。奈良県内で

深く知る

古代史の謎を秘めた「世界最古の木造建築物」

法隆寺の現在の伽藍がいつ建立されたか、確かに聖徳太子が創建したのか、実は結論が出ていない。

法隆寺の創建は、西院金堂の薬師如来像光背《こうはい》の銘文から聖徳太子によると推測されている。ところが不思議なことに『日本書紀』には太子が斑鳩宮を造営した記述があるのに法隆寺の創建に関してはひとことも言及されていないのだ。

法隆寺自体の再建・非再建論争は明治時代から今日まで続いている。非再建論は、金堂や塔が７世紀前半までの飛鳥時代の様式であることから、創建当時の建物が現存すると主張。しかし、法隆寺が６７０年に全焼したという『日本書紀』の記述と、現在の伽藍よりも古い若草伽藍《わかくさがらん》が発掘されたために再建論が有力視されていた。しかし２００１年２月、法隆寺五重塔の心柱がX線撮影の結果、５９４年に伐採されたものと確定し、論争が再燃している。木材の伐採から約１００年後に心柱として使ったとは考えにくく、五重塔が創建当時の建物である可能性も出てきたのだ。

ただし、たとえ再建という定説が覆されたとしても、伽藍の建築年代が現在考えられているよりも古くなるので「世界最古」であるということに変わりはない。

ほかにも法隆寺には解明されていない謎が数多い。たとえば五重塔の相輪に付けられた４本の鎌、中門の真ん中にある不自然な柱、五重塔の東北隅の柱の下で発見された火葬人骨など、想像力をかき立てる不思議な事物には事欠かない寺である。

西里《にしさと》

地図p.121-A

法隆寺門前から徒歩6分

法隆寺を中心とする宮大工《みやだいく》集団の本拠地として発展した集落。法隆寺西大門から延びる道筋に長屋門のある民家や低い築地塀《ついじべい》などが連なり、昔ながらの風情がある。

☎0745-74-6800（斑鳩町観光協会）。見学自由。

〈西里〉

〈法隆寺東院夢殿〉

〈法隆寺西院大講堂〉

見る

は法隆寺、東大寺、興福寺、吉野山などが登録されている。

▼玉虫厨子《たまむしのずし》

厨子とは、仏像などを安置する戸棚型の仏具。透かし彫り金具の下に、玉虫の羽が敷いてあったので、こう呼ばれている。全体に華麗な装飾が施されている。

藤ノ木古墳《ふじのきこふん》

地図p.121-B

法隆寺南大門から5分、斑鳩町役場から5分

法隆寺の西、田園の中にこんもりと盛り上がる直径50m以上、高さ9mの円墳《えんふん》。6世紀末後半のものと推定され、朱塗りの家形石棺とともに豪華な冠や太刀、精巧な馬具などが出土している。棺に納められた2体の被葬者が誰なのかは不明。

斑鳩町法隆寺西2-1795。外部のみ見学自由。

中宮寺《ちゅうぐうじ》

地図p.121-A

法隆寺東院から3分、中宮寺前・中宮寺東口から5分

☎0745-75-2106。斑鳩町法隆寺北1-1-2。9:00～16:30（10月1日～3月20日は～16:00、最終受付はそれぞれ15分前）。600円。

聖徳太子創建七ヵ寺のひとつ。太子が母君・穴穂部間人皇女《あなほべのはしひとのおうじょ》の冥福を祈り、その御所（中宮）を寺にしたと伝わる。当初は現在地より500mほど東にあった。本尊の国宝、菩薩半跏思惟《はんかしい》像（如意輪《にょいりん》観音）は神秘的な**アルカイック・スマイル**をたたえていることで有名。

深く知る　聖徳太子の家族　聖徳太子が誕生したのは574年。20歳頃から49歳で亡くなるまで叔母・推古天皇の摂政として、冠位十二階や憲法十七条を制定したことで有名だ。父は用明天皇、母は穴穂部間人皇女で、太子の両親は欽明《きんめい》天皇を父に、蘇我馬子の姉妹を母とする異母兄弟であった。このため蘇我氏との結びつきが深く、伯父・馬子とともに物部守屋《もののべのもりや》を討ち、崇仏派の馬子の影響で仏教に深く帰依《きえ》したという。

当時の風習に従って太子には複数の妃がいた。太子の菩提を弔うために、中宮寺の国宝・天寿国曼荼羅繡帳《てんじゅこくまんだらしゅうちょう》（展示は複製）を刺繍したという橘大郎女《たちばなのおおいらつめ》もそのひとり

〈藤ノ木古墳の家形石棺レプリカ〉

〈中宮寺〉

▼**円墳《えんふん》**

古墳時代は4世紀初頭から7世紀頃。古墳の形状は大きく分けて円墳・方墳・前方後円墳の3タイプがあり、古墳時代全般を通して最もよく造られたのが円墳だった。藤ノ木古墳は、円墳としては大型のものだ。

▼**アルカイック・スマイル**

古代ギリシアの古典期以前に作られた彫像に見られる、微笑に似た口元の表情のこと。喜びではなく、人間味を表現するための手法といわれている。飛鳥時代の仏像彫刻の微笑は、中国の六朝（りくちょう）時代の技法が伝わったもので、仏の慈悲を表す。ギリシアの影響はないとされる。

▼**山背大兄王《やましろのおおえのおう》**

聖徳太子の子。皇

で、推古天皇の孫。ほかにも、敏達《びだつ》天皇と推古天皇の娘・菟道貝蛸皇女《うじのかいたこのこうじょ》、蘇我馬子の娘で太子との間に**山背大兄王**《やましろのおおえのおう》を生んだ刀自古郎女《とじこのいらつめ》らがいたが、最愛の妃は膳菩《かしわで》岐々美郎女《のほききみのいらつめ》だったと考えられている。膳菩岐々美郎女は有力者の娘ではなかったが、太子の遺言で同じ墓に葬られたからだ。山背大兄王以外の太子の子どもについては、詳しくわかっていない。

法輪寺《ほうりんじ》

地図p.121-A

中宮寺から🚶20分、🚏法起寺前から🚶10分、🚏中宮寺前から🚶15分

徒歩の道中▼寺の手前、県道の脇の東屋は、休憩やお弁当を食べるのに便利。

聖徳太子の病気平癒を祈願して622（推古30）年、子の山背大兄王《やましろのおおえのおう》が創建したと伝わる古刹。法隆寺、法起寺とともに斑鳩三塔のひとつに数えられる三重塔は、昭和50年に作家・幸田文《こうだあや》氏らの尽力で再建されたもの。講堂内には薬師如来、十一面観音菩薩など、飛鳥から平安時代にかけての仏像（重文）が安置されている。

☎0745-75-2686。斑鳩町三井1570。8:00～17:00（12～2月は～16:30）。500円。

法起寺《ほうきじ》

地図p.121-A

法輪寺から🚶10分、🚏法起寺前から🚶2分

徒歩の道中▼山門の手前で畑の畔道に入り、田園越しに見る塔がもっとも美しい。

606（推古14）年、聖徳太子が法華経を講説したという岡本宮を寺に改めたものと伝わる、太子建立七ヵ寺のひとつ。田園の中に立つ日本最古の三重塔（国宝）は1993年、法隆寺の伽藍《がらん》建築とともに世界遺産に登録された。レンゲやコスモスの花に彩られる季節は、凛としたその姿がいっそう際立つ。

☎0745-75-5559。斑鳩町大字岡本1873。8:30～17:00（11月4日～2月21日は～16:30）。300円。

〈法起寺三重塔〉

〈法輪寺三重塔〉

見る

位継承者として有力視されていたが、推古天皇の遺言に従って、蘇我蝦夷（そがのえみし）が推す舒明天皇が即位。学究生活を送っていた斑鳩宮で、蘇我入鹿（いるか）に攻められて一族とともに自害した。?～643。

〈平宗法隆寺店〉
☎0745-75-1110。
斑鳩町法隆寺
1-8-40。
9:00～17:00。
無休。

地元産の柿のエキスがたっぷりの柿氷

〈志むら〉
☎0745-75-3202。
斑鳩町法隆寺1-5-30。
10:00～17:00。
無休。

アサリの味がおいしいさっぱりうどん

スイーツ ◎法隆寺周辺

【平宗法隆寺店《ひらそうほうりゅうじてん》】

地図p．１２１-B
法隆寺門前から２分

[柿氷１０００円]

柿の葉ずしで知られる平宗が法隆寺参道に構える店。売店と食事処があり、喫茶の利用もできる。なかでも、通年食べられるかき氷が人気で、奈良県産の柿や緑茶などの素材を使った柿氷、大和茶金時氷などに加えて、季節限定のかき氷もある。

食事処 ◎法隆寺周辺

【志むら《しむら》】

地図p．１２１-B
法隆寺門前から２分

[塩うどん８００円]

アサリのだしで仕上げたオリジナルの塩うどん８００円や梅うどん７００円が人気の店。メニューは麺類からご飯ものまで豊富にあり、地元の運転手さんも通うたまり場。自家製の生しぼりジンジャーエールやわらび餅、各６００円で一休みもいい。

〈北小路〉
☎0745-75-4060。
斑鳩町法隆寺北2-6-2。
11:30～16:00
不定休。

旬の野菜たっぷりの小路定食。この内容で37年間価格据え置きというのは驚き。春には手掘りの筍も登場

食事処 ◎法隆寺周辺

【北小路《きたこみち》】

地図p．１２１-A
中宮寺前から８分

[小路定食６５０円]

法隆寺夢殿から閑静な住宅街を抜けたところにある食事処。おすすめの小路定食は、自宅の畑で栽培した野菜や川魚など素朴な旬の味覚が楽しめると好評だ。店の前に並べられた多数の鉢植えや、民芸調の店内にふんだんに飾られた季節の花は、すべて花好きの女将さんが育てたもの。この花を楽しみに通ってくる地元の常連客も多い。

〈カフェシュクラ〉☎0745-75-3837。斑鳩町阿波3-1-30。11:00〜18:00（土・日曜は12:00〜）。不定休。

パニーノはボリューム満点

買う

カフェ ◎法隆寺駅周辺

【カフェシュクラ】《カフェシュクラ》

地図p.121-B

JR法隆寺駅から 1分

［本格派エスプレッソ300円］

JR法隆寺駅南口前にあるスタイリッシュなカフェ。エスプレッソの最高峰といわれるイタリア・イリー社の豆を使うなど、随所にこだわりがある。フードメニューでは、イタリア産生ハムを使ったパニーノが人気。季節限定のサラダうどんも大好評。ともにデザートとドリンクが付く。

和菓子 ◎法隆寺周辺

【御菓子司《おかしつかさ》 田鶴屋《たづるや》】

地図p.121-B

法隆寺前から 8分

［斑鳩の郷山吹　160円］

斑鳩の里をイメージした銘菓、「斑鳩の郷山吹」で知られる和菓子の店。「斑鳩の郷山吹」は黄味餡入りの饅頭で、甘さひかえめで上品な味わい。12月から4月の季節なら、新鮮ないちごを使ったいちご大福（1個180円）がおすすめ。このほかにも、いろいろな和菓子が目白押し。

〈御菓子司 田鶴屋〉☎0745-74-5256。斑鳩町興留2-6-46。9:00〜19:00。月曜（祝日の場合翌日）休。

色とりどりの和菓子が並ぶ店内

泊まる

奈良の歴史、文化に触れるトークショーが開催される

〈門前宿和空法隆寺〉☎0745-70-1155。斑鳩町法隆寺1-5-32。

旅館 ◎法隆寺周辺

【門前宿和空法隆寺《もんぜんやどわくうほうりゅうじ》】

地図p.121-B

法隆寺前から 1分

［1泊2食付1万1500円〜］

法隆寺の参道沿い、南大門前に位置する高級和風旅館。法隆寺を中心とした「まちなか観光」を実現するため斑鳩町が条例を改正したことで実現した、斑鳩の里の景観に配慮した建物。和モダンな寛ぎの客室や、寺湯の流れを汲む貸し切り可能な門前風呂、神田川俊郎氏の監修の食事など、優雅な滞在を堪能できる。宿泊者限定で、名物語り部による法隆寺ツアーが毎朝開催されている。

地図p.8-E

矢田《やた》

生駒山地の東、矢田丘陵に立つ矢田寺は「矢田の地蔵さん」と親しまれ、境内を埋めるアジサイで有名。周辺の山里風景も美しい。

見る

大和民俗公園・奈良県立民俗博物館《やまとみんぞくこうえん・ならけんりつみんぞくはくぶつかん》

近鉄郡山駅から🚌で11～18分の♀矢田東山から👟10分

自然林に囲まれた約26万㎡の敷地に、吉野や宇陀《だ》などの集落にあった民家15棟を移築。山村の伝統的な暮しぶりは、博物館に展示される生活道具や模型で知ることができる。

☎0743-53-3171。大和郡山市矢田町545。9:00～17:00(博物館入館～16:30、民家～16:00)。月曜(祝日・振替休日の場合は翌平日)休。入園・民家見学は無料(博物館は200円)。

矢田寺《やたでら》(金剛山寺《こんごうせんじ》)

近鉄郡山駅から🚌で20分の♀矢田寺前から👟5分

別名「あじさい寺」。675(天武4)年、天武天皇の勅命によって創建。平安初期に本尊の延命地蔵菩薩が安置されて以来、地蔵信仰の中心地として栄えてきた。

☎0743-53-1445。大和郡山市矢田町3506。8:00～18:00(入山は～17:00)。境内自由(アジサイの時期、6月～7月10日のみ入山料500円)。

このエリアの行き方

近鉄奈良駅から近鉄郡山駅へは、大和西大寺駅乗り換えで約14～28分。JR奈良駅からJR郡山駅へは4～5分。

回る順のヒント

大和民俗公園から矢田坐久志玉比古神社は、民家が点在する山里の道を歩いて10分余り。矢田寺へ行くバスは少ないので、時間帯によっては♀横山口から歩いたほうが早い。6～7月のアジサイのシーズンには、近鉄郡山駅から矢田寺まで臨時バスが出る。またJR法隆寺駅と矢田寺間にも臨時バスが運行する。

矢田寺から松尾寺へは、♀横山口から奈良交通バス大和小泉駅東口行きで8分の♀松尾寺口下車、徒歩30分。

飛鳥

山の辺の道

長谷寺

室生寺

吉野

談山神社
けまり祭
独特のかけ声で行なわれる、雅な行事。乙巳の変の発端は、中臣鎌足と中大兄皇子が蹴鞠会で出会ったことにはじまるという故事にちなむ。4 月 29 日、11 月 3 日に行なわれる。

飛鳥・長谷寺 室生寺・吉野 エリアの概略

このエリアの早分かりポイント

【どんな場所？】 飛鳥は大和盆地の南部、長谷と室生は東部、盆地のはずれから山地にかけての一帯。吉野は飛鳥のさらに南の山里になる。室生、吉野は山腹に見どころがあり、標高も500〜700mほどになる。

【歴史は？】 飛鳥は6〜7世紀に都が置かれていた地で、宮や寺の跡、古墳、遺跡などが随所に残る歴史の里。吉野は南北朝時代に後醍醐天皇の南朝が置かれた土地だった。

【見る歩くポイントは？】 いずれも著名な観光地であり、ほとんど季節に関係なく多くの人が訪れる。神話や伝説になじみ深いエリアのうえ、歩くのに気持ちいい自然環境もあるので、散策しながらの観光もおすすめできる。

■宿泊のヒント■ 各ポイントとも近くに宿はあるが、軒数が少ない。エリア全体で考えた場合、比較的便利なのは、橿原市の大和八木駅周辺や橿原神宮前駅周辺。ターミナル駅となっている大和八木駅は各方面へのアクセスが楽で、駅周辺にはシティホテルやビジネスホテルがある。同様に橿原神宮前駅周辺にもビジネスホテルやシティホテルがある。

■回り方のヒント■ 各エリアはおもに近鉄大阪線と近鉄橿原線の沿線にあり、この両線とバスを上手に利用すれば移動時間を節約することができる。飛鳥を広範囲に回るならレンタサイクルがちょうどいいくらいの広さ。また飛鳥や吉野はハイキングも楽しい。天理〜桜井にある山の辺の道は、できれば1日かけてのんびり歩きたい散策コース。

各エリアはそれぞれ離れているので、すべてをつないで回るのはかなりの日数を要する。とくに飛鳥は1日コースだ。日程の設定は、各エリアの「回る順のヒント」と「他のエリアへの向かい方」を参考に考えてほしい。

観光問い合わせ先

- ●飛鳥観光協会 ☎0744-54-3240
- ●橿原市観光案内所 ☎0744-47-2270
- ●桜井市観光案内所 ☎0744-44-2377
- ●天理市観光協会 ☎0743-63-1242
- ●宇陀市観光案内所 ☎0745-88-9049
- ●葛城市観光案内 ☎0745-48-4611
- ●御所市観光協会 ☎0745-62-3346
- ●吉野町ビジターズビューロー ☎0746-34-2522

このエリアへの行き方

このエリアへの最寄り駅は近鉄橿原線、近鉄大阪線、JR桜井線の各路線上にある。各最寄り駅については各エリアガイドの先頭ページを参照。おもな最寄り駅への行き方は以下のとおり。

京都駅から…橿原神宮前駅へは近鉄京都線・橿原線急行で55分〜1時間15分。桜井駅・長谷寺駅・室生口大野駅へは近鉄京都線・橿原線急行で58分〜1時間8分の大和八木駅で近鉄大阪線に乗り換え。吉野駅へは近鉄橿原線・吉野線の特急で京都駅から1時間41〜46分。

奈良駅から…橿原神宮前駅へは近鉄奈良線で5〜7分の大和西大寺駅で近鉄橿原線に乗り換え、急行で26〜33分。吉野駅へは大和西大寺駅から近鉄橿原線・吉野線特急で1時間19〜32分。

大阪難波駅から…桜井駅・長谷寺駅・室生口大野駅へは近鉄大阪線特急29〜34分の大和八木駅乗り換え。

大阪阿部野橋駅から…橿原神宮前駅へは近鉄南大阪線急行で36〜42分。吉野駅へは近鉄南大阪線特急で約1時間16〜20分。

飛鳥《あすか》

地図p．９-K

田園風景に古代遺跡が残る。飛鳥時代の１００年間歴史の中心だった地

飛鳥は奈良盆地の南に位置し、古代の日本の歴史を創りだした、まさに中心的な土地だ。当時の遺跡も多く残り、古代史・考古学ブームのきっかけになった高松塚古墳の発掘（１９７２年）や、近年は富本銭《ふほんせん》の発見など、酒船石遺跡周辺や飛鳥京跡苑池遺構から続々と出土する遺物や遺構に、ますます興味をそそられる。エネルギッシュな古代のロマンを秘めた飛鳥の光と風を肌で感じてみたい。

散策の起点・飛鳥駅

国指定特別史跡の石舞台古墳

人気度★★★★★
風情★★★★
国宝
高松塚古墳
（非公開）

はじめの一歩

飛鳥駅を起点としてめぐるのが一般的。駅前にトイレ、レンタサイクル店、観光案内所がある。飛鳥駅前と橿原神宮駅を結ぶ明日香周遊バスも走る（p．１３６〜１３７参照）。

荷物を預けたい時は　飛鳥駅にコインロッカーがある。飛鳥駅起点の周遊でも、乗り継ぎ駅の橿原神宮前駅のコインロッカー（正面改札口を出た場所）を利用する方法も一案。飛鳥駅出発、橿原神宮前終点のルートでレンタサイクルを乗り捨てるならば、荷物を取りに戻る必要がない。

観光情報を入手するには　飛鳥駅前の飛鳥総合案内所（「飛鳥びとの館」☎０７４４-54-３２４０。８時30分〜17時。無休）は、散策コースの案内や相談にのってくれる。ここで販売している小冊子の「飛鳥王国パスポート」（１００円）は拝観料や入館料の割引券付き。

レンタサイクル

料金は店によって多少の違いがあるが、土・日曜・祝日は１日１０００円、平日は９００円、電動自転車１５００円程度。学校行事などの利用で、自転車がすべて出払う時もある。確実に使いたい時は予約するのが無難だ。乗り捨ての場合は別途２００円が必要。自転車のサイズや、マウンテンバイク、電動アシスト自転車の取り扱いについては各店に問い合わせを。

飛鳥駅前のレンタルサイクル店

●明日香レンタサイクル
☎0744-54-3919
●レンタサイクル万葉
☎0744-54-3500
●レンタサイクルひまわり
☎0744-54-5800

大和高田へ
田原本へ
天理へ
人麿神社
地黄町
やまとやぎ
八木駅
▲139
耳成山 P.144
山之坊町
石原田町
桜井市
木原町
だいふく
ビジネス観光ホテル河合
近鉄大阪線
みみなし
西之宮
桜井へ
大成中
大和橿原シティホテル
橿原市役所
畝傍高
やぎにしぐち
法花寺町
出合町
かぐやま
出垣内町
高田へ
P.148
今井町
うねび
南八木町
桜井線
宇陀市榛原へ
醍醐町
A
B
膳夫町
吉備
148
今井小
晩成小
香久山小
大和高田へ
當麻へ
四条町
県立医科大
醍醐池
東池尻町
四条町
小房
縄手町
橿原市
藤原京資料室
高殿町
藤原宮跡 P.147
下八釣町
鴨公小
古池
綏靖天皇陵
かしはら万葉ホール
小房町
近鉄橿原線
都城発掘調査部藤原宮跡資料室
神武天皇陵
四分町
橿原市
天香久山
奈良万葉の森
畝傍北小
別所町
木之本町
山本町
飛騨町
▲152 P.144
P.144
畝傍山
奈良県立橿原考古学研究所附属博物館 P.147
南浦町
上飛騨町
天岩戸神社
▲199
うねびごりょうまえ
本薬師寺跡
みるく工房飛鳥
香久山公園
懿徳天皇陵
田中廃寺跡推定地
P.146
明日香庭球場
橿原市昆虫館
P.147
橿原神宮
畝傍町
ザ・カントリーキッチンだいこくや
小山
大官大寺跡
南山町
橿原森林遊苑
飛鳥川
明日香小山
かしはらじんぐうにしぐち
田中町
奥山
深田池
P.143 奈良文化財研究所飛鳥資料館
山田寺
高田市へ
近鉄南大阪線
THE KASHIHARA P.147
雷
雷丘
明日香奥山・飛鳥資料館西
山田寺跡
久米寺
畝傍中
豊浦
伝飛鳥浄御原宮跡
飛鳥資料館
奈良芸術短大
かしはらじんぐうまえ
C
石川町
石川池
豊浦寺跡(向原寺)
甘樫丘
D
孝元天皇陵
和田池
飛鳥
鳥屋町
畝傍南小
P.144 甘樫丘
▲148
水落遺跡 P.144
飛鳥坐神社
白橿北小
畝傍東小
P.146 萩王
飛鳥大仏
宣化天皇陵
高取川
大軽町
飛鳥寺 P.143
鳥屋池
菖蒲町
蘇我入鹿の首塚 P.143
見瀬丸山古墳
植山古墳
亀形石造物 P.142
奈良県立万葉文化館 P.142
飛鳥京跡苑池
白橿町
酒船石遺跡 P.142
岡寺駅
P.145 レストランあすか野
P.141
五条野町
岡天理教前
岡寺
南妙法寺町
菖蒲池古墳
おかでら
川原
P.145 めんどや
P.140 亀石
明日香村役場
P.141 犬養万葉記念館
貝吹山
▲210
益田岩船
白橿南小
聖徳中
橘寺
P.140
島庄
石舞台
白橿中
越
欽明天皇陵
鬼の俎
明日香小
岡寺前
吉備姫王墓
P.140 猿石
鬼の雪隠
天武・持統天皇陵
定林寺跡
P.145 café ことだま
真弓鑵子塚古墳
P.139 飛鳥歴史公園館
健康福祉センター太子の湯
石舞台古墳
あすか
高松塚
東展望台
P.140
飛鳥
P.146 ペンション飛鳥
飛鳥歴史公園祝戸地区
ひだまりCafeあすか
飛鳥駅
明日香レンタサイクル
平田
真弓
高松塚古墳 P.138
高松塚壁画館 P.138
マルコ山古墳
御園
文武天皇陵
レンタサイクル万葉
E
F
明日香村
檜前
檜前
高取国際高
檜隈寺跡
稲渕
束明神古墳
佐田
近鉄吉野線
栗原
N
キトラ古墳壁画体験館四神の館 P.138
岡宮天皇陵
高取町
観覚寺
大根田
周辺広域地図 P.9
キトラ
キトラ古墳
高取中
阿部山
高取町役場
つぼさかやま
橿原・飛鳥
1:36,500
0
1km
吉野口へ
壺阪寺へ

レンタサイクルを借りるには

飛鳥駅前や橿原神宮前駅前にショップがあるほか、飛鳥資料館前、橘寺前、石舞台前、甘樫丘前などからも利用できる。レンタサイクルは乗り捨ても可能なので、徒歩やバスと組み合わせて利用することもできる。ただし、ショップによって乗り捨てできる場所が異なるので事前に確認しておきたい。前ページ参照。利用時間は9時～17時が一般的。

回る順のヒント

おもな見どころだけでも徒歩で回ると、かなりハード。岡寺付近の坂道をのぞけば、平坦な道が多いので自転車で回るのが効率的。本書で紹介のルート（p.136）をめぐって橿原神宮前駅へ帰る約12kmのコースを回ると、見どころを網羅できる。飛鳥駅を起点に徒歩で回り、帰りは橘寺、石舞台古墳、飛鳥寺あたりからバスで橿原神宮前駅へ向かう方法もある。バス路線はp.137参照。

他のエリアへの向かい方

橿原・吉野方面へ向かうには、橿原神宮前駅、飛鳥駅から近鉄線を利用する。桜井方面へは、本数は少ないが、♀明日香奥山・飛鳥資料館西から♀桜井駅南口行き36系統バスを利用。途中、安倍文殊院を経由する。

このエリアの行き方

起点は橿原神宮前駅、飛鳥駅、桜井駅。近鉄奈良駅から、大和西大寺駅経由、近鉄橿原線急行で橿原神宮前駅まで所要約40～50分。そこから近鉄吉野線に乗り換え、飛鳥駅まで4分。京都・大阪方面からの行き方はp132を参照のこと。桜井駅へは、奈良駅からJR線普通で28～34分。

このエリアへの行き方

目的地	出発点	おもなバス系統など	所要時間	下車バス停
亀石	♀飛鳥駅	🚌16・23	12分	♀川原
川原寺跡、橘寺	♀飛鳥駅	🚌16・23	13分	♀岡橋本
東展望台石舞台	♀飛鳥駅	🚌16・23	16分	♀石舞台
岡寺、犬養万葉記念館	♀飛鳥駅	🚌16・23	19分	♀岡寺前
伝・飛鳥板蓋宮跡、酒船石遺跡	♀飛鳥駅	🚌16・23	21分	♀岡天理教前
奈良県立万葉文化館	♀飛鳥駅	🚌16・23	22分	♀万葉文化館西口
蘇我入鹿の首塚、飛鳥寺	♀橿原神宮前駅東口	🚌16(※)・17・23(※)	14分	♀飛鳥大仏
奈良文化財研究所飛鳥資料館	♀橿原神宮前駅東口	🚌16(※)・23(※)	10～14分	♀明日香奥山・飛鳥資料館西
水落遺跡	♀橿原神宮前駅東口	🚌16(※)15・17・23(※)	10分	♀飛鳥
甘樫丘	♀橿原神宮前駅東口	🚌16(※)15・17・23(※)	8分	♀甘樫丘

🚌16・23：橿原神宮前駅東口行き　🚌16（※）・23（※）：飛鳥駅行き（16系統は春・秋の土・日曜、休日の運行）　🚌17：石舞台行き（4～5月と9月第3土曜～11月第3日曜に運行）　🚌15：飛鳥駅・檜前行き（学校開校日に運行）

拡大版

おすすめゆったりルート 飛鳥

飛鳥は場所によっては起伏や小高い土地があるが、おおむね平坦なコース。レンタサイクルを利用してめぐるのも楽しい。

古都の史跡を訪ねる

[移動距離]
12km
[徒歩]
約**6**時間
[自転車]
4時間**30**分

- 近鉄飛鳥駅
- ↓ 徒歩20分 自転車8分
- 高松塚壁画館 5分
- ↓ 徒歩40分 自転車15分
- 橘寺 30分
- ↓ 徒歩15分 自転車7分
- 石舞台古墳 15分
- ↓ 徒歩20分 自転車20分
- 岡寺 20分
- ↓ 徒歩20分 自転車12分
- 奈良県立万葉文化館 60分
- ↓ 徒歩7分 自転車3分
- 飛鳥寺 20分
- ↓ 徒歩20分 自転車15分
- 甘樫丘 15分
- ↓ 徒歩45分 自転車20分 バス6分
- 近鉄橿原神宮前駅

※高松塚古墳から猿石・鬼の俎・鬼の雪隠・亀石を経由するルートは、遠回りで上り坂もあるため、徒歩で40分、自転車で20分ほど長くかかる。

明日香周遊バス「赤かめ」時刻表

時刻表は2022年2月現在の主なバス停の時刻（朝と夕方の便は省略）。最新の運行時刻を必ず問い合わせてご利用ください。

平日（月～金曜）運行

主要バス停		★		★		★		★				★		★	
橿原神宮前駅東口	8:36	9:06	9:36	10:06	10:36	11:06	11:36	12:06	12:36	13:06	13:36	14:06	14:36	15:06	15:36
明日香奥山・飛鳥資料館西	8:50	9:16	9:50	10:16	10:46	11:16	11:46	12:16	12:46	13:16	13:46	14:16	14:46	15:16	15:46
飛鳥大仏	8:54	9:20	9:54	10:20	10:50	11:20	11:50	12:20	12:50	13:20	13:50	14:20	14:50	15:20	15:50
石舞台（着）	9:01	9:27	10:02	10:27	10:57	11:27	11:57	12:27	12:57	13:27	13:57	14:27	14:57	15:27	15:57
岡寺前	9:04		10:04		11:00		12:00		13:00		14:00		15:00		16:00
飛鳥駅	9:21		10:21		11:17		12:17		13:17		14:17		15:17		16:17
		★		★		★		★				★		★	
飛鳥駅	8:40		9:40		10:40		11:55		12:55		13:55		14:55		15:55
石舞台（発）	8:57	9:29	9:57	10:29	10:57	11:29	12:12	12:29	13:12	13:29	14:12	14:29	15:12	15:29	16:12
岡寺前	8:59	9:31	9:59	10:31	10:59	11:31	12:14	12:31	13:14	13:31	14:14	14:31	15:14	15:31	16:14
飛鳥大仏	9:03	9:35	10:03	10:35	11:03	11:35	12:18	12:35	13:18	13:35	14:18	14:35	15:18	15:35	16:18
明日香奥山・飛鳥資料館西	9:07	9:39	10:07	10:39	11:07	11:39	12:22	12:39	13:22	13:35	14:22	14:39	15:22	15:39	16:22
橿原神宮前駅東口	9:18	9:49	10:18	10:49	11:18	11:49	12:37	12:49	13:33	13:49	14:37	14:49	15:37	15:49	16:37

土・日曜、祝日運行

主要バス停		★		★		★		★		★		★		★	
橿原神宮前駅東口	8:36	9:21	9:51	10:21	10:51	11:21	11:51	12:21	12:51	13:21	13:51	14:21	14:51	15:21	15:51
明日香奥山・飛鳥資料館西	8:50	9:31	10:01	10:31	11:05	11:31	12:01	12:31	13:05	13:31	14:01	14:31	15:01	15:31	16:01
飛鳥大仏	8:54	9:35	10:05	15:45	11:09	11:35	12:05	12:35	13:09	13:35	14:05	14:35	15:05	15:35	16:05
石舞台（着）	9:01	9:42	10:12	10:42	11:16	11:42	12:12	12:42	13:16	13:42	14:12	14:42	15:12	15:42	16:12
岡寺前	9:04	9:45	10:15	10:45	11:19	11:45	12:15	12:45	13:19	13:45	14:15	14:45	15:15	15:45	16:15
飛鳥駅	9:21	10:02	10:32	11:02	11:36	12:02	12:32	13:02	13:36	14:02	14:32	15:02	15:32	16:02	16:32
		★		★		★		★		★		★		★	
飛鳥駅	8:55	9:25	9:55	10:25	10:55	11:25	11:55	12:25	12:55	13:25	13:55	14:25	14:55	15:25	15:55
石舞台（着）	9:12	9:42	10:12	10:42	11:12	11:42	12:12	12:42	13:12	13:42	14:12	14:42	15:12	15:42	16:12
岡寺前	9:14	9:44	10:14	10:44	11:14	11:44	12:14	12:44	13:14	13:44	14:14	14:44	15:14	15:44	16:14
飛鳥大仏	9:18	9:48	10:18	10:48	11:18	11:48	12:18	12:48	13:18	13:48	14:18	14:48	15:18	15:48	16:18
明日香奥山・飛鳥資料館西	9:22	9:52	10:22	10:52	11:22	11:52	12:22	12:52	13:22	13:52	14:22	14:52	15:22	15:52	16:22
橿原神宮前駅東口	9:33	10:03	10:33	11:03	11:33	12:03	12:37	13:03	13:33	14:03	14:37	15:03	15:33	16:03	16:37

飛鳥の見どころを周る周遊バスの「赤かめ」は、奈良交通バスの車体正面に赤いカメのマークが目印。
★は春秋の期間限定運行（4～5月と9月下旬～11月）。
＊バス時刻の問い合わせ先：☎0742-20-3100（奈良交通お客様サービスセンター）

起点は飛鳥駅か橿原神宮前駅

橿原神宮前駅から甘樫丘まで見どころが少ないのに対して、飛鳥駅からは古墳や石造物、古社寺が道沿いに連続しているので、起点は飛鳥駅が一般的。食事処や喫茶もある万葉文化館周辺で時間調整をして、バスで橿原神宮前駅へ帰るのが便利だ。

バス&タクシー利用のアドバイス

◆飛鳥地区に走る周遊バス

明日香周遊バスの愛称は「赤かめ」。橿原神宮駅から飛鳥駅まで約60分間隔（春秋の土・日曜・祝日は約30分間隔）で観光ポイントを順に巡る。1日フリー乗車券は大人６５０円。乗り捨てもＯＫなレンタサイクルと組み合わせて上手に飛鳥を回ろう。

◆飛鳥資料館から桜井駅へ

♀明日香奥山・飛鳥資料館西から、近鉄・ＪＲ桜井駅行きのバスが平日1日3本、土・日曜・祝日は6本運行。このバスは、安倍文殊院（p.１６２）を通って桜井駅南口へ行く。

◆観光タクシーでめぐる

観光タクシーは1時間小型４７４０円、中型５２４０円。橿原タクシー☎０７４４-22-２８２８。石舞台～高松塚古墳～橘寺～～飛鳥寺のコースで所要2時間程度。

高松塚古墳《たかまつづかこふん》

地図p.134-F
飛鳥駅から20分、高松塚から5分

1972年の発掘調査で、極彩色で描かれた人物の壁画が発見され、考古学ブームを巻き起こした古墳として有名。石室の天井には天帝を意味する星宿、壁面には**四神**《ししん》が描かれ、白銅製の海獣葡萄鏡《かいじゅうぶどうきょう》、刀飾金具などの副葬品も見つかっている。保存処理された出土品は飛鳥資料館に、壁画の模写は高松塚壁画館に展示されている。古墳は特別史跡、極彩色壁画は国宝。

深く知る　高松塚古墳と共通点の多いキトラ古墳

高松塚古墳に続き、1980年代以降、注目を集めているのがキトラ古墳（地図p.134-E）だ。約1km南に位置し、古墳の構造、百済《くだら》や唐の影響が強い石室内の極彩色の壁画など、高松塚古墳との共通点が多く見られる。とりわけ、2001年に発見された「朱雀《すざく》」の壁画は、今まさに飛び立たんとして羽を広げ、地をけりあげる瞬間がダイナミックに描かれており、当時の絵画水準の高さを証明する貴重なもの。また、天井に鮮やかな金ぱくで描かれた天文図は、東アジア最古のものだ。古墳のそばのキトラ古墳壁画体験館 四神の館(9時30分～17時、無料)では、期間限定で実物を見ることができる。

高松塚壁画館《たかまつづかへきがかん》

地図p.134-F
高松塚古墳から1分、飛鳥駅から20分、高松塚から5分

高松塚古墳の壁画を現状模写したもの、絵を見やすくするために修正模写をしたものがある。石槨《せっかく》を忠実に再現し盗掘穴から覗く格好での模型もあり、興味深い。

☎0744-54-3340。明日香村平田439。9:00～17:00（入館は～16:30）。無休。300円。

〈高松塚壁画館〉

飛鳥美人
〈高松塚壁画館の復元模写〉
(写真：財団法人飛鳥保存財団)

▼四神《ししん》
古代中国の思想に基づき、四つの方位を象徴する動物。東は青龍、南は朱雀（すざく）、西は白虎（びゃっこ）、北は亀と蛇の合体した玄武（げんぶ）。星座を具象化したものと考えられている。

▼持統《じとう》**天皇**
天智天皇の娘で、夫であった天武の没後に即位して、中国

飛鳥歴史公園館《あすかれきしこうえんかん》

地図p.134-E
高松塚壁画館から7分、飛鳥駅から9分、♀高松塚から1分

高松塚古墳を中心に整備された国営の飛鳥歴史公園内にあり、飛鳥の歴史をわかりやすく紹介した施設。立体地理模型で飛鳥の全体像を把握したり、石造物や巨大な古墳の石室の造り方など、飛鳥をめぐる歴史の謎をビデオで知ることができる。

☎0744-54-2441（飛鳥管理センター）明日香村平田538。9:30～17:00（12～2月は～16:30）。無休。入館無料。

深く知る **飛鳥と明日香、2種類の表記**

漢字だけを使っていた万葉仮名の時代には、固有名詞の表記も一定ではなかった。『日本書紀』や『古事記』では「飛鳥」「阿須箇」、『万葉集』では「明日香」「飛鳥」「阿須可」などと記されている。現在は、行政区画としては「明日香村」、そして明日香村の周辺を含めた奈良盆地東南部の飛鳥川流域一帯をさす場合は「飛鳥」と区別して表記されている。「アスカ」の語源は、群生していたイスカという鳥の名に由来するという説、接頭語「ア」＋「住処（スカ）」で集落を意味する説、「ア」＋「洲処」で川の土砂が堆積した場所とする説、朝鮮系渡来民が安住した「安宿」とする説などがある。

天武・持統天皇陵《てんむ・じとうてんのうりょう》

地図p.134-F
飛鳥歴史公園館から10分、飛鳥駅から15分、♀天武・持統陵から3分

持統天皇が夫・**天武天皇**のために1年あまりかけて造営した八角形墳。後に持統天皇も天皇では初めて火葬されて合葬陵となった。被葬者が特定されている数少ない古墳である。『阿不幾乃山陵記《あおきのさんりょうき》』によると、石室には瑪瑙《めのう》の切石が使われるなど豪華な造りだったようだ。

☎0744-54-3240（飛鳥観光協会）。明日香村野口。外部のみ見学自由。

〈天武・持統天皇陵〉

の都城にならった藤原京（p.147）を建設。律令制度を整備して、中央集権化を促した。645～702。

▼**天武天皇**《てんむ》
天智（てんじ）天皇〈中大兄皇子〉の弟で、名は大海人（おおあま）皇子。天智天皇の没後、壬申の乱で天智の子・大友皇子を破って即位。官制など律令制度の整備、国史の編纂など、政治に手腕を振るった。?～686。

亀石《かめいし》

地図p.134-D

天武・持統天皇陵から6分、飛鳥駅から30分、♀中央公民館から2分

伝説では、大和盆地が湖だった頃、當麻《たいま》の蛇と飛鳥川原のナマズが争い、負けた川原は水を當麻に取られて、湖の亀が死に絶えてしまった。哀れに思った村人が、亀をかたどった石をこの地に刻んで供養したという。所領地の境を示す道標であったとする説が有力だ。亀石の周辺には、**猿石**《さるいし》など謎の石造物が多数点在している。

☎0744-54-3240（飛鳥観光協会）明日香村川原。見学自由。

橘寺《たちばなでら》

地図p.134-F

亀石から10分、♀川原または岡橋本から3分

聖徳太子が創建した七ヵ寺のひとつで、太子誕生の地としても知られる。創建当時は東に向かって中門・塔・金堂・講堂が一列に並ぶ四天王寺式の伽藍《がらん》配置であった。境内には蓮華《れんげ》塚や三光石、太子像、観音像、橘寺型の石灯籠など多くの重要文化財を所蔵。太子殿の横にある飛鳥時代の石造物・二面石も見逃せない。

☎0744-54-2026。明日香村橘532 9:00～17:00（最終受付16:30）。350円。※春・秋1カ月ほど聖倉殿（収蔵庫）特別拝観あり。350円。

石舞台古墳《いしぶたいこふん》

地図p.134-F

橘寺から15分、♀石舞台から1分

徒歩の道中▼橘寺から石舞台古墳へは飛鳥川沿いの道で、玉藻橋から登る東展望台は飛鳥平野を見渡せる好展望地だ。

女に化けた狐が石の上で踊った、あるいは旅回りの芸人が舞台代わりにしたとい

☎0744-54-4577（明日香村地域振興公社）。明日香村島ノ庄。8:30～17:00（入場は～16:45）。無休。300円。

〈亀石〉

▼猿石《さるいし》

吉備姫王（きびつひめのみこ）墓の柵内に置かれた4体の石像。何を表しているのかは不明。ここから東へ、山すその小道をたどると、道の両側に鬼の俎（まないた）・鬼の雪隠（せっちん）という石造物がある。こちらは古墳の石室の一部といわれている。いずれも見学自由。

〈橘寺の三光石〉

う伝承から石舞台と呼ばれているが、実は石室がむき出しになった古墳だ。30数個の石ででき、天井部分の巨石の重さは推定77t。蘇我馬子《そがのうまこ》の墓というのが通説。

深く知る

謎だらけの「蘇我馬子の墓」説

被葬者が蘇我馬子と推定されたのは明治末年。この通説の根拠は、このあたりが蘇我馬子の屋敷跡と考えられ、よほど強大な権力者でなくては巨大な古墳を造営できなかったからと、意外に曖昧。馬子の死後、天武天皇と草壁皇子《くさかべのおうじ》が馬子の屋敷跡に離宮を構えたとも伝えられ、通説と合わないという指摘もされている。また、馬子の専横に怒った後世の住民が封土をはがしたというが、なぜ石室がむきだしなのかなど、真実は謎に包まれたままだ。

岡寺（龍蓋寺）

おかでら（りゅうがいじ）

地図p.134-D

石舞台古墳から20分、岡寺前から10分

岡集落の東山の中腹にあり、厄除け西国七番観音霊場として信仰されている。境内には、威風堂々とした本堂、大師堂が立ち並ぶ。本尊の如意輪観音《にょいりんかんのん》像は高さ4.8mで、塑像としては日本最大。可憐な胎内仏の半跏《はんか》思惟《しい》如意輪観音像も拝観できる。

☎0744-54-2007。明日香村岡806。8:00～17:00（12～2月は～16:30）。400円。

南都明日香ふれあいセンター 犬養万葉記念館

なんとあすかふれあいせんたー いぬかいまんようきねんかん

地図p.134-D

岡寺から15分、岡寺前から1分

万葉集を愛し、万葉風土学を提唱した犬養孝《いぬかいたかし》の業績を紹介した記念館。直筆の万葉歌の墨書や原稿をはじめ、愛好家らによる写真拓本などを展示。講座やコンサートもできるイベントスペース「つばいちカフェ」が併設され、食事やコーヒーブレイクも。

☎0744-54-9300。明日香村岡1150。10:00～17:00（入館は～16:30）水曜（祝日の場合は翌日）休。無料。

〈猿石〉

〈石舞台古墳の入口〉

〈岡寺〉

〈犬養万葉記念館〉

▼**蘇我馬子《そがのうまこ》** 飛鳥時代の大臣（おおおみ）。用命（ようめい）・崇峻（すしゅん）・推古天皇の母方の伯父であり、娘を聖徳太子の妃と舒明（じょめい）天皇の妃として権力を掌握。物部守屋（もののべのもりや）を討ち、崇峻天皇を暗殺して、推古天皇を擁立し、聖徳太子とともに政治に関与。また、わが国での仏教興隆に尽くした。?～626。

▼**犬養孝《いぬかいたかし》** 国文学者。東京出身、大阪大学教授などを歴任。「万葉集」の風土的な研究分野を確立し、万葉故地の保存に尽力。テレビやラジオに出演して、独特の節回しで万葉集を朗唱する「犬養節」で親しまれた。1907～1998。

酒船石遺跡《さかふねいしいせき》

地図p.134-D

犬養万葉記念館から🥾15分、♀岡天理教前から🥾5分

酒船石は、古くから酒や油を搾る道具だとか、薬を作る道具であるといわれてきて、飛鳥の古代ロマンをかき立てる謎のひとつ。2000年に、丘陵の北側の麓から石敷き広場と湧水施設と推測される**亀形石造物**《かめがたせきぞうぶつ》などが見つかり、遺跡全体が水を用いた祭祀場とも考えられているが、真の用途は謎に包まれたままだ。

☎0744-54-3240(飛鳥観光協会)。明日香村岡。見学自由。

奈良県立万葉文化館《ならけんりつまんようぶんかかん》

地図p.134-D

酒船石遺跡から🥾2分、♀万葉文化館西口から🥾2分

『万葉集』をテーマにしたミュージアム。映像や人形で歌人の心情や時代背景を紹介する万葉劇場など、万葉の世界を多角的に体感できる。日本画を中心とした展覧会も開催。図書・情報室やミュージアムショップ、カフェレストランもある。

☎0744-54-1850。明日香村飛鳥10。10:00～17:30(入館は～17:00)。月曜(祝日の場合は翌日)休、展示替え休。無料(日本画展示室での特別展は有料)。

深く知る　日本史を書き換えた「富本銭《ふほんせん》」の発見

万葉文化館の建設前に行なわれた発掘調査で、仏像や海獣葡萄鏡《かいじゅうぶどうきょう》の鋳型、鉄製の釘・鏃《やじり》・ノミ、ガラスの坩堝《るつぼ》など多量の遺物が発見されたが、その中で最も注目されたのが富本銭だ。富本銭は7世紀後半の遺構から発見され、それまで日本最初の貨幣とされてきた708年鋳造の「和同開珎《わどうかいちん》」より、富本銭が古いことが判明した。まさに日本史の教科書を書き換える大発見だったため、万葉文化館は建物の位置を変更。入口から展示棟へ向かう通路からは、富本銭を鋳造した炉跡の復原展示が眺められ、展示棟地下1階の特別展示室では、富本銭(複製)などを展示し、発掘調査の成果を紹介している。

見る

〈奈良県立万葉文化館〉

〈酒船石〉

▼**亀形石造物**《かめがたせきぞうぶつ》

2000年、村道敷設にともなう発掘調査で発見された湧水施設の遺構。小判型石槽から亀形石造物へと水が流れる仕組みになっていて、南側斜面の上にある酒船石との関連が指摘されている。万葉文化館から徒歩すぐ。

〈亀形石造物〉

▼**万葉集**《まんようしゅう》

現存する日本最古の歌集。飛鳥から奈良時代にかけて詠まれた長歌・短歌・旋頭歌など、約4500首が20巻に収められている。奈良時代の歌人・大伴家持(お

蘇我入鹿の首塚《そがのいるかのくびづか》

地図p．１３４-Ｄ
奈良県立万葉文化館から5分、♀飛鳥大仏から2分

飛鳥寺の西側にある五輪塔。建立は南北朝の頃。６４５年の乙巳《いっし》の変《へん》で、中大兄《なかのおおえの》皇子《おうじ》らに暗殺された**蘇我入鹿**の首は、飛鳥寺まで飛んだとも、奈良と三重の県境あたりまで飛んだともいわれている。その怨念を鎮めるため五輪塔が建てられたという。この乙巳の変の後、大化の改新（p.26参照）が起こる。

☎0744-54-3240（飛鳥観光協会）。明日香村飛鳥。見学自由。

飛鳥寺《あすかでら》

地図p．１３４-Ｄ
蘇我入鹿の首塚から2分、♀飛鳥大仏から1分

崇仏派の蘇我氏の発願による日本で最初の本格的な仏教寺院。寺の規模は法隆寺の約3倍、築造歳月は実に20年という大工事であった。当時の建物は残っていないが、鞍作止利《くらつくりのとり》の手による日本最古級の仏像、飛鳥大仏を見ることができる。仏像の顔部分はほぼ建立当初のもの、体部の大部分は後世の補修と考えられている。

☎0744-54-2126。明日香村飛鳥682。9:00～17:30（10～3月は～17:00。最終受付はそれぞれ15分前）。350円。

奈良文化財研究所《ならぶんかざいけんきゅうしょ》飛鳥資料館《あすかしりょうかん》

地図p．１３４-Ｄ
飛鳥寺から10分、♀明日香奥山・飛鳥資料館西から3分

実際に発掘された高松塚古墳の出土品や、山田寺東回廊の出土部材を組み立てた復元展示、石人像や須弥山石《しゅみせんせき》の本物などを展示。復元模型などで分かりやすく説明されている。庭には、レプリカの石人像や須弥山石が、噴水として再現されている。

☎0744-54-3561。明日香村奥山601。9:00～16:30（入館は～16:00）。月曜（祝日の場合は翌日）休。350円。

〈蘇我入鹿の首塚〉

〈飛鳥寺〉

〈奈良文化財研究所飛鳥資料館〉

おとものやかもち）が編纂したとされる。幅広い人々が歌を詠んでいる。

▼**蘇我入鹿《そがのいるか》**
飛鳥時代の豪族。蘇我蝦夷（えみし）の子で、馬子の孫。権勢を振るい、有力な皇位継承者である山背大兄王（やましろのおおえのおう）〈聖徳太子の子〉一族を滅ぼした。このような専横に反感が高まり、宮中の儀式の場で、中大兄皇子と中臣鎌足らによって暗殺された。？～645。飛鳥宮跡（あすかきゅうせき）〈見学自由〉が、入鹿暗殺の舞台といわれている。この事件を乙巳の変と呼ぶ。

水落遺跡《みずおちいせき》

地図p.134-D
奈良文化財研究所飛鳥資料館から20分、飛鳥から3分

非常に堅固な造りの建物跡で、漆塗りの木箱、木樋《もくひ》や銅管が発掘され、660（斉明6）年に中大兄皇子《なかのおおえのおうじ》が漏刻台《ろうこくだい》（水時計）を作ったという『日本書紀』の記述を裏付けるものとされている。

☎0744-54-3240（飛鳥観光協会）。明日香村飛鳥。見学自由。

甘樫丘《あまかしのおか》

地図p.134-D
水落遺跡から15分、甘樫丘から10分

飛鳥のほぼ中央にある標高148mの小高い丘。飛鳥時代にはこの丘に時の権力者蘇我蝦夷《えみし》・入鹿《いるか》親子が豪壮な大邸宅を構えていたという。今では、丘全体が歴史公園になっている。ここから大和三山《やまとさんざん》を眺めることができる。

☎0744-54-2441（飛鳥管理センター）。明日香村豊浦。

深く知る　古墳が一直線に並ぶ「聖なるライン」

飛鳥を一望できる甘樫丘では、地図と風景を照らし合わせてみたい。藤原京の朱雀《すざく》大路を真南へ延長した線上に、菖蒲池古墳、天武・持統《じとう》天皇陵、中尾山古墳、高松塚古墳、キトラ古墳が並んでいると指摘する「聖なるライン」説がある。どんな意味があるのかなど詳細は不明で、単なる偶然なのかどうか論議が分かれている。この一帯は天武・持統天皇の皇子や王族の墓とみられる古墳が集中していて、藤原京の陵園ではないかとする説もある。

〈水落遺跡〉

▼中大兄皇子《なかのおおえのおうじ》

中臣鎌足とともに蘇我氏を滅ぼし、皇太子となって大化の改新を推し進めた。政治的な妨げとなるものは異母兄や従弟であっても容赦なく討ち、やがて天智天皇となった。近江の大津宮に遷都した。626〜671。

〈甘樫丘からの眺め〉

▼甘樫丘から見る大和三山《やまとさんざん》

藤原京を囲む天香久（あまのかぐ）山・畝傍（うねび）山・耳成（みみなし）山を合わせた名称。中大兄皇子が三山を男女に見立てて詠んだ妻争いの歌をはじめ、『万葉集』の舞台として有名。

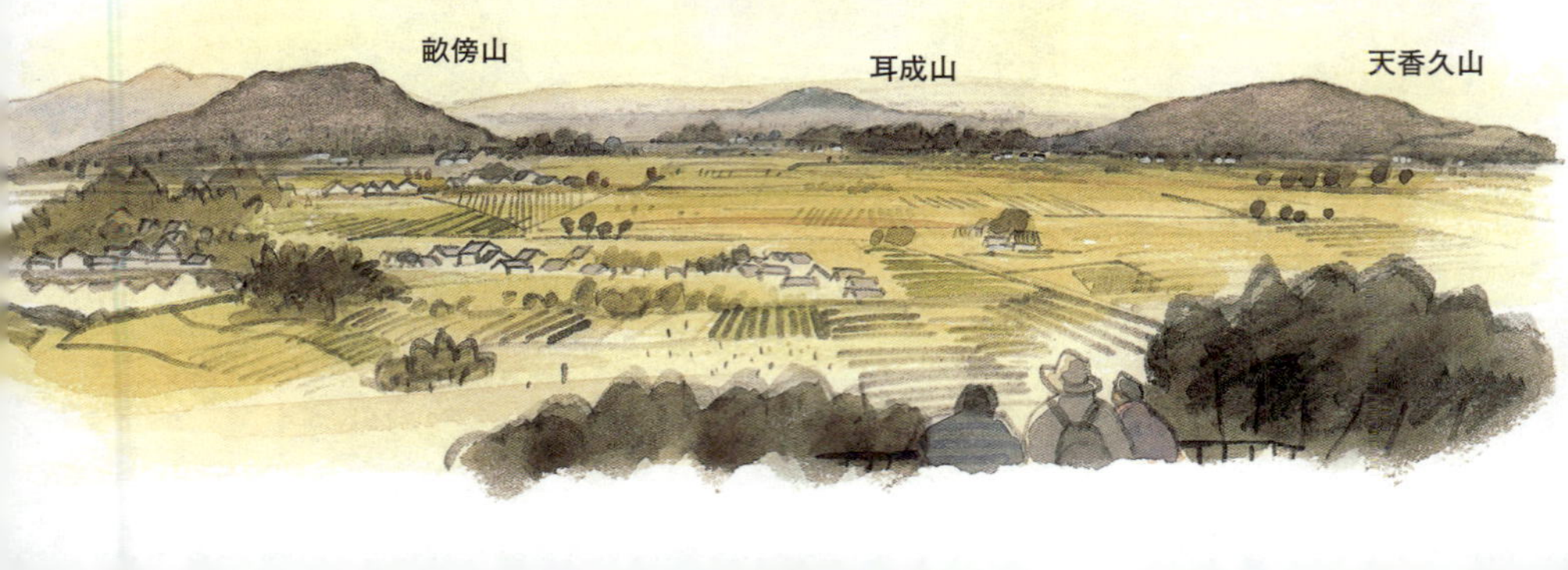

〈レストランあすか野〉
☎0744-54-4466。
明日香村島の庄165-1。
11:00～15:00
不定休。

多彩で充実した内容の創作古代食

〈めんどや〉
☎0744-54-2055。
明日香村岡40。
11:00～売り切れ次第閉店。
不定休。

おすすめの飛鳥路旅の味セット

食べる

古代食 ◎石舞台古墳周辺

【レストランあすか野】《れすとらんあすかの》

地図p.134-D

石舞台から1分

［飛鳥の宴3850円］

石舞台のバス駐車場の近くで、創作古代食が味わえる店。博物館などで再現されている古代食は、かなり豪華な印象だが、赤米、鴨、川魚、山菜、古代のチーズ「蘇《そ》」などが並ぶ創作古代食・飛鳥の宴（2日前までに要予約）のほか、あすか御膳1430円や和風会席料理など。

食事処 ◎岡寺周辺

【めんどや】《めんどや》

地図p.134-D

岡天理教前から1分

［飛鳥路旅の味セット1200円］

店名の由来は「面倒見がいいから、めんどや」。飛鳥を訪れた人たちを温かくもてなす。飛鳥路旅の味セットは、具だくさんのにゅうめん、柿の葉寿司、わらび餅、フルーツが付くお得なセット。ひょうたん弁当1650円も人気。牛乳入りのスープで煮込む名物「飛鳥鍋」には、地鶏と地場野菜がたっぷり使われている。飛鳥鍋は1人前3850円、2人以上でがベター。

〈café ことだま〉
☎0744-54-4010。
明日香村岡1223。
10:00～17:00（16:30LO）、
土・日曜・祝日は～18:00
(17:30LO)。
火曜・第3水曜（祝日の場合は
要問い合わせ）休。

ことだまランチは
できれば予約がの
ぞましい

カフェ ◎岡寺周辺

【café ことだま】《かふぇ ことだま》

地図p.134-F

岡寺前から1分

［ことだまランチ1650円］

築200年にもなる民家を改築したカフェ。ランチには、地元明日香村産の野菜をふんだんに使ったボリューム満点の「ことだまランチ」1650円がおすすめ。デザート類も豊富で、春のイチゴ、夏の桃、秋のブドウなど季節の果物を使ったパフェ1300円が人気。珈琲屋ならまちの豆を使ったブレンドコーヒー、伊勢の和紅茶、万葉薬膳チャイなどドリンクメニューも豊富。

飛鳥の旬の素材が使われる

ハイカラな雰囲気

〈萩王〉

☎0744-54-3688。明日香村飛鳥180。

昼は11：30〜13：10と13：30〜15：20の2部制、17：00〜20：30（昼・夜とも9：00〜20：00予約受付）。

不定休。

日本料理 ◎飛鳥寺周辺

【萩王《はぎおう》】

地図p.134-D
飛鳥から3分

［小懐席（昼）4180円］
豪壮な屋敷を活した日本料理店。飛鳥の地の野菜など、吟味した素材だけを使い、創意工夫を凝らした懐石料理をゆっくりと楽しめる。食事は昼、夜ともに予約制で、小学生未満は利用できない。ほかに懐席7700円、夜は1万5000円〜のコースもある。

買う

乳製品 ◎甘樫丘周辺

【みるく工房飛鳥《みるくこうぼうあすか》】

地図p.134-D
甘樫丘から20分

［飛鳥の蘇1188円］
いかにも飛鳥らしい品、古代のチーズ「蘇《そ》」を製造販売する乳製品加工所。蘇はシルクロード経由で伝わったという食品で、生乳を煮詰めて作る。チーズというよりミルクキャラメルのような味。「飛鳥の蘇」、牛乳の「飛鳥の美留久」、のむヨーグルト「飛鳥の酪」などがあり、明日香地区のみやげ店でも購入できる。

人気のラインナップ3種

〈みるく工房飛鳥〉

☎0744-22-5802。

橿原市南浦町877。

10：00〜17：30。

不定休。

泊まる

ペンション ◎飛鳥駅周辺

【ペンション飛鳥《ぺんしょんあすか》】

地図p.134-E
飛鳥駅から2分

［1泊2食付1万円〜］
飛鳥散策の拠点にぴったりなペンション。和室1室、洋室はツインからファミリーまで11室、各部屋にバス・トイレを完備している。1階の「陽だまりCafeあすか」は季節野菜を使った限定ランチが好評。11時〜14時のランチタイムのおすすめは陽だまりカフェランチ1580円。

朝食付、食事なしプランもある

〈ペンション飛鳥〉

☎0744-54-3017。

明日香村越17。

橿原《かしはら》

地図p.9-K

畝傍《うねび》山、天香久《あまのかぐ》山、耳成《みみなし》山の大和三山に囲まれた橿原・藤原宮跡のエリアは遺跡の宝庫。日本の古代史がここにある。

見る

橿原神宮《かしはらじんぐう》

地図p.134-C
橿原神宮前駅から👟10分

神武天皇が諸賊を平定し、紀元前660年に橿原宮で即位して最初の天皇になったという『日本書紀』の記述をもとに、1890（明治23）年に創建。約50万㎡の広大な神域をもつ。本殿は京都御所の賢所《かしこどころ》を移築したもの。

☎0744-22-3271。
橿原市久米町934。
6:00～18:00。境内自由。

奈良県立橿原考古学研究所附属博物館《ならけんりつかしはらこうこがくけんきゅうしょふぞくはくぶつかん》

地図p.134-A
畝傍御陵前駅から👟5分

旧石器時代から縄文・弥生時代の土器や石器、古墳時代の埴輪や副葬品など出土品の展示、飛鳥・奈良時代の都の様子などを、模型やパネルで紹介。ボランティアガイドの解説もある。

☎0744-24-1185。
橿原市畝傍町50-2。
9:00～17:00（入館は～16:30）。
月曜（祝日の場合は翌日）休、その他臨時休館あり。
400円（特別展は変更）。

藤原宮跡《ふじわらきゅうせき》

地図p.134-B
大和八木駅から橿原市コミュニティバスで
♀橿原市藤原京資料室前下車👟すぐ

藤原京は694（持統8）年に造営されたわが国初めての中国式都城。往時は、中央に政務を行なう大極殿や天皇の住居、貴族の屋敷が建ち、人口2～3万の都だったという。

橿原市藤原京資料室／☎0744-24-1114。橿原市縄手町178-1。9:00～17:00（最終入室16:30）。月曜（祝日の場合は翌日）休。無料。

泊まる

ホテル ◎橿原神宮前駅周辺

【THE KASHIHARA】《ざ・かしはら》

地図p.134-C
橿原神宮前駅から👟1分

【1泊2食付1万7820円～】

近鉄橿原神宮前駅東口より徒歩約1分というアクセスの良さ。シティホテルでは珍しい温泉大浴場がある。和食レストラン「まほろば」、最上階から山々の眺望が望めるフレンチ「スカイレストラン 橿原」、中国料理を提供する「鳳凰」、3つのレストランがある。

☎0744-28-6636。
橿原市久米町652-2。

〈藤原宮跡〉
☎0744-22-1115（橿原市観光政策課）
橿原市醍醐町・高殿町・別所町・縄手町。見学自由。

このエリアの行き方

奈良駅から橿原へは近鉄線で5分の大和西大寺駅で乗換え、畝傍御陵前駅まで急行30分、橿原神宮前駅まで同31分。耳成駅は大和西大寺駅から急行21分の大和八木駅で近鉄大阪線に乗換え、2分。

このエリアの行き方

橿原神宮前駅を起点として社寺めぐりまたは藤原宮跡をめざすコースなど考えられる。藤原宮跡へは大和八木駅から橿原市コミュニティバスを利用。ルートによってはレンタサイクルが便利。近鉄サンフラワーレンタサイクル／橿原センター（駅東口）☎0744-28-2951。

江戸の町が残る 今井町《いまいちょう》を歩く

地図p.134-A

豊田家住宅

■古い町並みを訪ねて

室町時代から受け継がれてきた伝統的な町並みが大切に保存されている橿原市今井町。東西600m、南北310mの狭い土地に、虫籠《むしこ》窓や格子などに意匠を凝らした町家が所狭しと立ち並んでいる。

今井町は天文年間（1532〜1554）に開かれた**称念寺**《しょうねんじ》を中心に寺内町《ないちょう》として発展し、江戸時代は商業の町として繁栄。400年間火災に遭わなかったため、室町時代の町割りや、江戸時代の贅を尽くした商家建築が残り、8軒は国の重要文化財だ。

幕末期に建てられた高木家住宅

■意匠を凝らした町家

町歩きの第一歩は今井まちなみ交流センター「華甍《はないらか》」。ここで今井町の歴史や町家の構造を知ると、町並みの細部まで楽しめる。細い格子や六間取りの座敷が特徴的なのは**高木家住宅**。**河合家住宅**は豪壮な構えの造り酒屋で、出格子や駒つなぎなど細部にも注目したい。江戸中期建造の**旧米谷**《こめたに》**家住宅**は農家風だ。**音村家**は17世紀後半頃の建築。**上田家**は惣年寄《そうどしょ》りを務めた家で、玄関が西側にあるのが珍しい。米屋を営んでいた**中橋家住宅**の斜め向かいは、町の起源である称念寺だ。材木商だった**豊田家住宅**は、外観も内部も豪商らしく重厚な造り。民家ながら城郭風の外観の**今西家住宅**も、惣年寄りを務めていた家のもの。

ゆかしい家並みが続く

このエリアへの行き方

●今井町へ近鉄橿原線の八木西口駅から🚶5分。特急停車の大和八木駅からでも🚶10分。
●奈良・京都・大阪難波・名古屋方面からは、近鉄線の特急などを利用し、八木西口駅のひとつ北にある大和八木駅で乗り換え。
●大阪阿部野橋方面からは、近鉄南大阪線の特急などを利用。橿原神宮前駅で乗り換え。
●近鉄奈良駅からは大和西大寺駅を経由し、橿原神宮前行き列車を利用。
＊各方面から大和八木駅まで特急、急行が1時間に4〜5本運行。京都駅から特急47〜54分。大阪難波駅から特急30分。近鉄名古屋駅から特急1時間37〜50分。大阪阿部野橋駅から特急35分。

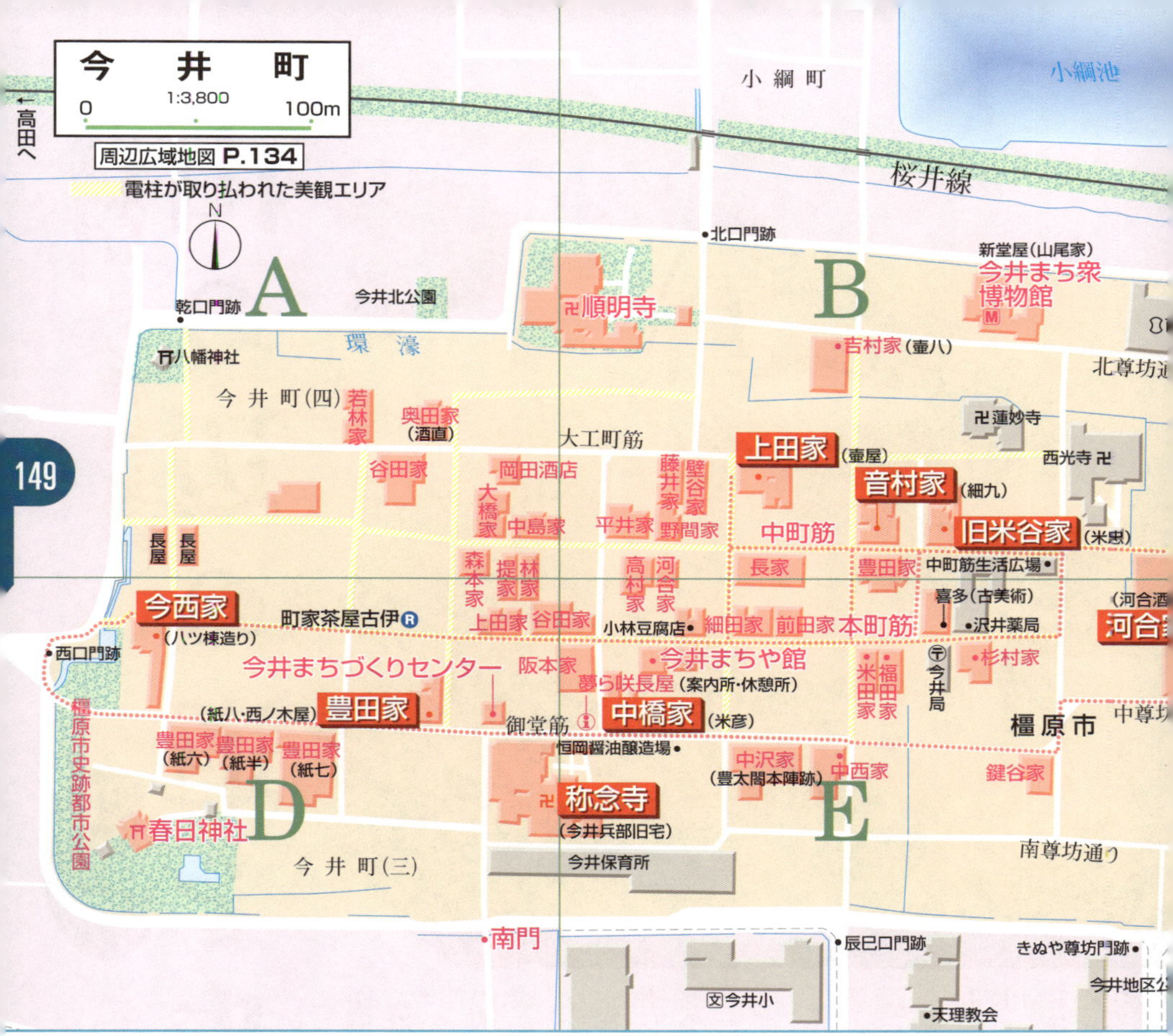

深く知る

玄関の先の小さな金具は身分の証

町並みを眺めていると、表の格子に取り付けられた鉄の輪に気づくはずだ。これは馬をつなぐための「駒つなぎ」といわれるもので、土台の金具が大きいほど身分が高いことを示している。大名に高利で金を貸し付けた大名貸《だいみょうがし》や、現在の金融業にあたる掛屋《かけや》、藩の蔵屋敷で商品売買を代行した蔵《くら》元《もと》を営んでいた家の前にあり、借金に来た武士が馬をつないだ。一般の家にあるものは牛つなぎという。

食べる

【町家茶屋《まちやぢゃや》古伊《ふるい》】

そば＆喫茶 ◎今井町

地図p.149-D

八木西口駅から 12分

築300年の町家を改造した休み処。両替商や材木商を代々営んできた家で、梁や柱から調度品に至るまで、歴史を感じさせる重厚な造りだ。表口と中庭へ通じる土間「通り庭」や落ち着いた座敷でぜんざいなどの甘味、柿の葉ずしやそばが味わえ、町家の雰囲気も楽しめる。

☎0744-22-2135。今井町4-6-13。10:30～17:00(土・日曜、祝日は～17:30)。4・5・10・11月は月曜休（祝日の場合は翌日)、そのほかは不定休。

※今井町の家々の大半は現在でも住宅として使われている。

地図p.9-I

日本最古の幹線道路

山の辺の道を歩く

「山《やま》の辺《べ》の道」とは、飛鳥と平城京を結ぶ道として開かれた、日本最古の幹線道路。現在は、古来の道筋とは異なる部分もあるが、東海自然歩道として整備されている。深閑とした杉並木あり、のどかな田園風景あり。古墳や神社も多く飽きることがない。

《歩き方のヒント》

ハイキングコースとして一般的なのは、天理駅〜桜井駅の約18㎞。全行程を歩くとたっぷり一日かかる。どちらの駅を始点にするか迷うところだが、高低差もそれほどないため、当日の宿泊地に近い方を終点とするとよいだろう。

半日で歩きたい場合は、天理駅〜柳本駅か、柳本駅〜桜井駅を歩くのが一般的。それぞれ3〜4時間程度だ。コースと平行してJR桜井線と国道169号線が走っており、疲れたら電車やバスを利用できるので安心だ。道中は階段や石畳、あぜ道のような部分もあるため、歩きやすい靴で。

レンタサイクルはおすすめできない。食事処は数カ所のみ。お弁当を用意してピクニック気分を楽しむのもいい。

《このエリアへの行き方》

大阪・名古屋方面からは近鉄大阪線を利用して桜井駅でJR線に乗り換え。京都・奈良方面からは近鉄橿原線を利用して平端《ひらはた》駅で天理線に乗り換える。JR奈良駅からはJR桜井（万葉まほろば）線を利用。（桜井駅にはJR奈良駅から桜井線で28〜34分）

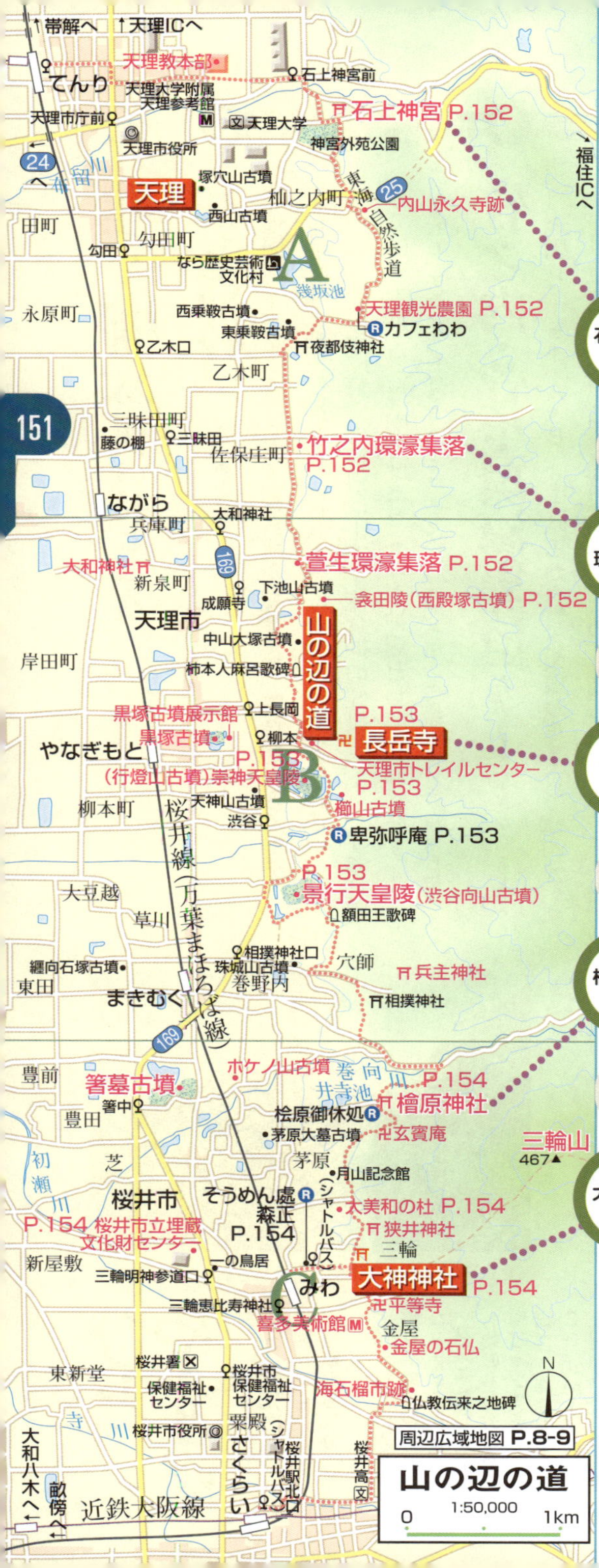

天理駅～石上神宮
2km　40分

天理駅と天理教本部の間はアーケード街。天理教本部～石上神宮は、天理教の建物が左右に並ぶ舗装道路を歩く。

果樹園の間をアップダウン

柿畑の間の多少アップダウンがある道で、部分的に石畳や階段もある。このあたりは果物や野菜の無人販売店が多い。

見晴らしのいい田園地帯

平たんな田園地帯で、山の辺の道の中ではもっとものどかな雰囲気。西側に大和盆地を一望しながら、軽快に歩くことができる。途中に現れる集落は細い路地に土壁の家々が連なり、歴史を感じさせる。

見どころの多いハイライト

花の寺として人気の高い長岳寺周辺は、クルマでの観光客も多く、にぎやかな雰囲気。長岳寺以南は、龍王山の山裾をぬうように道が続く。景行天皇陵など大型の古墳が多いエリアだ。

深閑とした杉木立

飛鳥時代以前から聖なる山と崇められた三輪山麓に、古社が点在する。古社を結ぶのは、昼でも薄暗い杉木立の道。北側ののどかな雰囲気とはまったく違い、荘厳な気配さえ漂う。

大神神社～桜井駅
2.5km　40分
大神神社～三輪駅
700m　10分

喜多美術館～桜井駅は舗装された町中の道で、古道らしい風情はない。ここを避けるには、JR桜井線三輪駅を始終点とするのがいい。

天理～柳本間の見どころ

徒歩1時間30分 ― 徒歩30分 ― 徒歩30分

石上神宮《いそのかみじんぐう》

地図p.151-A　♀石上神宮前から5分、天理駅から35分

布都御魂《ふつのみたま》大神を祭神とし、神武天皇ゆかりの神剣が御神体の古社。国宝の入母屋造檜皮葺きの拝殿は平安～鎌倉期の建築で、現存する拝殿としては日本最古。境内ではニワトリを神鶏として飼育。☎0743-62-0900。天理市布留町384。5時30分頃～17時30分頃（季節変更あり）。境内自由。

竹之内・萱生環濠集落《たけのうち・かようかんごうしゅうらく》

地図p.151-A・B　♀三昧田から竹之内環濠集落まで20分

中世の大和地方では、集落が自衛のために周囲に濠《ほり》を造っていた。竹之内と萱生の環濠集落はその一部。今は柿畑にかこまれ、灌漑《かんがい》用の溜め池が点在する平和な集落となっている。☎0743-63-1242（天理市観光協会）。天理市竹之内町、萱生町。

〈萱生環濠集落〉

衾田陵（西殿塚古墳）《ふすまだりょう（にしとのづかこふん）》

地図p.151-B　♀成願寺から20分

大和古墳群のなかでも最大級の前方後円墳。継体天皇の皇后で、欽明天皇の母の手白香皇女《たしらかのひめみこ》の墓とされる。柿畑や葛城山を望むのどかな地にあり、あぜ道の先に石の鳥居の拝所がある。☎0743-63-1242（天理市観光協会）。天理市中山町。見学自由。

〈長岳寺〉

ひとやすみ

天理観光農園《てんりかんこうのうえん》

地図p.151-A
天理駅から50分

10～11月のみかん狩りや農作物の直売など旬を楽しめる。「カフェわわ」では名物のあわもちや石窯ピッツァを。☎0743-66-1663。10時～16時。月・火曜休（祝日の場合は営業）。不定休あり。

柳本～桜井間の見どころ

長岳寺《ちょうがくじ》

地図p.151-B ♀上長岡《かみなんか》から5分

824(天長元)年、淳和《じゅんな》天皇の勅願により弘法大師が創建したと伝わる古寺で、花の寺としても有名。仏像、建造物ともに重要文化財を数多く有する。本尊の阿弥陀如来像は観世音菩薩と勢至《せいし》菩薩を両脇に従えた堂々たる姿。また、庫裡《くり》では名物の山の辺そうめん(要予約)を賞味できる。☎0743-66-1051。天理市柳本町508。9時～17時。山の辺そうめんは要連絡。

徒歩20分

崇神天皇陵《すじんてんのうりょう》(行燈山古墳《あんどんやまこふん》)

地図p.151-B ♀柳本から1分、柳本駅から20分

全長242m、美しい濠に囲まれた古墳時代前期の前方後円墳。被葬者は崇神天皇とされるが定かではない。崇神天皇は各地の勢力を平定して大和朝廷を確立したといわれ、実在の可能性のある最初の天皇だと考えられている。☎0743-63-1242(天理市観光協会)。天理市柳本町。外部のみ見学自由。

徒歩1時間

景行天皇陵《けいこうてんのうりょう》(渋谷向山古墳《しぶたにむかいやまこふん》)

地図p.151-B ♀渋谷から10分

大和古墳群では最大規模で全長300m。被葬者は景行天皇とされるが定かではない。景行天皇は『古事記』『日本書紀』によると、数々の英雄伝説で知られる日本武尊の父にあたる。古墳のまわりには陪冢《ばいちょ》

長岳寺の山の辺そうめん

〈崇神天皇陵〉

歌碑の墨拓をとる人も

長岳寺庫裡《ちょうがくじくり》

庫裡とは、寺院の台所。山の辺そうめんが名物で、10月～4月にはにゅうめんになる。
●長岳寺と同

天理市トレイルセンター

地図p.151-B
♀渋谷から5分

長岳寺前にある、案内所&休憩所。周辺の植物や古墳の資料などを。レストラン(第1月曜休)、シャワーや無料のお茶もある。☎0743-67-3810。8時30分～17時。第1月曜休。無料。

卑弥呼庵《ひみこあん》

地図p.151-B
♀渋谷から8分

抹茶や茶筅で泡立てた和風コーヒーが名物。自宅の座敷を開放した店。☎0743-66-0562。9時～17時。不定休。

徒歩25分　徒歩30分

と呼ばれる従者を葬った墓もある。☎0743-63-1242（天理市観光協会）。天理市渋谷町。外部のみ見学自由。

檜原神社《ひばらじんじゃ》

地図p.151-C　大神神社から10分

崇神天皇が天照大神《あまてらすおおみかみ》を祀った社とされる。天照大神が伊勢神宮に移されたため、ここは元伊勢とも呼ばれる。三輪山中の磐座をご神体とし、境内には三ツ鳥居があるのみ。桜井市三輪。境内自由。

大神神社《おおみわじんじゃ》

地図p.151-C　三輪駅から5分、桜井駅からシャトルで20分

背後にそびえる三輪山を御神体とする神社。伊勢神宮、出雲大社と並ぶ古社のひとつとされている。拝殿は平成の大造営を終えたばかりで檜皮葺《ひわだぶ》きが美しい。境内には縁結びの夫婦岩や樹齢700年といわれる巳の神杉などがある。酒神の少彦名命《すくなびこなのみこと》を祭神としているためか、酒造関係者からの奉納物も多い。酒屋で見かける杉玉（新酒ができた印）は、三輪山の杉で作られるとか。☎0744-42-6633。桜井市三輪1422。境内自由。

桜井市立埋蔵文化財センター《さくらいしりつまいぞうぶんかざいせんたー》

地図p.151-C　三輪駅から15分、三輪明神参道から3分

纒向《まきむく》遺跡やメスリ山古墳など、桜井市の遺跡や古墳から発掘した品を中心に展示する施設。旧石器時代から古代にかけての銅鐸《どうたく》や玉、埴輪《はにわ》などが見られる。☎0744-42-6005。桜井市芝58-2。9時～16時30分（入館は～16：00）。月・火曜・祝日の翌日休。300円（特別展時は400円）。

〈檜原神社〉

のど越しのいい森正のそうめん

大美和の杜《おおみわのもり》

地図p.151-C
三輪駅から15分

三輪山のふもとに広い敷地を有し、緑の中を気持ちよく散策できる。展望台や芝生広場があり、休憩にちょうどよい。☎0744-42-6633（大神神社）。入場自由。

そうめん處森正《どころもりしょう》

地図p.151-C
三輪駅から7分

大神神社二ノ鳥居の近くの名物店。本場の三輪そうめんなどが楽しめる。にゅうめん880円、冷やし（春～秋）1000円、釜揚げ（秋～春）1000円。柿の葉寿司800円も人気。☎0744-43-7411。10時～17時（変更あり）。火曜休、ほかに月曜不定休（1日、祝日の場合は営業）。

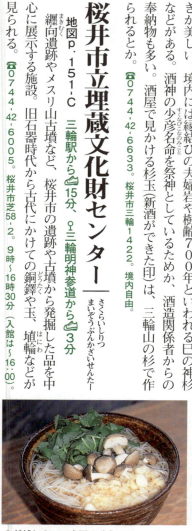

長谷寺《はせでら》

地図p.9-I

人気度 ★★★★
風情 ★★★★
国宝 長谷寺本堂

ボタン・アジサイが境内に咲く、花の寺

長谷は大和と伊勢、伊賀を結ぶ伊勢街道沿いにあり、古くから交通の要衝として開けた。平安時代には貴族の初瀬詣が盛んになり、この一帯は長谷寺の門前町として栄えるようになる。現在の長谷寺は、ボタン、アジサイなど花の寺としても知られ、境内のしっとり落ち着いた雰囲気に魅了されて訪れる人が多い。

回る順のヒント

長谷寺の起点は長谷寺駅になる。とくに回る順番に注意するほどのことはないが、法起院に行ってから、長谷寺に向かうようにしたい。伽藍《がらん》の大きさは圧倒的に長谷寺が上回っているので、後から法起院に行くと見学気分の盛り上がりに欠ける可能性があるからだ。

〈長谷寺の山門に続く長い階段〉

他のエリアへの向かい方

長谷寺エリアから桜井・室生寺方面へ向かうには、長谷寺駅から近鉄大阪線を利用する。

行き方・帰り方

奈良駅から長谷寺へは近鉄奈良線で5～7分の大和西大寺駅で近鉄橿原線に乗り換え、急行で20～24分の大和八木駅で近鉄大阪線に乗り換え、長谷寺駅まで10～13分。

長谷寺へは、長谷寺駅下車後、北西方向へ歩き、国道を越えたら右へ折れて初瀬川に沿う形で進む。

〈長谷寺の絵馬〉

このエリアへの行き方

目的地	出発点	列車	所要時間	下車駅
長谷寺	近鉄奈良駅	近鉄橿原線・近鉄大阪線	45～82分	長谷寺駅
長谷寺	橿原神宮前駅	近鉄橿原線・近鉄大阪線	18～30分	長谷寺駅
法起院	近鉄奈良駅	近鉄橿原線・近鉄大阪線	45～82分	長谷寺駅
法起院	橿原神宮前駅	近鉄橿原線・近鉄大阪線	18～30分	長谷寺駅

長谷寺《はせでら》

地図p．157-A
長谷寺駅から徒歩25分

686（朱鳥元）年、天武天皇の勅願によって、千仏多宝仏塔が建てられたのが始まりとされている。西国観音霊場巡拝の根本霊場として信仰を集め、全国に末寺3000余り、檀信徒300万人という真言宗豊山派の総本山である。

緑が豊かな初瀬山の中腹に大伽藍《がらん》を持ち、ゆるやかな階段が続く登廊と7000株のボタンが咲き誇る花の寺として有名。舞台造りの荘厳な本堂は、江戸時代に徳川家光の寄進によって再建されたもので国宝。本尊の**十一面観音**菩薩像は、「長谷型観音」と呼ばれる身の丈10m余りの木造仏だ。山からせり出したように作られている本堂の舞台からは、境内や初瀬の風景を眺めることができる。

☎0744-47-7001。桜井市初瀬731-1。8:30～17:00（10・11・3月は9:00～、12～2月は9:00～16:00）。500円。

法起院《ほうきいん》

地図p．157-A
長谷寺駅から徒歩15分

長谷寺の塔頭《たっちゅう》であり、開山堂でもある寺で、西国三十三カ所霊場の番外札所。観音巡拝の元祖である徳道上人を祀っている。道明上人とともに長谷寺を開基した徳道上人は、晩年にはこの地に隠棲したとされる。撫でると病が治るといわれる「びんずる尊君」、触れると願いがかなうという「上人のくつ脱ぎ石」などがある。

☎0744-47-8032。桜井市初瀬776。8:30～17:00。（12月～3月19日は9:00～16:30）。境内自由。

〈長谷寺〉

〈法起院〉

見る

▼十一面観音
頭上にある10または11の面は、正面の3面が慈悲、向かって右3面が憤怒（ふんぬ）、向かって左3面が牙をむき、後方の1面が大笑（たいしょう）の相で、頂上は阿弥陀仏を表すという。右手を下げ、左手に水瓶や蓮華を持っているのが一般的な姿。他方、地蔵菩薩は右手に錫杖（しゃくじょう）、左手に宝珠を持つ像が多い。

総本舗 白酒屋は草もちでも有名

〈総本舗 白酒屋〉
☎0744-47-7988。
桜井市初瀬728-8。
10:00～17:00。
不定休。

〈長谷路〉
☎0744-47-7047。
桜井市初瀬857。
11:00～16:00。
4・5・11月は無休、あとは不定休。

長谷路の風格ある門は時代を感じさせる

食べる

休み処 ◎長谷寺周辺

【長谷路《はせじ》】

地図 p.157-B
長谷寺駅から 12分

江戸末期頃に建てられた屋敷の一部を茶席として開放している。庭園を眺めながらの一服に心が洗われる。菓子付きの抹茶が美味で、柿の葉寿司のついたにゅうめんや山菜そばのセット1100円などの軽食もある。

[抹茶（菓子付き）600円]

買う

和菓子 ◎長谷寺周辺

【総本舗 白酒屋《そうほんぽ しろざけや》】

地図 p.157-A
長谷寺駅から 20分

店頭のせいろで米粉を蒸し上げ、木臼で搗きあげる。十勝産のあずきを使った自家製のあんは、ほどよい甘さが好評。上質な酒粕を使用する奈良漬も名物で、長い年月じっくりと熟成させた三年漬と呼ばれるもの。定番の瓜から生姜、胡瓜もある。

[草もち6個入750円]

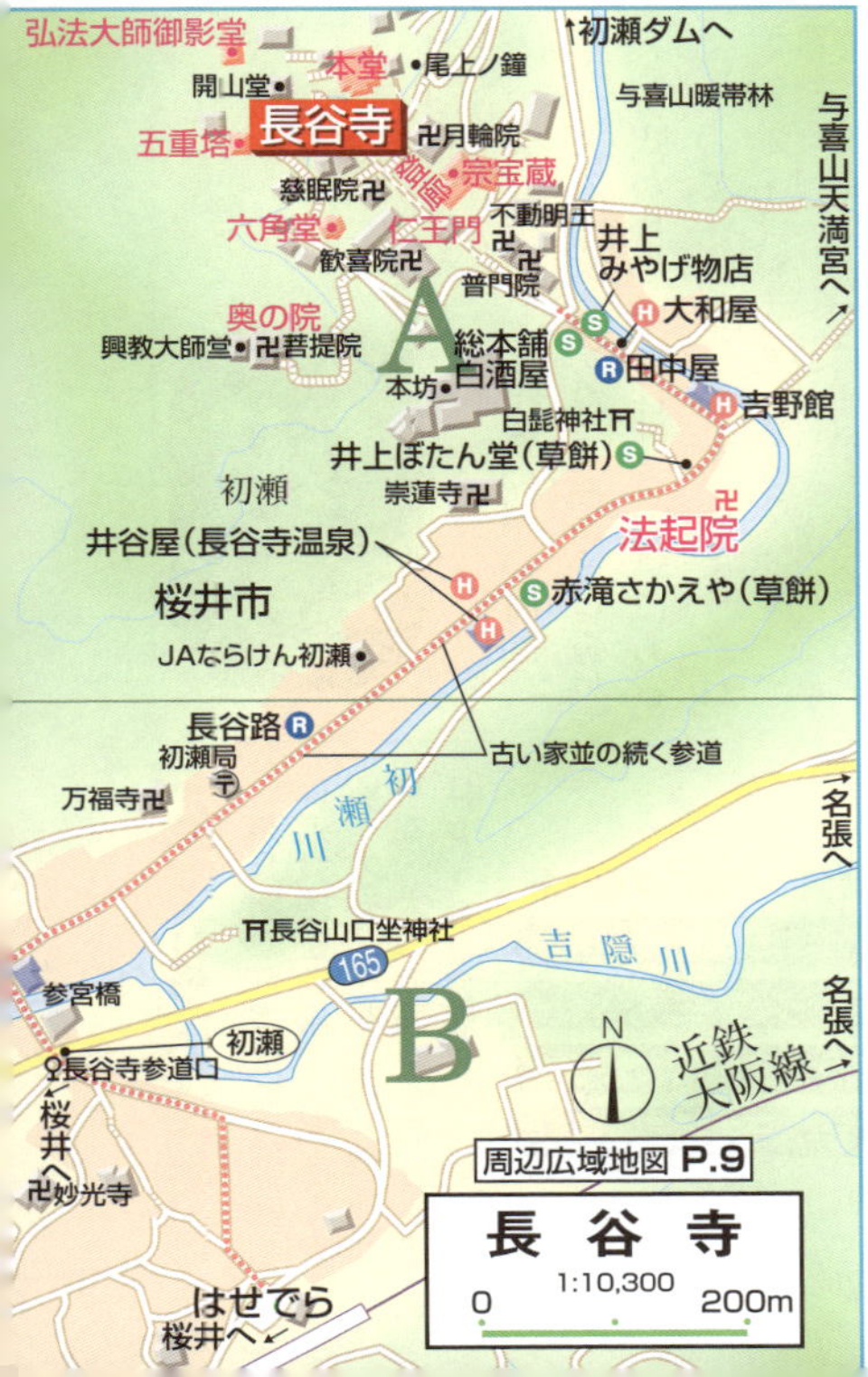

湯元ならではの質の良い温泉が楽しめる

〈井谷屋〉
☎0744-47-7012。
桜井市初瀬828。

泊まる

旅館 ◎長谷寺周辺

【井谷屋《いたにや》】

地図 p.157-A
長谷寺駅から 15分

江戸末期創業の老舗の宿。眺望のいい大浴場は自家源泉で、旅の疲れを癒してくれる。倭鴨の小鍋やごま豆腐等、大和の食材を取り入れた会席料理が味わえる。昼食は3000円（サ込み・税別）～で味わえる。要予約で2名以上から受け付け。

[1泊2食付1万3000円（サ込み・税別）～]

室生寺《むろうじ》

地図p.6-L

人気度 ★★★★
風情 ★★
国宝
室生寺／本堂、金堂、釈迦如来立像など

伊勢と大和を結ぶ要衝の地 室生寺は、シャクナゲ色に染まる女人高野の里

「女人高野」室生寺は、春はシャクナゲ、秋は紅葉の彩りが美しい。建物、仏像など国宝を数多く有し、杉木立に囲まれた幽寂な静けさの中に建っている。平安時代初期に建てられた日本最小の五重塔（国宝）は98年の台風で大破したが2年後に修復が完了し、以前と変わらぬ優美なたたずまいを見せている。

室生寺には気品のある静寂さが漂う

回る順のヒント

室生寺を中心とするポイントは近接していて、数時間あれば余裕をもってめぐることができる。欲張って長谷寺（p.156）を加えたルートも不可能ではない。ただし、1日はかかるスケジュールとなる。長谷寺を含むルートは室生寺を先に訪れる方がいい。1日7～8本と本数の少ないバスを利用する室生寺を先にし、午後の早い時間に長谷寺に向かう。長谷寺は近鉄駅から歩いて行ける距離にあるので、帰りは室生寺のようにバス時刻を気にする必要がない。

室生寺で時間がとれるなら、ハイキング気分で回ることもおすすめ。高い石段を登り切った奥の院の御影堂(重文)は鎌倉時代後期建造で、全国でも最古級の堂。次に室生龍穴神社、さらに奥の龍穴へと歩くプランもある。大野寺近くの磨崖仏《まがいぶつ》は午後の日射しの方がよく見える。

他のエリアへの向かい方

桜井・長谷寺方面へ向かうには、室生口大野駅から近鉄大阪線を利用する。

このエリアの行き方

奈良駅から室生口大野駅へは近鉄線を利用。大和西大寺駅、大和八木駅で乗り換える。京都・大阪方面からの行き方はp.132参照。

このエリアへの行き方

目的地	出発点	おもなバス系統など	所要時間	下車バス停・駅
室生寺	室生口大野駅	🚌43	14分	室生寺
室生龍穴神社	室生口大野駅	🚌43	14分	室生寺
大野寺	近鉄奈良駅	近鉄橿原線、近鉄大阪線など	57～89分	室生口大野駅
滝谷花しょうぶ園	室生口大野駅	近鉄大阪線	2分	三本松駅

🚌43：室生寺行き

室生寺《むろうじ》

地図p.159
室生寺から徒歩5分

8世紀末に興福寺の僧・賢璟《けんきょう》が建立したとも、天武天皇の勅願により役行者《えんのぎょうじゃ》が開き、のちに空海が再興したともいわれている。高野山《こうやさん》と並ぶ密教の道場として栄え、女人禁制の高野山に対して、女性の参拝を認めていたため「女人高野」と呼ばれた。五重塔（p.15参照）や金堂など建造物は荘厳そのもの。鎧《よろい》坂から続くシャクナゲの群生は3000株といわれ、初夏には薄桃色の花を咲かせる。

深く知る　室生寺と水の関わり　古来から室生には水神がいると信じられ、室生寺の創建も、水の神＝龍神を祀った室生龍穴《むろうりゅうけつ》神社に由来するといわれている。室生寺の室生寺山内で水との関わりをうかがわせるのは、金堂の帝釈天曼荼羅《たいしゃくてんまんだら》図と五重塔の相輪《そうりん》。曼荼羅は本尊・釈迦如来像の後ろにあるのではっきり見えないが、古代インドの降雨の神・帝釈天を中心とする図で、この種のものとしては珍しい。一方、五重塔の相輪は、一般的な火焔《かえん》型の水煙の代わりに宝瓶《ほうびょう》と天蓋《てんがい》が掲げられている点が非常に珍しく、宝瓶を水瓶《すいびょう》とみる説もある。

☎0745-93-2003。宇陀市室生78。9:00～16:00。600円。

行き方・帰り方

室生寺へは近鉄大阪線・室生口大野駅からバス14分。1時間に1本程度の運行になっている。待ち時間によっては駅から徒歩約5分の大野寺と磨崖仏を先に拝観し、大野寺前からバスに乗るのもいい。帰りのバスも本数が少ない。

滝谷花しょうぶ園へは、室生口大野駅の隣の三本松駅が最寄り。4月中旬～6月下旬には臨時バスが運行する。

食事処アドバイス

室生寺と大野寺の門前に、合わせて数軒の食事処がある。川魚や山菜料理などがおもなメニューだ。軽食というより和食のミニコースを出す店が多い。

見る

〈室生寺金堂〉

〈女人高野室生寺〉

室生龍穴神社《むろうりゅうけつじんじゃ》

地図p.6-L

♀室生寺から👟15分

室生は古来から水神の聖地。龍穴神社は室生寺よりも古いとされ、水の神の龍神を祀り、雨乞いの神事が行なわれてきた。神社は杉の巨木が林立する静寂の中に鎮座。ここから龍神の棲むという龍穴（奥宮）へは20分ほどで、裏山の清流沿いに龍穴といわれている洞窟と、大きな一枚岩の上を流れる龍の滝がある。

☎0745-93-2177。宇陀市室生1297。境内自由。

大野寺《おおのでら》

地図p.6-L

室生口大野駅から👟5分

681（白鳳9）年に役行者《えんのぎょうじゃ》が開いたといわれる古刹《こさつ》。室生寺の西の大門とされている。宇陀《うだ》川をはさんだ対岸の岩壁には、高さ13・8mもの弥勒磨崖仏《みろくまがいぶつ》が見える。この岩は室生火山群の特徴的な岩質である石英安山《せきえいあんざん》岩が露出したもので、白っぽい岩肌に、やや右下にうつむいたように弥勒仏が線刻されている。

☎0745-92-2220。宇陀市室生大野1680。8:00～17:00（冬期は～16:00）。300円。

花の郷　滝谷花しょうぶ園《はなのさと　たきだにはなしょうぶえん》

地図p.6-L

三本松駅から👟25分。シーズン中は奈良交通の臨時バスが運行

夏の訪れを告げる100万本のショウブは6月上旬～7月上旬にかけて、白、紫、ピンクの優雅で美しい花を咲かせる。その種類は約600種。園内は、ほかにもシバザクラ、テッセン、アジサイなど、季節ごとに色とりどりの花で埋め尽くされる。

☎0745-92-3187。宇陀市室生滝谷348。9:00～18:00。無休。900円。

〈室生龍穴神社の龍の滝〉

〈大野寺近くの弥勒磨崖仏〉

〈花の郷　滝谷花しょうぶ園〉

▼役行者《えんのぎょうじゃ》

7世紀後半の山岳修行者。本名は役小角（えんのおづの）。呪術にまつわる伝説が多数残されている。葛城山で修行し、古来の山岳宗教に陰陽道や密教などを取り入れて、修験道を開いたとされる。伊豆に流されたこと以外、詳細は不明。

地図p.9-L

桜井・多武峰《さくらい・とうのみね》

桜井は三輪山麓に広がり、山の辺の道の拠点として、また古墳群、遺跡の宝庫として有名。多武峰の山腹には談山神社が控える。

このエリアの行き方

JR奈良駅からJR桜井駅へは桜井線（万葉まほろば線）で28～34分。

見る

談山神社《たんざんじんじゃ》

桜井駅南口から🚌24分、談山神社下車👟5分

藤原鎌足《ふじわらのかまたり》を祀る神社。木造十三重塔、拝殿、本殿、東殿と重要文化財の建物が林立し、朱塗りの本殿は、のちに日光東照宮を造営する際の手本になり、「関西の日光」の異名がある。拝殿には、藤原鎌足の画像や刀剣、大化の改新のいきさつを描いた多武峯縁起絵巻などを展示。

☎0744-49-0001。桜井市多武峰319。8:30～16:30（最終受付）。600円。

談山《かたらいやま》

桜井駅南口から🚌24分、談山神社下車👟15分

徒歩の道中▼談山神社から👟20分ほどで御破裂山《ごはれつやま》山頂に出る。大和三山や二上山が見渡せる展望地。

藤原鎌足と中大兄皇子《なかのおおえのおうじ》が、蘇我氏討伐のクーデター乙巳《いっし》の変《へん》の謀《はかりごと》を相談したといわれるのが、神社の裏山。ここまで来れば人に話を聞かれることはないだろうと思えるような山中だ。

●見学自由

聖林寺《しょうりんじ》

桜井駅南口から🚌8分、聖林寺下車👟3分

712（和銅5）年に藤原鎌足の子、定慧《じょうえ》が父の菩提を弔うために創建。本尊の子安延命地蔵菩薩は大和最大の石地蔵。宝物殿ではガラス越しに国宝の十一面観音立像の拝観が可能。天平時代後期の仏像の特徴である流れるような着衣のひだ、写実的な均整のとれた姿は一見の価値がある。寺は高台にあり、眺めがよい。

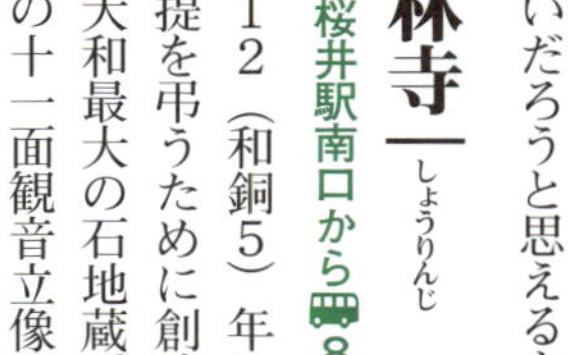

☎0744-43-0005。桜井市大字下692。9:00～16:30。400円。

安倍文殊院 あべもんじゅいん

♀桜井駅南口から7分、♀安倍文殊院下車すぐ

知恵と学問の神様。京都府天橋立の切戸《きれど》文殊、山形県亀岡文殊と並ぶ日本三大文殊のひとつ。国宝の本尊文殊菩薩は獅子に乗った文殊菩薩坐像で高さは7mもある。4体の脇侍《わきじ》を従えた凛々しい姿。ともに快慶の作と伝えられている。また、この地は安倍一族の出身地で、境内の金閣浮御堂には安倍晴明像が安置されている。

☎0744-43-0002。桜井市阿部645。9:00〜17:00。本堂、霊宝館各700円、共通券1200円

メスリ山古墳 めすりやまこふん

♀桜井駅南口から7分、♀浅古下車2分

全長224mの巨大な前方後円墳。大和政権初期の高貴な人の墓では、と推測されている。昭和34年の発掘調査では、後円部から竪穴式石室と、円筒埴輪《はにわ》、玉、鉄製の弓矢、矢じりなどがみつかった。埋葬品は桜井市立埋蔵文化財センター（p.154参照）と橿原考古学研究所附属博物館（p.147参照）に展示されている。

桜井市大字高田小字メスリ。外観のみ見学自由

ペンション ◎桜井駅周辺

【ペンション・サンチェリー】 ぺんしょん・さんちぇりー

桜井駅から1分

［1泊2食付9350円〜］

ツイン10・トリプル1・和室1の全室バス・トイレ付。1階はレストランで夕食には仏・ブルゴーニュ地方の家庭料理が楽しめる。古代大和の著書があるオーナー田中八郎さんの蔵書で、旅の味わいも深まる。

☎0744-43-5115。桜井市桜井203-4。レストランは11:00〜（ランチ〜14:00、カフェ〜18:00）。夜は予約のみ。無休

ホテル ◎談山神社周辺

【多武峰観光ホテル】 とうのみね かんこうほてる

♀桜井駅南口から24分、♀談山神社下車3分

［1泊2食付1万7600円〜］

レストランや客室から談山神社の絵のような景色を眺めることができる。和室が中心で本館新館合わせて全42室。紅葉のシーズンは混みあうので早めの予約が安心。夕食は名物の義経鍋（写真）か会席料理を選ぶ。

☎0744-49-0111。桜井市多武峰432。

回る順のヒント

桜井駅から、まず談山神社へ向かい、帰りに聖林寺、安倍文殊院などを拝観して桜井駅へ戻るルートが一般的。談山神社に着いたら、帰りのバス時刻を確認しておくと安心。談山、御破裂山まで登るなら1時間のゆとりが欲しい。階段が続く登り坂なので、歩きやすい靴で行きたい。♀多武峰前の屋形橋や不動滝も見ておきたい。不動滝〜聖林寺〜桜井駅間はバスを利用してもいいし、聖林寺〜桜井駅まで4㎞ほどの旧街道を歩いてみるのも風情がある。

♀不動滝から♀倉橋池口は自由乗降区間。手を挙げれば、バス停以外の場所からでも乗車できる。

談山

地図p.9-G

當麻《たいま》

二上山の麓に広がる當麻は大阪湾と飛鳥を結んだ古道の竹内街道沿道にあたる。歴史的な名所や旧跡が点在している。

見る

當麻寺《たいまでら》

当麻寺駅から 15分

創建は612年、推古天皇の時代にさかのぼる古刹《こさつ》。中将姫が蓮糸を使って一晩のうちに當麻曼荼羅《まんだら》を織りあげたという伝説にちなんで、本堂には當麻曼陀羅を模した文亀曼陀羅が納められている。また、金堂には日本最古の塑像とされる弥勒《みろく》如来《にょらい》坐像《ざぞう》を安置。奈良時代から平安時代初期に建立された東西2つの三重塔も現存する。

☎0745-48-2008（奥院）、2004（護念院）、2202（西南院）、2001（中之坊）。寺務所は各塔頭で年毎持ち回り。葛城市當麻1263。9:00～17:00。伽藍拝観（本堂・金堂・講堂）500円、各塔頭は別料金。

石光寺《せっこうじ》

当麻寺駅から 30分、二上神社口駅から 15分

徒歩の道中▶造酒屋や古い民家などが沿道に点在し、風情がある。

花の寺として知られ、4月下旬～5月、境内には500種4000株の牡丹《ぼたん》が咲き乱れる。冬の寒牡丹も有名。當麻寺にならぶ中将姫ゆかりの古刹で、中将姫が曼荼羅を織る蓮糸を染めたとされる「染の井」や、その糸を枝にかけて乾かした「糸かけ桜」などが残っている。

☎0745-48-2031。葛城市染野387。8:30～17:00（11月～3月9:00～16:30）。400円。

二上山《にじょうざん（ふたかみさん）》

二上神社口駅から雄岳まで 約1時間30分

標高517mの雄岳と474mの雌岳が寄りそうように並ぶ山容が特徴的。古代には現世と来世の境界線がこの山のあたりにあると信じられ、神聖視された。金剛生駒国定公園の中ほどに位置する雄岳山頂には、非業の死を遂げた大津《おおつ》皇子《みこ》の墓もある。山頂への道は比較的整備されている。

このエリアの行き方

奈良駅からは近鉄線5～7分の大和西大寺駅乗換え、急行27～32分の橿原神宮前駅で乗換え、南大阪線で当麻寺駅まで14～23分、二上神社口駅まで16～25分。

御所・葛城《ごせ・かつらぎ》

地図p.9-J

かつて精強を誇った豪族・葛城氏の本拠地。葛城山麓には散策道の「葛城の道」がある。神話時代から続く名所・旧跡が多い。

見る

葛城山《かつらぎさん》

♀近鉄御所駅から🚌15～19分、♀葛城ロープウェイ前下車。葛城山ロープウェイで6分の葛城山上駅から徒歩15分で山頂

徒歩の道中▼ロープウェイ駅～山頂はブナの鬱蒼《うっそう》とした原生林がある。

標高959m、大和三山や大和盆地を見渡す山頂からの眺望が素晴らしい。5月のツツジや9月のススキが見ごと。山頂から山麓まで約2kmの自然研究路が整備してある。

御所市名柄339。

中村家住宅《なかむらけじゅうたく》

御所市コミュニティバス♀長柄から徒歩5分

江戸の慶長年間頃に代官屋敷として建てられた切妻段造り本瓦葺きの豪壮な建物。奈良県内で2番目に古い住居用建築物で、国の重要文化財。見学は外観のみ。

葛城の道《かつらぎのみち》

♀近鉄御所駅から🚌で9～13分、♀猿目橋下車徒歩3分

猿目橋バス停付近の六地蔵から風の森周辺まで全長13kmの葛城古道。古代には幹道としてにぎわい、有力豪族・葛城氏の本拠として栄えた。遺跡や寺社が点在し、気候のよい時期にはハイキングコースとしても人気。

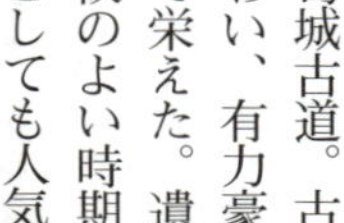

このエリアの行き方

奈良駅から近鉄御所駅へは近鉄線で大和西大寺駅と橿原神宮前駅乗換え、南大阪線急行で7～8分の尺土（しゃくど）駅で御所線に乗換え8分。

回る順のヒント

ルートはほぼ平坦だが、唯一、金剛山腹にある高天彦神社だけは♀高天口付近からの上り坂を、1km以上歩かなければならない。

吉野《よしの》

地図p.5-F

**修験道の聖地、そして、南朝の御所跡…
緑深い自然は険しくとも
山は美しく、ひっそりと
歴史の証が点在する**

奈良盆地を過ぎ、南に下り、吉野川を渡ると、目の前には険しい山容が姿を現わす。深々とした樹木が覆う吉野山だ。かつては、天下統一を果たし権勢の絶頂にあった豊臣秀吉が、諸大名を率いて盛大な花見の宴を催したこともある、古来から関西有数の桜の名所として知られる。

金峯山寺

色鮮やかな桜の下には、古い歴史を秘めた寺社も数多く点在する。吉野山は万葉集にもうたわれ、「吉野水分ノ峯《みくまりのみね》」などとも呼ばれた。

その昔、役行者《えんのぎょうじゃ》はこの山の桜を神の化身として、ここを修験《しゅげん》道《どう》の聖地として開いたという。全山を覆う桜、その満開の美しさは確かに〝神々しい〟までの風情を漂わせている。役行者がこの山に神を感じたのも、確かに納得させられる眺めだ。

また、吉野山は数々の歴史の舞台としても登場した。吉野朝廷(南朝)の後醍醐《ごだいご》天皇や天才的戦術家の源義経《みなもとのよしつね》など、悲しく散った非運の英雄たちもこの山に隠遁《いんとん》している。彼らの傷心も美しい山の眺めに癒されたことだろう。

吉野山の桜は歴史を見続けてきた

人気度 ★★★
風情 ★★★
世界遺産 吉野山、金峯山寺、吉水神社、吉野水分神社など

回る順のヒント

下から順を追って吉野山の趣を感じながら歩くコースがおすすめだ。花矢倉とその奥の見どころ以外は、どのポイントも5~10分の隣接した距離にあるので、順路についてはそれほどこだわる必要もない。バスは1時間に1本程度ある。徒歩のルートで気をつけたいのは食事の場所。竹林院を過ぎると吉野水分神社までの区間は飲食店はない。花矢倉展望台に自動販売機

おすすめ ゆったりルート

[移動距離] 9km
[徒歩] 6時間
[バス一部利用] 5時間

ロープウェイ吉野山駅 → 徒歩15分 → 金峯山寺 45分 → 徒歩10分 → 吉水神社 45分 → 徒歩25分 → 如意輪寺 30分 → 徒歩30分 → 竹林院 20分 → 徒歩45分 → 吉野水分神社 10分 → 徒歩40分 バス7分 → ロープウェイ吉野山駅

ゆったり歩くには…ロープウェイ駅の吉野山駅から竹林院あたりまでは比較的平坦な道。みやげもの屋や食事処もこの間の道沿いにあるので、休息はこの間でとりたい。竹林院より上は、かなりの急坂で健脚向き。

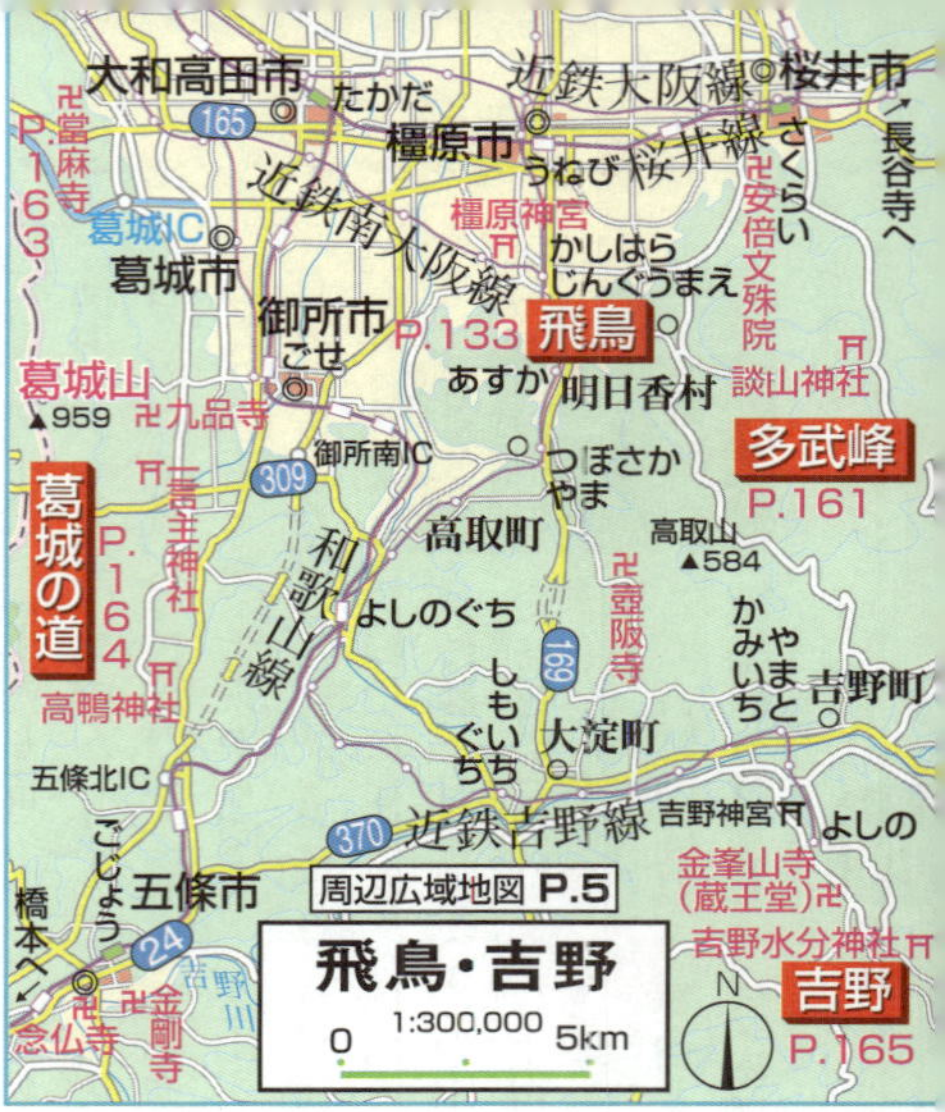

がある程度だ。昼食の時間帯に歩く人は弁当などを用意したい。

一般的なコースとしては吉野水分神社で戻る人が多い。さらに山頂への道は坂も急なので、健脚向き。奥千本に行くのなら、ロープウェイからバスで一気に上がり、下るのが楽だ。奥千本には、吉野山の地主神を祀る金峯神社、新古今和歌集の代表的歌人・西行が隠棲した西行庵がある。吉野水分神社から金峯神社まで👟30分、金峯神社から西行庵までは山道を20分ほど歩く。

スタート時間が遅い場合は、花矢倉や吉野水分神社などはできるだけ早い時間帯に行って、そこからの帰路の途中で、ロープウェイ駅に近い残りのポイントを見るようにしたほうがいい。山中のことなので、帰りは、早めに下るようにしたい。

他のエリアへの向かい方

飛鳥・橿原・当麻・葛城方面へ向かうには、吉野駅から近鉄吉野線を利用する。1時間に1～2本運行する近鉄吉野線の特急は、すべて全席指定となっている。

このエリアへの行き方

目的地	出発点	バス系統など	所要時間	下車バス停・駅
金峯山寺・吉野山ビジターセンター	吉野駅	吉野ロープウェイ	3分	吉野山駅
吉水神社	♀吉野山駅	吉野山奥千本口ライン	5分	♀勝手神社前
如意輪寺	♀吉野山駅	吉野山奥千本口ライン	6分	♀如意輪寺口
竹林院・花矢倉・吉野水分神社	♀吉野山駅	吉野山奥千本口ライン	7分	♀竹林院前
金峯神社・西行庵	♀吉野山駅	吉野山奥千本口ライン	20分	♀奥千本口

※近鉄吉野駅から👟3分で吉野ロープウェイの駅（千本口駅）がある。吉野大峯ケーブル自動車の路線バス乗場（♀吉野山駅）は、ロープウェイに乗車して、降りてすぐのところ。桜のシーズンは♀竹林院前～♀奥千本口のみの運行となり、奈良交通臨時バスが近鉄吉野駅から♀中千本公園まで迂回路を運行。♀中千本公園から♀竹林院前までは徒歩3分。

このエリアの行き方

奈良駅から吉野駅へは近鉄線で大和西大寺駅乗換え、特急23～24分の橿原神宮前駅で吉野線に乗換え、特急で39～41分（近鉄奈良駅から所要1時間19～32分）。大阪阿部野橋駅からは特急で1時間16～20分。

行き方・帰り方

体力に自信がない人や時間がない人は、ロープウェイ吉野山駅の前から出ている吉野大峯ケーブル自動車の路線バス（☎0746-39-0010）で♀奥千本口まで行き、山を下りながら帰るコースをとるのも手だ。ただし、バスは1時間に1本。2月下旬～3月上旬は運休。オフシーズンや最終便の運行については必ず確認を。♀奥千本口から金峯神社まで徒歩5分。

見る

吉野山 よしのやま

ロープウェイ吉野山駅下車

地図p.169-C

山深い吉野山で、役行者が修行した時に蔵王権現の姿を桜の木に刻み、修行者の守り本尊としたと伝えられる。以来、吉野山では桜を神木として保護してきた。吉野駅付近の下千本《しもせんぼん》、如意輪寺付近の中千本《なかせんぼん》、吉野水分神社付近の上千本《かみせんぼん》、西行庵一帯に広がる奥千本と、見どころも随所にある。紅葉、雪の吉野山も美しい。

吉野町吉野山。

金峯山寺（蔵王堂） きんぷせんじ（ざおうどう）

ロープウェイ吉野山駅から🚶10分

地図p.169-C

役行者が奈良時代に開いた寺。**修験道**《しゅげんどう》の中心寺院として、平安から鎌倉にかけて隆盛をきわめ、白河上皇なども参詣したという。本堂の蔵王堂は室町時代の再建だが、高さは約28mの巨大な建造物。木造古建築では東大寺大仏殿に次ぐ大きさで、国宝にも指定されている。毎年4月11・12日の両日に催される「花供会式《はなくえ》」も有名。

☎0746-32-8371。吉野町吉野山2498。8:30～16:00。境内自由（蔵王堂は800円、御開帳時は別料金）。

吉水神社 よしみずじんじゃ

金峯山寺から🚶10分、♀勝手神社から🚶5分

地図p.169-C

徒歩の道中▼金峯山寺から吉水神社まではみやげ物店や食堂が並ぶ細い参道がつづく。

もともと金峯山寺の塔頭だったが、明治の**神仏分離令**《しんぶつぶんりれい》で神社となる。頼朝に追われた源義経が静御前や弁慶らと一時身を隠し、後醍醐天皇の行在所にもなった場所。

☎0746-32-3024。吉野町吉野山579。9:00～17:00（書院は最終受付16:30）。境内自由、書院拝観600円。

〈吉野山〉

〈金峯山寺〉

〈吉水神社〉

▼修験道《しゅげんどう》
日本古来の山岳信仰が、密教や仏教、道教などと結びついて生まれた宗教。特定の教祖や経典を仰ぐのではなく、厳しい山岳での修行を通して、呪術的な能力を修得することを目指す。平安時代、天台宗と真言宗において山岳修行が盛んになると、特に加持祈祷（かじきとう）の能力に優れた密教僧が、修験者あるいは山伏と呼ばれるようになった。

▼神仏分離令《しんぶつぶんりれい》
明治初年、新政府が祭政一致政策の一環として、神道と仏教の分離を促すために発布した法令。わが国では、大陸から仏教が伝来して以来、日本固有の神道と仏教が融和していたが、この法令によって、神社から仏教色が一掃された。

見る

如意輪寺《にょいりんじ》

地図p.169-D

吉水神社から🚶25分、♀如意輪寺口から🚶20分

徒歩の道中▼勝手神社から如意輪寺への近道は緑が美しいハイキングコース。

後醍醐《ごだいご》天皇の勅願寺。楠木正行《くすのきまさつら》が出陣の時に辞世の句を書いた扉が宝物殿にある。また、後醍醐天皇の御陵もあるが、遺言によって慣例を破り京都を望む北向きに造られている。境内は樹木でうっそうとし、桜の季節には中千本の名所として賑わう。

☎0746-32-3008。吉野町吉野山1024。9:00〜16:00(桜の季節は8:30〜17:00)。500円。

竹林院《ちくりんいん》

地図p.169-C

如意輪寺から🚶30分、♀竹林院前から🚶1分

創建は聖徳太子とも、空海ともいわれる古刹《こさつ》。境内の池泉回遊式《ちせんかいゆう》庭園の群芳園《ぐんぽうえん》は豊臣秀吉が全国の大名を率いて盛大に催した吉野山の花見の前、千利休《せんのりきゅう》が手を加えたと伝えられる。巧みに配された出島や滝が吉野の山々を借景に映える。

☎0746-32-8081。吉野町吉野山2142。8:00〜17:00。庭園400円。

吉野水分神社《よしのみくまりじんじゃ》

地図p.169-D

竹林院から🚶30分、♀竹林院前から🚶25分

徒歩の道中▼花矢倉の先に小さな集落があり、自動販売機で水分の補給もできる。

祀神は、水の配分をつかさどる神様・天之水分大神。「みくまり」がなまって「みこもり」となり、子宝の神様としても信仰される。社殿は桃山時代に豊臣秀頼が再建。

☎0746-32-3012、0746-32-2717(17:30以降)。吉野町吉野山1612。7:00〜17:00(冬期は800〜16:00)。境内拝観自由。

〈如意輪寺〉

〈竹林院〉

〈吉野水分神社〉

▼後醍醐《ごだいご》天皇

天皇親政のため鎌倉幕府打倒を目指すが失敗し隠岐へ流罪。後に楠木正成(くすのきまさしげ)、足利尊氏、新田義貞(にったよしさだ)らに挙兵を呼びかけ、鎌倉幕府を滅亡させた。しかし、尊氏が光明天皇を奉じたことから、吉野へ遷って南朝を樹立。京都への帰還はかなわず、吉野で没した。1288〜1339。

▼楠木正行《くすのきまさつら》

南北朝時代の武将。南朝の後醍醐天皇を奉じて討ち死にした楠木正成(くすのきまさしげ)の長男。父の遺志を継ぎ、足利幕府に対抗し、幕府軍を苦しめた。河内国四条畷で高師直(こうのもろなお)に敗れて自害。『太平記』では悲運の最期を遂げた英雄として描かれている。1326?〜1348。

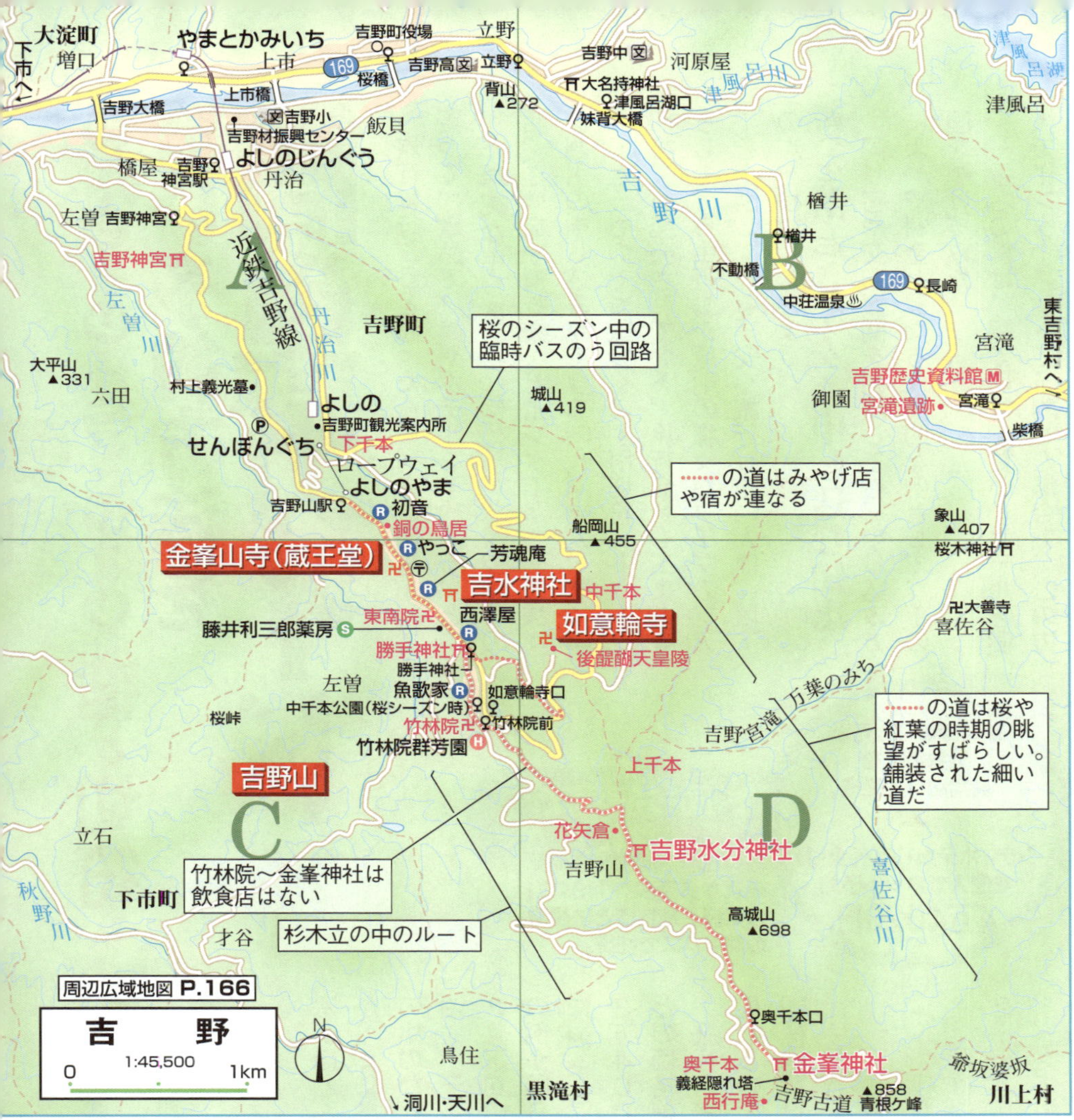

郷土料理 ◎勝手神社周辺

【西澤屋】にしざわや

地図p.169-C

勝手神社からすぐ

【葛うどん定食1100円】

野菜や牛肉、鳥肉をふんだんに使った吉野鍋3200円（要予約）や柿の葉すし定食1000円などの郷土料理が楽しめる。

☎0746-32-8600。吉野町吉野山951。9:00～17:00（観桜期～20:00）。不定休。

食べる

旅館 ◎竹林院周辺

【竹林院群芳園】ちくりんいんぐんぽうえん

地図p.169-C

竹林院前から 1分

【1泊2食付1万5000円～（税別）】

竹林院境内。古くは修験者たちの宿坊で、名園を見晴らす名旅館。予約で太閤椀や利久鍋、会席の利用も。

☎0746-32-8081。吉野町吉野山2142。

泊まる

プランニング 宿と切符

賢い予約方法を簡単ガイド

旅行に行こうと思ったら、列車の切符を駅で買って、電話で旅館やホテルを予約する、といった単純な申し込み方法だけだったのは昔の話。今は、宿や飛行機などインターネットで様々な割引の申し込みができる時代。また、駅で購入できるものでも数多くの割引切符（トクトク切符）が発売されている。旅行会社も工夫を凝らして、自由行動が原則の様々なタイプのツアーを企画している。安く旅行したい人は、以下の点を検討してみよう。

質を落とさず安く申し込む知恵

同じ宿や交通機関を利用しても、申し込み方によって料金が異なる代表的な例として、下の図を挙げてみた。

一番右の例は、駅で切符を買い、ホテルを個人でインターネットで予約した場合で、この方法がほとんどの場合一番高くなる。真ん中の例が、JR東海ツアーズのツアー商品「ずらし旅」の中のひとつのプランで、「ずらし旅！奈良1泊／ホテル日航奈良／禁煙ツイン／食事なし」。3月下旬の平日宿泊で3万3100円。一番左の例が同日・同じホテルのスタンダードツインに泊まる旅行会社のパッケージツアーで、3万4000円。JR東海ツアーズの旅行商品との価格差はそれほどない。

旅行内容により、どの買い方が得になるかは異なるので、希望の旅程で検討してみよう。

同じ旅程でこんなに差が

東京から奈良へ1泊の旅の実例。奈良駅と法隆寺の間をバスで往復。

新幹線のぞみ号と近鉄急行を通常切符で往復
＋
シティホテル1泊（朝食付）を個人でネット予約
4万4020円

団体旅行を避けたい人

1……旅行会社で「フリープラン型ツアー」を探してみる。旅館やホテル、電車の切符がセットになったツアーだが、奈良での団体行動はない。→p.171参照

2……宿と切符を個別に予約したい場合や希望のツアーがない場合は、奈良までの鉄道の切

旅行会社のパンフレットはポイントをおさえて見るのがコツ

符で割引になるいわゆる「トクトク切符」を探す。↓p.178～185参照

3…飛行機利用の場合は、様々な割引切符を早めに申し込む。↓p.177参照

4…インターネットなどで旅館やホテルを割引で予約する。↓下段参照

団体旅行でもいいと思う人

気に入った団体ツアーをとにかく探そう。最近では、テーマを設けたものや、ゆとりをもったコース設定のプランも多く出てきている。

旅行会社の「フリープラン」型ツアー

宿と奈良までの往復の切符がセットになっていて、個人でそれらを申し込むより割安な「フリープラン型ツアー」について考えてみよう。奈良での団体行動はなく、自由行動のツアーだ。「奈良2日間フリー」などと旅行パンフレットにある。ツアー選びには次のようなことがチェックポイントとなる。

1…出発日によって料金が変わる
　桜や紅葉時などの混雑シーズンが高い。

2…出発時間によって料金が変わる
　行きを早朝、帰りを夜遅くなど、比較的人気のない時間帯の列車を利用するものは安い。

3…旅館やホテルの立地に注意
　安いツアーの場合、宿が不便な地にあることも多い。地図などで場所を確認しよう。

旅行会社の「宿泊プラン」も注目

奈良市内だけでなく、いっしょに大和路の各地も回りたいといった場合、うってつけのフリープランがないこともある。そうした場合は、宿だけを旅行会社で予約できる「宿泊プラン」を探してみよう。電話で宿に直接個人が予約するより割安となる例がほとんどだ。

奈良県中部の古寺5カ所を巡る拝観券付きのツアー商品をネットで予約
3万3100円～

電車の切符とホテル（朝食付）がセットになったA社の「フリープラン」一括して予約
3万4000円～
（のぞみ号は限定）

いずれも新幹線のぞみ号、近鉄急行を利用し、ホテル日航奈良を2名1室で宿泊した場合の1名あたりの料金。2022年3月下旬平日旅行の例

インターネット で宿泊予約できるサイトが数多く運営されている。いずれも通常料金より安い料金で泊まれるため、利用する人も多い。

楽天トラベル
https://travel.rakuten.co.jp/
国内旅行最大手。3万4000軒を超えるホテル・旅館の予約が可能。

一休.com
https://www.ikyu.com/
高級旅館・ホテルの格安プランが多い。予約ランキングで人気度もわかる。

JTB国内旅行宿泊
https://www.jtb.co.jp/kokunai_hotel/
宿泊者アンケートで高い評価の宿から選べる「JTBセレクション」が人気。

奈良・飛鳥への賢く快適な行き方研究

奈良・飛鳥までの行き帰りには、新幹線や高速バスなどを使う様々な行き方があり、出発地や目的地などにより、お得な方法、早くて便利な方法も異なる。ここでは、列車などを利用する場合にどの方法を使えばいいのか、それぞれの方法で使えるトクトク切符(p．178～参照)と合わせて案内しよう。

東京・静岡方面から

奈良市内や西ノ京へは、新幹線で京都まで行って、近鉄京都線の近鉄奈良駅行き直通電車へ乗り換える方法が一般的。

飛鳥や吉野など奈良盆地南部へも、京都で近鉄に乗り換えるのが最も早く、名古屋で近鉄名古屋線に乗り換える方法をとっても、さほど交通費は変わらない。

東京―京都間の料金・時間の比較

	運賃・料金	所要時分	運転間隔	記事
のぞみ号利用	14,170円	2時間20分	約3～10分ごと	
ひかり号利用	13,850円	2時間38～42分	30分ごと	
こだま号利用	10,500円	3時間42分	1時間ごと	
プレミアドリーム11号	6,000円～	8時間40分	1日1本	夜行バス

「のぞみ号」「ひかり号」は通常期の普通車指定席の値段を掲載。閑散期は－200円、繁忙期は＋200円。こだま号利用は旅行商品の「ぷらっとこだま」(P.182参照)利用の値段。繁忙期は1,300円増し。プレミアドリーム11号は東京－奈良間の料金・時間。

京都―奈良間の料金・時間の比較

	運賃・料金	所要時分	運転間隔	記事
近鉄特急利用	1,160円	35～40分	1時間に1～2本	全車指定席
近鉄急行利用	640円	43～54分	1時間に1本	急行料金不要
JRみやこ路快速利用	720円	43～53分	30分ごと	
JR普通利用	720円	1時間15分	30分ごと	

使用できるトクトクきっぷ	①	②	③	④	⑤	⑥
ジパング倶楽部	×	×	×	△注	△注	○
近鉄のフリーきっぷ	○	○	○	○	○	△注
ぷらっとこだま	×	×	○	×	×	×

※トクトクきっぷはp.178～参照

注　近鉄のフリーきっぷのうち、「飛鳥めぐりフリーきっぷ」は名古屋発の設定がない。
ジパング倶楽部は、のぞみ号は運賃のみ割引、近鉄電車は割引が適用されない

◆京都乗り換えコース

新幹線から近鉄またはJR奈良線へと京都で乗り換える場合、東京―京都間の東海道新幹線では「のぞみ号」「ひかり号」「こだま号」の3種類が利用できる。

京都―奈良間には近鉄特急、近鉄急行、JR快速、JR普通列車の4種類があり、それぞれの所要時分と値段はp.172の表のとおり。

近鉄電車の京都―近鉄奈良間の直通電車は、全席指定の特急が1時間に1～2本、指定席のない通勤電車スタイルの急行が1時間に1本運行されている。京都―奈良間のJR奈良線は、快速電車も運行されているが、途中宇治方面を回るため時間がかかる。指定席付きの列車はない。

東京～奈良の所要時間は、乗り換え時間も含めて一番速いのぞみ号＋近鉄特急で約3時間～3時間20分、料金は最も高く1万5330円。安上がりなのはJRの夜行高速バス「プレミアドリーム号」で、8時間40分、6000円～。また、バスタ新宿からダイレクトに奈良に入る奈良交通の2階建夜行高速バス「やまと号」は7時間20分、5980円～。

	①	②	③	④	⑤	⑥
出発	新宿	東京	東京	東京	東京	東京
コース	夜行高速バス利用	夜行高速バス利用	時間がかかっても安く行く	最も早くて人気の行き方	最も早くて人気の行き方	気まぐれ別コース
列車・バス	やまと号	プレミアドリーム11号	新幹線こだま号	新幹線のぞみ号	新幹線のぞみ号	新幹線ひかり号
乗り換え			京都 近鉄急行	京都 近鉄特急	京都 近鉄特急	名古屋 近鉄特急 大和八木 近鉄急行
到着	奈良	奈良	奈良	奈良	飛鳥（橿原神宮前駅）	飛鳥（橿原神宮前駅）
〈所要時間〉	7時間20分	8時間40分	約4時間50分	約3時間～3時間20分	約3時間25分	約4時間25分
〈料金〉	5980円～	6000円～	1万1660円～ ぷらっとこだまでの片道交通費	1万5330円 通常きっぷでの片道交通費	1万5990円 通常きっぷでの片道交通費	1万4780円 通常きっぷでの片道交通費
備考	大和八木経由五條バスセンター行きもある。飛鳥エリアの観光なら大和八木で降車し、近鉄線でアクセスする方法もある。	最も安く奈良に行ける高速バス。座席はスーパーシート。設定された閑散日の5日前までの購入で500円の割引適用。	旅行商品の「ぷらっとこだま」（p.182参照）利用。	のぞみ号には自由席もあるが、指定席予約が安心。近鉄電車の指定席の買い方はp.175参照。	京都～橿原神宮前間の特急は1時間ごとに運行。自由に座れる急行も1時間ごとにある。	行きと帰りのコースを変えたい人向け。途中、室生寺などに寄るのもいい。

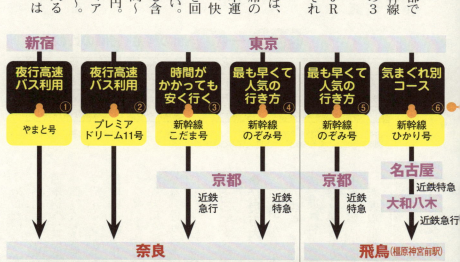

京都乗り換えコースだと、京都までの「こだま号」を割安の「ぷらっとこだま」の料金で利用できる。または、「のぞみ号」「ひかり号」「こだま号」とも、京都から近鉄のトクトク切符「奈良世界遺産フリーきっぷ」などが利用できる。京都―奈良間はＪＲ奈良線を利用するよりも、近鉄電車を利用する旅行者が多い。

以上の話を参考にして、スピードとお得度を比較して列車選びをしよう。京都での新幹線からの乗り換えには、近鉄へもＪＲ奈良線へもそれぞれ10分程度の時間をみておこう。

◆名古屋乗り換えコース

東京・静岡方面から飛鳥へも、京都で橿原神《かしはらじん》宮前《ぐうまえ》行きの近鉄特急（全席指定）や急行に乗り換える方法が一般的だ。また、新幹線と近鉄特急を名古屋で乗り継ぐ方法も、行きと帰りのコースを変えてみたいという人にはおすすめ。近鉄の橿原神宮前へは、名古屋から大和八木に停車する大阪の難波行きの特急に乗る。1時間に1本の運行で全席指定。長谷寺、桜井へは大和八木の手前の名張で急行に乗り換えるのをおすすめしたい。

名古屋での乗り換えには、新幹線からＪＲ関西本線へは最低6分、近鉄へは15分必要。

この名古屋乗り換えのコースでは、ｐ.１８４で紹介するトクトクきっぷのうち2種類の「奈良世界遺産フリーきっぷ」があげられる。ただし、特急料金は別に必要となる。近鉄名古屋駅から大和八木駅までの特急料金が１６４０円かかる。近鉄名古屋から特急を使わずに急行を乗り継いで近鉄奈良まで行くと、約３時間。

名古屋――奈良 間の料金・時間の比較

	運賃・料金	所要時分	記事
JR関西本線普通利用	2,270円	約3時間30分	1時間ごとに連絡運行
近鉄名古屋線特急＋急行	3,860円	約2時間25～40分	1時間ごとに運行
のぞみ号自由席＋近鉄急行	5,690円	約1時間35～45分	近鉄急行は1時間に3本

※JR関西本線は名古屋－奈良間に直通列車がなく、途中の亀山、加茂で乗り換えが必要。近鉄名古屋線利用の場合は、大和八木駅、大和西大寺駅で乗り換えが必要。

名古屋方面から

◆奈良市内へ

名古屋から奈良市内へは、ＪＲ関西本線を使う方法と、新幹線を使って京都で乗り換える方法、近鉄名古屋線に乗り大和八木と大和西大寺で乗り換える方法がある。お得度ではＪＲ関西本線、速さでは新幹線利用が有利だ。

新幹線京都駅から近鉄に乗り換える方法だと、近鉄の「奈良世界遺産フリーきっぷ奈良・斑鳩コース」などが、奈良駅までＪＲ利用の場合は奈良交通のフリー乗車券利用がお得だ。

また、名古屋から近鉄名古屋線で奈良へ向かう場合では、普通電車で往復（4580円）するだけでも、奈良世界遺産フリーきっぷの「奈良・斑鳩コース」（4610円）とほぼ同額だ。

◆飛鳥方面へ

名古屋から橿原神宮前までだと、近鉄名古屋線の特急で大和八木で乗り換えるのが一般的。所要約2時間15分。急ぐ場合は、新幹線「のぞみ」を利用し、京都から近鉄特急に乗れば所要1時間18〜50分。

大阪・神戸方面から

大阪市内から奈良市内へは、近鉄奈良線とJR大和路線、おおさか東線など。神戸・三宮方面からは、阪神本線からなんば線を経由、大阪難波から近鉄に乗り入れるルートがある。

大阪難波からは近鉄奈良線の快速急行や急行が約10分ごとにあり所要34〜44分、570円。平日の通勤時間帯と、土曜・休日に全席指定の特急が走る。特急料金520円が別に必要。

大阪駅からはJR大和路線の快速利用が便利。所要50分〜1時間2分、810円。

山の辺の道へは近鉄大阪線、吉野へは近鉄南大阪線の利用となる。奈良交通のバスを対象にしたお得な切符もある（p．183参照）。

近鉄特急の指定席を買える場所

近鉄電車の主な駅のほか、JTB、近畿日本ツーリスト、日本旅行ほか大手旅行会社で、乗車日の1カ月前から発売。

●近鉄旅客案内
近鉄電車テレフォンセンター：
☎050-3536-3957

問い合わせ先

●JR東海
☎050-3772-3910
https://jr-central.co.jp/

●JR東日本
☎050-2016-1600
https://www.jreast.co.jp/

●JR西日本
☎0570-00-2486
https://www.westjr.co.jp/

●Osaka Metro
（地下鉄御堂筋線ほか）
☎06-6582-1400
https://www.osakametro.co.jp

●近畿日本鉄道
☎050-3536-3957
https://www.kintetsu.co.jp/

●奈良交通
☎0742-20-3100
https://www.narakotsu.co.jp/

●日本航空
☎0570-025-071
https://www.jal.co.jp/

●全日空
☎0570-029-222
https://www.ana.co.jp/

●関西空港交通
☎072-461-1374
www.kate.co.jp/

●大阪空港交通
☎06-6844-1124
https://www.okkbus.co.jp/

◆京都市営地下鉄の奈良行き直通急行

京都市営地下鉄の烏丸《からすま》線は近鉄京都線の新田辺駅まで乗り入れているが、7時台〜15時台に1時間に1〜2本近鉄奈良駅行き直通急行を運行している。烏丸線四条駅から近鉄奈良駅まで57〜60分。「奈良・斑鳩1dayチケット」なら、地下鉄各駅の窓口で購入できるので便利だ。

中国・九州方面から

新幹線を使って京都へ向かい、近鉄またはJR奈良線快速に乗り換えるルートと、新幹線を新大阪駅で下車し、奈良へ入るルートがある。九州各地から京都まで「京都往復割引きっぷ」(p.179)を使えばかなりのお得。

◆京都乗り換えルート

乗り換えが1回だけで、楽なのはこのルート。京都から近鉄奈良まで近鉄特急に乗れば、すべて指定席にすることもできる。すべて指定席で行けて安心なのはこの乗り継ぎ例だけだ。

たとえば、広島からだと新幹線「のぞみ号」から京都駅で近鉄特急に乗り換える場合、所要2時間18〜39分、1万[illegible]円(自由席と近鉄の急行を利用すれば、約2時間50分、1万1410円。また、京都からは、奈良世界遺産フリーきっぷなどのトクトクきっぷも利用できる。京都—奈良間はp.172の表も参照。

奈良・大和路では近鉄電車が活躍する。上手に利用したい

新幹線「ひかり号」「のぞみ号」は、早くて快適に移動できる

東京〜京都を走る高速バス。8時間近くかかるものの、安い

◆新大阪乗り換えルート

新幹線新大阪駅から地下鉄御堂筋《みどうすじ》線で、なんば駅下車、大阪難波駅からほぼ10分ごとに走る快速急行か急行で近鉄奈良駅へ。乗り換えが少しわかりにくいが、やや安いのがメリットで、広島からだと「のぞみ号」自由席利用で、近鉄奈良駅まで所要約2時間50分、1万1410円。大阪難波駅からはトクトクきっぷの奈良世界遺産フリーきっぷの利用もできる。また、新大阪駅からひと駅先の大阪駅までJR電車で行き、大和路快速の利用では、広島から「のぞみ号」利用で所要2時間36分〜3時間11分。自由席利用で1万390円。この場合、新大阪駅からおおさか東線経由で大和路線へという手もある。JR大和路線は法隆寺駅を経由するので、斑鳩の里などを先に訪れたい時は、このルートがいい。

飛行機で大阪（伊丹）、関空経由

ＬＣＣも参入し選択肢は豊富

航空会社には多種多様な割引きっぷがある。その種類は大きく分けて、一律片道1万円などといった「バーゲンセール型」、2カ月前から予約など「早期予約」により割引くもの、また、早朝や夜遅くの便などを安くする「特定便の割引」といったものなどがある。

しかし、格安であればあるほど発売枚数が限られていて、一般席に空席があっても「売り切れ」となったり、予約の変更ができない、キャンセル料が割高、空席があっても格安料金での出発当日の予約はできないなどの制約も多い。運賃制度も流動的で、常に新しい情報を収集している必要がある。情報入手の方法としては、

1、航空会社のホームページをこまめに見る。
2、航空会社に電話で早めに問い合わせる。
3、毎月発行の航空会社の無料時刻表を旅行会社でもらう。

などがあげられる。

関西国際空港から奈良への行き方比較

	リムジンバス	JR快速＋快速	JR特急はるか＋快速
運行間隔	1時間に1本	1時間に＋3〜4本	1時間に1〜2本
経由	奈良ホテル、近鉄奈良駅 JR奈良駅	天王寺乗り換え 法隆寺駅、奈良駅など	天王寺乗り換え 法隆寺駅、奈良駅など
所要時間	1時間30〜43分（近鉄奈良駅）	1時間30〜50分（JR奈良駅）	1時間15〜20分（JR奈良駅）
運賃・料金	2100円	1740円	※2400円（自由席）

各空港から

◆伊丹空港から奈良へ

伊丹空港から奈良へは、奈良交通と大阪空港交通のエアポートリムジンバスが約1時間ごとに運行。空港から新大宮駅、近鉄奈良駅を経由してＪＲ奈良駅が終着。一部は天理駅へ着く。空港から近鉄奈良駅まで所要1時間、ＪＲ奈良駅まで1時間10分、１５１０円。

飛鳥（橿原神宮前駅）や吉野方面へは、空港第1ターミナルからあべの橋駅（天王寺駅）行きバス（所要30分、６５０円）に乗り、大阪阿部野橋駅から近鉄南大阪線を利用すれば乗り換えも少なくて早い。このルートの場合、p.１８５で紹介するトクトク切符の「奈良世界遺産フリーきっぷ　奈良・斑鳩・吉野コース」が大阪阿部野橋駅から利用できる。

◆関西国際空港から奈良へ

近鉄・ＪＲ奈良駅まで奈良交通・関西空港交通のバスが運行。また、空港から電車を利用しても所要時間はあまり変わらない（上表参照）。

電車とバス編
奈良へのトクトク切符

誰でも利用できるトクトク切符

主に首都圏・東海地方からの旅行者にとって、得する切符の代表格が「エクスプレス予約」や「EX早特21」、「ぷらっとこだま」など。これに、「世界遺産フリーきっぷ」などの近鉄のフリー切符との組合せを考えよう。関西周辺や、高速バス、飛行機を使う旅行者は、近鉄のフリー切符と奈良交通バスのフリー乗車券を比較するといい。また、熟年世代はJRを使う場合「ジパング倶楽部」(p.180)の利用がお得になる例が多いので検討してみよう。

フリープラン型ツアーなどを利用するのではなく、個人で切符を駅などで購入する時は割安な切符がないか、ぜひ調べたい。とくに熟年世代は、ジパング倶楽部などの加入を検討しよう。

東京・静岡・名古屋からの旅行者向け

定番をずらしてゆったり
「JR東海ツアーズのずらし旅」

JR東海ツアーズが提案する新しい旅の形「ずらし旅」。往復の新幹線にさまざまなホテルを組み合わせ、さらに現地でのお楽しみも付いた旅行商品で、週末を避けて平日にのんびり観光、利用列車はピーク時間をずらして快適に、今までとは違う新たな「発見」を楽しめるアクティビティなどの特徴をもつ。たとえば奈良への旅行であれば、安倍文殊院二箇所共通拝観と安倍清明公限定朱印が用意されていたり、ラグジュアリーなホテルステイのプランが提供されたりしている。旅行商品や選べるアクティビティなどの詳細は、JR東海ツアーズの「ずらし旅」ウェブサイトを参照。https://www.jrtours.co.jp/plan/tokushu/zurashi/

※p.178～187のデータは2022年2月現在。料金や適用範囲が変わったり、発売停止となった切符等もあるので、お出かけの際には各社にご確認ください。

東海道・山陽新幹線利用者向け

新幹線回数券は販売終了

「ネット予約＆チケットレス乗車サービス」を活用

東海道・山陽新幹線の回数券で、のぞみからこだままで利用でき、6枚セットでグループや家族の旅行に便利で人気のあった新幹線回数券だが、コロナ禍による乗客の減少や、ネット予約サービスなどの進展に伴い、「東京都区内～京都市内」など大半の区間の発売を終えた。

今後は東海道・山陽新幹線ネット予約＆チケットレス乗車サービス「スマートＥＸ」や「ＥＸＰＲＥＳＳ予約」https://jr-central.co.jp/ex/ や早めの予約で割引になる早特商品を利用することになる。

早特商品はゴールデンウイーク、お盆、年末年始は利用できないが、東京・新大阪が「ＥＸ早特21」で３５２０円おトク。

このほかに多様な設定があるので、https://jr-central.co.jp/ex/hayatoku/ を参照。

東海道新幹線の駅改札口前にあるエクスプレス予約の切符受取機

京都までエクスプレス予約を利用し普通車指定席で往復の場合

東京都区内から	2万6140円
横浜市内から	2万5136円
名古屋市内から	9820円
広島市内から	2万660円

京都まで「EX早特21」を利用し普通車指定席で往復の場合

東京から	2万2000円
新横浜から	2万2136円

東海道・山陽新幹線の各駅発旅行者向け

パソコン、携帯電話で安く行く

エクスプレス予約

京都まで新幹線をパソコン、携帯電話を使って予約し、予約した切符を新幹線の駅で受け取るか、事前に取得したＩＣカードによるチケットレスでの改札通過ができる方式。新幹線の各種予約に利用できる。

利用にはあらかじめ会員登録が必要。https://shinkansen2.jr-central.co.jp/RSV_P/smart_new_entry_index.jsp

京都までなら、東京、新横浜から21日前までに予約を済ませると、さらにお得な「ＥＸ早特21」もある（利用席数限定）。

■注意■東京都区内、横浜市内の駅などから利用の場合は、先に目的地までの乗車券を買っておいて、新幹線の駅で特急券だけ発行してもらうのがお得（ＥＸ早特21を除く）。

■料金■上表参照。

山陽・東海道新幹線向け

九州発着の往復割引きっぷは廃止 「JR九州インターネット列車予約」を活用

長崎・佐賀・大分など九州各地発着の「京都往復割引きっぷ」や「大阪往復割引きっぷ」はコロナ禍の利用客減少により、2021年3月に廃止された。これに代わるものとして、「九州ネットきっぷ」がある。ネット限定の商品で、パソコン、スマホから座席も選ぶことができる。「JR九州インターネット列車予約」(https://train.yoyaku.jrkyushu.co.jp/)。

乗車日や列車によって値段が変動するが、例として熊本・大阪間の料金をみると、普通運賃と指定席特急料金(のぞみまたはみずほ利用・通常期)が1万9200円のところ、JQ CARD(JR九州のクレジットカード)限定の「eきっぷ」1万7080円、JQ CARD限定で3日前までの予約「e早特」1万6170円、14日前までのインターネット予約限定の「スーパー早特きっぷ」1万3100円、21日前までの予約「スーパー早特21」1万2220円。

グリーン車往復

東京・品川から	2万4000〜2万6800円
新横浜から‥	2万3600〜2万6000円
静岡から‥‥	1万9200〜2万1400円
名古屋から‥	1万2400〜1万3400円

こども料金は東京から普通車往復1万4200円

普通車往復

東京・品川から‥	2万1000〜2万3800円
新横浜から‥‥	2万600〜2万3000円
静岡から‥‥	1万5800〜1万8200円
名古屋から‥‥‥‥	8800〜1万200円

このようにさまざまな割引制度があるので、自分の旅程と照らし合わせて検討したい。

東京・横浜・静岡・名古屋発旅行者向け

時間がかかっても、安く行く 「ぷらっとこだま」

京都まで、こだま号の普通車指定席またはグリーン車を利用する旅行商品プランで、片道乗車でも利用できる。東京・品川・新横浜・静岡・浜松・名古屋駅からで、それぞれ利用できる列車は限定されているが、ほぼ1時間に1本の割合で設定されている。発売は乗車の前日まで。こだま号車内で使える、缶ジュースや缶ビールなどと交換できるクーポンがつく。

■京都まで利用できる発着駅■東京駅、品川駅、新横浜駅、静岡駅、浜松駅、名古屋駅。

■利用期間■ほかのトクトク切符にくらべ、1年中使えて便利。料金は上がるが、利用価値大。

■料金■上表参照。片道でも買え、半額。利用時期により値段が変わる。

■お得度■東京からだと、こだま号はのぞみ号より約1時間20分よけいにかかるが、のぞみ号の通常の買い方より往復で7220円～5020円安い。ひかり号とでは約1時間よけいにかかるが、往復で6600円～4400円安い。

■注意点■インターネット（ぷらっとこだま）、電話（☎03・6865・5255）、JR東海ツアーズの各支店（東京駅、新宿NSビル1F、品川駅、新横浜中央ビル2F）、JTB各支店などで、乗車前日まで購入できる。旅行商品なので駅の切符売場では購入できない。旅行会社の営業時間内に限られるので、早朝や夜間も買えない。JRの最寄り駅から新幹線に乗る駅までの運賃は別に必要。

全国発の旅行者向け

奈良交通のフリーきっぷ

バスのみ利用で奈良市内や飛鳥をめぐる

奈良交通のバスのみが乗り降り自由となり、寺社めぐりには便利。

■種類■「奈良公園・西の京 世界遺産 1-Day Pass」（図参照）、「奈良公園・西の京・法隆寺 世界遺産 1-Day Pass Wide」に明日香・室生寺・山の辺の道までエリアを広げた「奈良・大和路 2-Day Pass」の3種類を発売。定期観光バスなどは利用できない。

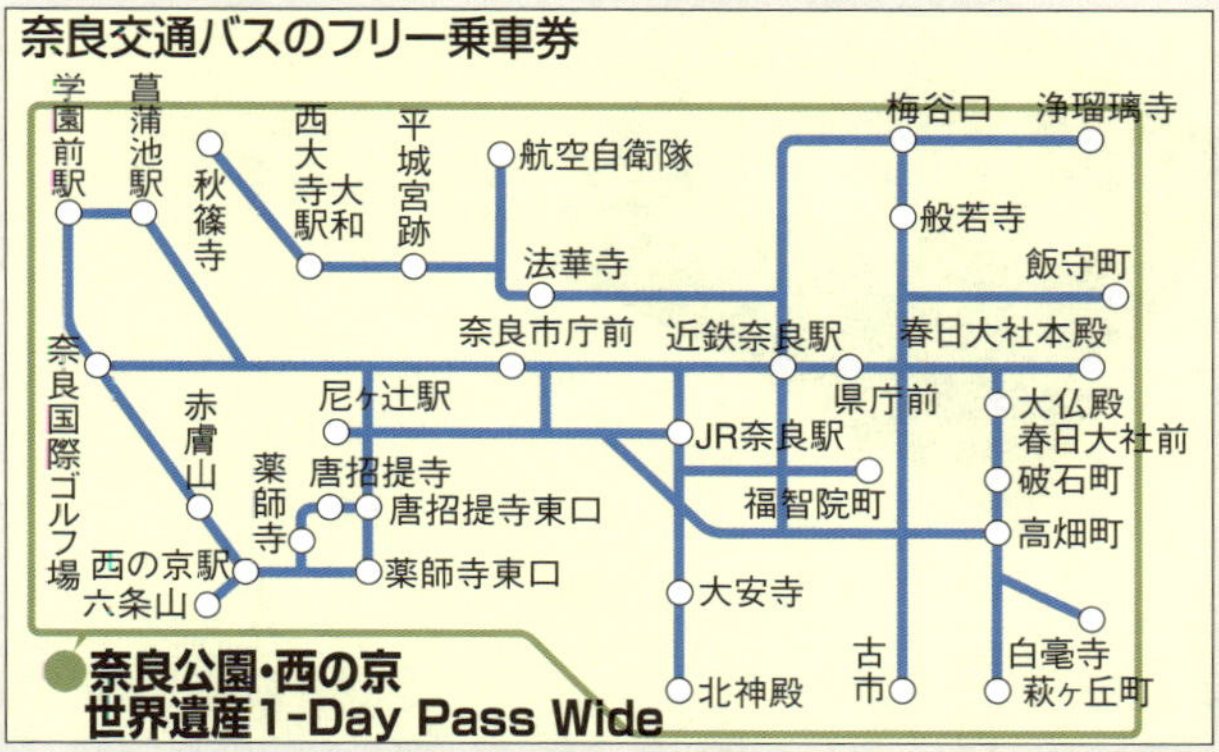

■発売場所■JR奈良、近鉄奈良、王寺、大和八木、桜井の各駅前にある奈良交通の各窓口で発売。

■お得度■狭い範囲のみ回る場合は、「奈良世界遺産フリーきっぷ」を買うより得な場合も多い。

■バスのみ乗れる別の乗車券■飛鳥エリアの主要な各所をめぐるのに便利な「明日香周遊バス1日フリー乗車券」もある。この乗車券は、近鉄橿原神宮前、飛鳥駅前、桜井駅前、明日香村観光会館、石舞台で販売。

奈良交通のフリーきっぷ料金表

奈良公園・西の京 世界遺産 1-Day Pass	500円
奈良公園・西の京・法隆寺 世界遺産 1-Day Pass Wide	1000円
奈良・大和路 2-Day Pass	1500円

熟年世代専用のお得な切符

熟年世代へ向け、お得な切符の発売や会員制の割引などがいくつか実施されている。ここでは、全国のＪＲを利用するための代表的なものふたつを紹介しよう。

最もお得な場合が多い割引制度「ジパング倶楽部」

全国のＪＲで利用できる会員制の割引。年齢条件が合えば、首都圏から京都へひかり号で行く場合などは、一番得だ。ただし新幹線のぞみ号の特急料金は割引対象外なのが残念。

■年齢条件■男性満65歳以上、女性満60歳以上、夫婦ともに入会する場合はどちらかが満65歳以上なら入会できる。

■割引内容と年会費■会員になると、ＪＲ線を合計２０１km以上（１０１km以上の往復でもいい）利用する場合、ＪＲの運賃・特急料金が3回目まで2割引、4回目から3割引となり、1年に20回まで割引が受けられる。

年会費は個人が３８４０円、夫婦６４１０円。ＪＲの主な駅や旅行センターなどにある申込書に記入し、顔写真、年齢を証明するもののコピーなどを添えて郵送する。申込みから利用できるまで、２週間程度の日数がかかる。

■お得度■東京から京都経由で奈良へ行き、奈良と法隆寺を往復して東京へ戻る場合の値段の比較はｐ．１８１の表のとおり。「ジパング倶楽部」と次に紹介する「フルムーン夫婦グリーンパス」とも、東海道新幹線ののぞみ号には使えないので、ひかり号またはこだま号で比較をしてみた。

新幹線普通車利用、グリーン車利用の場合ともほぼ「ジパング倶楽部」の利用がお得になる。1年に約3回以上旅行をする人なら、先に入会手続きだけ済ませておくことをおすすめしたい。

合計２０１km以上ＪＲ線を利用することが条件なので、奈良まで往復の場合、出発地として名古屋はもちろん明石以西の山陽本線沿線からだと割引が利用できる。

ジパング倶楽部に入会すると定期的に届く冊子。情報満載だ

■注意点■4月27日～5月6日、8月10～19日、12月28日～1月6日は割引されない。次に紹介する「フルムーン夫婦グリーンパス」などには使えないので注意。

奈良とその他の地も訪ねる長距離の旅に

「フルムーン夫婦グリーンパス」

毎年10月から翌年の6月にかけて（12月28日～1月6日・3月21日～4月5日・4月27日～5月6日を除く）JR全線が乗り降り自由となる切符。新幹線・特急のグリーン車・B寝台車が利用できる。ただし、東海道・山陽新幹線ののぞみ号、グリーン個室など利用できないものもあるので注意。

■年齢制限■ふたり合わせて満88歳以上の夫婦が一緒に旅行をすることが条件。

■料金■5・7・12日間用の3つの種類があり、ふたり合わせた料金が5日間用8万4330円、7日間用が10万4650円。12日間用13万3200円。夫婦どちらかが70歳以上だと5000円引きとなるほか、この切符の利用日にJRホテルグループに加盟している宿泊施設に泊まると、宿泊料金が割引になる特典がある。

■お得度■全国のJRが乗り放題と広い範囲で使えるものなので、東京から奈良周辺まで往復するだけでは、普通に切符を買うよりかえって割高となってしまう。奈良の帰りに、紀伊半島を一周するという旅などにおすすめしたい。年齢制限が比較的緩やかなので、夫婦が同年齢の場合、44歳から利用できる。

東京―奈良―法隆寺間 JRで往復する場合の割引・切符の比較

新幹線「ひかり・こだま号」通常期普通車指定席利用　※京都まで利用、京都から奈良・法隆寺往復は通常購入

全区間通常の買い方（東京⇔奈良往復＋奈良⇔法隆寺往復）	2万9880円	
ジパング倶楽部	2割引の場合2万3900円	3割引の場合2万910円
エクスプレス予約※	2万6580円	EX早得21※2万2440円
ぷらっとこだま※	2万2880円（グリーン車利用2万4440円）	

東京－（東海道新幹線）－京都－（JR奈良線）－奈良－（JR）－法隆寺間を往復した場合で計算。

トクトク切符の問い合わせ先

＜ジパング倶楽部＞
JR北海道、東日本 ☎050-2016-7000
JR北海道、東海 ☎052-581-0746
JR西日本 ☎0570-01-2809
JR四国 ☎087-823-6069
JR九州 ☎092-474-1643
JR東日本は9時～17時30分、JR東海、四国は10～12・13～17時、JR九州は9～12・13～17時、これ以外は10～17時のみ、土・日曜、祝日、年末年始休（JR東日本は土曜も営業）

＜ぷらっとこだま＞
JR東海ツアーズぷらっとこだま・コールセンター
☎03-6865-5255
https://www.jrtours.co.jp/

＜奈良世界遺産フリーきっぷ＞
近鉄電車テレフォンセンター
☎050-3536-3957
https://www.kintetsu.co.jp/

＜奈良交通のフリー切符＞
奈良交通お客様サービスセンター
☎0742-20-3100
https://www.narakotsu.co.jp/

名古屋・関西のほか全国発の旅行者向け

近鉄電車と大和路のバスをセット

「奈良世界遺産フリーきっぷ(奈良・斑鳩コース)」

近鉄電車の往復と、奈良での近鉄電車、奈良交通バス（定期観光バスなどを除く）がセットになっていて、1日コースと2日コース用の2種類がある。近鉄特急に乗る時は別に特急券が必要。左ページの図参照。

■出発地■切符によって発駅が異なり、発駅で近鉄電車に乗る際、目当ての切符を買うことになる。全国の主な旅行会社の主要支店でも発売。

■料金■大阪難波～鶴橋、京都発が1日コース１５３０円、2日コース２０３０円。近鉄名古屋からは2日コースのみで４６１０円。

■お得度■左図に、比較用として、通常の切符の料金も載せてみた。たとえば、京都から近鉄奈良へ通常切符での往復が１２８０円。奈良から法隆寺までバスで往復すると１５４０円。合計で２８２０円となるので、奈良世界遺産フリーきっぷの「奈良・斑鳩（1～2日）コース」を買った方が断然得だとわかる。

奈良エリアのバス路線は、奈良交通が網羅している

関西の私鉄・地下鉄沿線からの日帰り向け

奈良市内と斑鳩へ年中使えるきっぷ

「奈良・斑鳩１dayチケット」

京都、大阪、神戸などの主な私鉄と地下鉄沿線から利用でき、鉄道各社線の指定区間乗り放題と、奈良のフリー区間の近鉄電車、奈良交通バスの乗り放題がセットになった1日チケット。奈良市内と斑鳩の主な名所のほか、生駒ケーブルもフリー乗車できる。

■出発地■関西の私鉄と地下鉄沿線の各駅。

■利用期間■毎年発売され、通年利用可。詳細は各社へ問合せ。

■料金■上表参照。

■お得度■たとえば京都市営地下鉄沿線からは１７００円。日帰りの場合は、奈良世界遺産フリーきっぷの「奈良・斑鳩コース」を使うより安い。

■注意点■近鉄と奈良交通では販売していないので注意。他の各社の主な駅で発売。

「奈良・斑鳩１dayチケット」料金表

阪急沿線から	2100円
阪神沿線から	1900円
神戸高速沿線から	2100円
Osaka Metro・大阪シティバス沿線から	1850円
京都市営地下鉄沿線から	1700円
京阪沿線から	1800円
北大阪急行沿線から	1870円
大阪モノレール沿線から	2430円
神戸市営地下鉄沿線から	2500円
神戸電鉄沿線から	2700円
能勢電鉄沿線から	2400円
山陽電車沿線から	2600～2900円

近鉄の割引きっぷ フリー乗車区間と料金

●奈良世界遺産フリーきっぷ 奈良・斑鳩2日コース

大阪難波～鶴橋発	2030円
京都発	2030円
近鉄名古屋発	4610円

〈参考用：通常切符の運賃〉

大阪難波ー近鉄奈良往復	1140円
京都ー近鉄奈良往復	1280円
近鉄奈良ー法隆寺前バス片道	770円

●古代ロマン 飛鳥 日帰りきっぷ
（奈良交通片道バス券付き）

阪神沿線から	1900円
山陽電鉄（明石以東）から	2600円
山陽電鉄（全線）から	2900円
近鉄沿線（大阪方面）から	1500円
近鉄沿線（京都方面）から	2000円

フリー区間まで利用する、各私鉄の全線で1日乗降自由の特典付き。山陽電鉄の場合は通過する神戸高速、阪神電車も同様。

〈参考用：通常切符の運賃〉

神戸三宮→橿原神宮前往復	2220円
明石→橿原神宮前往復	3480円
姫路→橿原神宮前往復	4360円
大阪難波→橿原神宮前往復	1400円
京都→橿原神宮前往復	1800円
橿原神宮前駅→岡寺前バス往復	660円

●奈良世界遺産フリーきっぷ 奈良・斑鳩・吉野コース
（このページの地図全エリアのフリー区間。ただし、※印のバス停をむすぶバス路線を除く。3日間有効）

大阪難波～鶴橋・大阪阿部野橋発	3050円
京都発	3050円
近鉄名古屋発	5060円

〈参考用：通常きっぷの運賃〉

大阪難波ー吉野往復	2100円
京都ー吉野往復	2500円
近鉄名古屋ー近鉄奈良往復	4580円

観光名所を訪ねる

コースNo.／コース名／所要時間	見学コース	料金	発車時刻 上段:JR奈良駅 下段:近鉄奈良駅	運行期間
U5 **寅年の信貴山で精進料理と宝山寺・長弓寺** 約7時間35分／昼食付	寅で有名な信貴山朝護孫子寺・玉蔵院（精進料理昼食）→宝山寺→長弓寺	おとな9000円 こども6200円	9:05 9:10	3/5、6、13、14、15、27
S1 **石仏の里当尾・秘宝秘仏特別公開　岩船寺・浄瑠璃寺** 約3時間	岩船寺→浄瑠璃寺	おとな2800円 こども1320円	9:35 9:40	10/1～11/30
S4 **石奈良・紅葉の名所といえば…正暦寺・弘仁寺** 約3時間	正暦寺→弘仁寺	おとな3100円 こども1400	13:55 14:00	11/6～12/5

い合わせ先：奈良交通総合予約センター☎0742-22-5110

各コースとも全席指定、拝観料、入園料、消費税含む。

連続で2コース以上予約した場合、2コース目以降の料金が割引になる（連続乗車割引）。

各コース内容は2021年後期の例。コース運行の有無を含め、最新情報と詳細は電話で問い合わせ、または奈良交通ホームページで。

予約は3カ月前から。近鉄主要駅、全国主要旅行代理店、インターネット予約などで受付。

奈良では、近鉄奈良駅前（p.37図）またはJR奈良駅2階（p.36図）の定期観光バス案内所へ。

新型コロナウイルス感染症拡大の影響で運休のコースがあるので事前に確認を。

夜間や季節のコースも魅力
時間を効率的に使う

世界遺産を含む名所など、奈良の主要な観光ポイントは各地に分散している。鉄道、バス、タクシーなどの公共交通機関は整備されているので、それらを組み合わせてのアクセスももちろん可能だが、おすすめは定期観光バス。特に、奈良初心者や主要な名所をザックリと見たい人には利便性が高い。

運行している奈良交通では、世界遺産が集中する奈良公園、西の京を中心した各種コースが充実している。また、夜間にライトアップが行なわれている寺社旧跡をめぐるコースや、季節の花が見どころの名所をめぐるコースなども用意されている。コース設定は時期により変わることがあるので、利用の際は電話やウェブサイトで事前に確認したい。

なお、3～4人のグループで観光する人は、観光タクシーを利用した方が料金的に変わらない場合もあるので、比較検討してみよう。観光タクシー p.44参照。

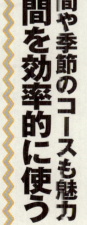

定期観光バスで

	コースNo.／コース名／所要時間	見学コース	料金	発車時刻 上段：JR奈良駅 下段：近鉄奈良駅	運行期間
レギュラーコース	R1 **奈良公園３名所と若草山** 約４時間10分	東大寺（南大門・大仏殿）～春日大社（境内・国宝殿）～興福寺（境内・猿沢池）～若草山山頂	おとな4800円 こども2650円	9:20 9:25	毎日
	R2 **法隆寺・西ノ京** 約７時間	法隆寺（西院伽藍・夢殿）～中宮寺～昼食（30分）～慈光院（抹茶と菓子）～薬師寺～唐招提寺～平城宮・朱雀門（車窓）	おとな8000円 (7200円) こども3720円 (3470円)	9:55 10:00	毎日
	R3 **大神神社 明日香** 約7時間40分／昼食付	大神神社～石舞台古墳～昼食（夢想庵）～キトラ古墳壁画体験館「四神の館」～橘寺（散華付）～飛鳥寺	おとな7300円 こども4500円	9:10 9:15	4/2～5/31の 日、6/2～30お び9/6～29の 土・日曜、祝 5/1は運休
クイックコース	Q1 **奈良公園３名所** 約３時間10分	東大寺（南大門・大仏殿）～春日大社（境内・国宝殿）～興福寺（境内・猿沢池）～現地解散	おとな3800円 こども2130円	9:20 9:25	毎日
	Q2 **斑鳩ゆうゆうバスライン** 約2時間50分	法隆寺（西院伽藍・夢殿）～中宮寺～現地解散（12:40頃）	おとな3800円 こども2020円	9:55 10:00	毎日
	Q3 **山の辺 明日香ゆうゆうバスライン** 約３時間	大神神社～石舞台古墳～解散（12:15頃）後自由散策	おとな3300円 こども2100円	9:10 9:15	4/2～5/31の 日、6/2～30お び9/6～29の 土・日曜、祝 5/1は運休
季節限定コース	U4 **奈良の酒蔵ご酒印巡り　第三弾** 午前出発の１日コース（うまし冬めぐり特別コース） 約7時間20分／昼食付	天理・稲田酒造→昼食（桜井駅前の千宝）→聖林寺（子安延命地蔵）→桜井・西内酒造→葛城・梅の宿酒造	おとな8650円 こども6030円	9:40 9:45	2/11～3/31
	U6 **奈良大和四寺巡礼** 約9時間35分／昼食付	安倍文殊院→岡寺→昼食（橋本屋で山菜料理）→室生寺→長谷寺	おとな9650円 こども7080円	8:15 8:20	3/11、12、2 26

薬師寺

東大寺

春日大社

興福寺

祭り・行事

開催日	名称	内容	会場／問合せ先
5月19日	うちわまき	鎌倉時代の高僧の徳を偲ぶ中興忌梵網会のあとに、参拝者に向けてうちわがまかれる。p.112	唐招提寺●奈良市 ☎0742・33・7900
5月第3金・土曜	薪御能	薪能の原型ともいわれ、篝火のもとで能と狂言が奉納される。p.60、65	興福寺、春日大社●奈良市 ☎0742・27・2223（奈良市観光センター）
6月6日	開山忌舎利会	鑑真和上の命日に徳を讃え、冥福を祈る。5～7日に鑑真和上像を開扉。p.112	唐招提寺●奈良市 ☎0742・33・7900
6月17日	三枝祭（ゆりまつり）	ユリを酒樽に入れて供え、ユリを手にした巫女が舞いを奉納する。地図p.49-J	率川神社●奈良市 ☎0742・22・0832
6月23日	竹供養（癌封じささ酒夏祭り）	がん封じの祈祷が行なわれ、笹酒がふるまわれる。午後は竹供養の行事。地図p.33-J	大安寺●奈良市 ☎0742・61・6312
7月3日	毘沙門天王御出現大祭	毘沙門天の降臨を記念する大祭。百味のお供えや徹夜詣りが行なわれる。地図p.8-D	信貴山朝護孫子寺●平群町 ☎0745・72・2277
7月7日	蛙飛び行事（蓮華会）	カエルにされた男を法力で人間に戻すというユニークな儀式。p.167	金峯山寺●吉野町 ☎0746・32・8371
8月7日	大仏さまお身拭い	白装束の僧侶たちが大仏さまの身を清める、年に一度の儀式。p.54	東大寺●奈良市 ☎0742・22・5511
8月15日	万灯供養会	大仏に灯火を供え、諸霊の供養を行なう。大仏殿の中門が開かれ、無料拝観できる。p.54	東大寺●奈良市 ☎0742・22・5511
8月15日	大文字送り火	宇宙を意味する「大」の火は、数々の煩悩を焼き尽くしてくれるという。地図p.8-C	飛火野・高円山●奈良市 ☎0742・27・2223（奈良市観光センター）
8月15日	吉野川祭り	灯篭流しや花火が行なわれ、吉野川の川原が見物人でにぎわう。地図p.166	吉野川●五條市☎0747・22・4001（五條市企業観光戦略課）
8月23・24日	地蔵会	石仏が林立する境内浮図田で万燈供養が行なわれ、毎年参拝客で賑わう。p.77	元興寺●奈良市 ☎0742・23・1377
9・10月中秋の名月の日	采女祭	帝の寵愛を失って猿沢池に入水したという采女の霊をなぐさめるための祭事。地図p.48-K	采女神社●奈良市 ☎0742・27・2223（奈良市観光センター）
9・10月中秋の名月の日	観月讃仏会	御影堂の庭園が開放され、月見とともに、唐招提寺金堂の扉が特別に開かれる。p.112	唐招提寺●奈良市 ☎0742・33・7900
10月第１土曜	塔影能	ライトアップされた五重塔をバックに、東金堂で能狂言が奉納される。p.64	興福寺東金堂●奈良市 ☎0742-22-7755
10月8日	翁舞	能狂言の歴史を探る鍵ともいわれる伝統の舞い。重要無形民俗文化財。地図p.32-D	奈良豆比古神社●奈良市 ☎0742・23・1025
10月体育の日の前の土・日曜	往馬大社火祭り	古くからの火の神様。松明を手に石段を下り、広場を駆けめぐる勇壮な祭事。地図p.8-A	往馬大社●生駒市 ☎0743・77・8001
10月体育の日の3連休	鹿の角きり	奈良の秋を代表する風物詩。奈良公園の雄鹿を集めてのこぎりで角を切る。地図p.50-K	奈良公園鹿苑●奈良市 ☎0742・22・2388（奈良の鹿愛護会）
11月3日	柴燈護摩供火渡り大祈願会	無病息災を願って焚き火の上を裸足で歩く「火渡り」は見物客も参加可能。地図p.8-D	信貴山朝護孫子寺●平群町 ☎0745・72・2277
11月14日	醸造安全祈願祭（酒まつり）	酒の神でもある大物主神や少彦名神を讃え、酒造りに感謝する祭事。p.154	大神神社●桜井市 ☎0744・42・6633
12月15～18日	春日若宮おん祭	時代行列が練り歩き、神楽や田楽などが奉納される。国の重要無形民俗文化財。p.65	春日大社●奈良市 ☎0742・22・7788
12月29日	お身拭い	朝から餅つきを行ない、その際に使用した湯で、薬師如来などを拭き清める。p.110	薬師寺●奈良市 ☎0742・33・6001

p.○○は参照記事ページもしくは地図ページを示しています。
祭り・行事の日程は年によって変更の場合もあるので事前に確認してください。

奈良の

開催日	名称	内容	会場／問合せ先
1月1日	繞道祭 （ご神火まつり）	年中行事のトップをきって催される壮大な火祭。午前1時〜。p.154	大神神社●桜井市 ☎0744・42・6633
1月初寅の日	初寅大法要	信貴山に毘沙門天王が降臨したという言い伝えをもとに行なわれる行事。地図p.8-D	信貴山朝護孫子寺●平群町 ☎0745・72・2277
1月14日	陀々堂の 鬼はしり	500年の伝統を誇る火祭事。鬼が持つ松明の火の粉が福を呼ぶといわれる。地図p.166	念仏寺●五條市 ☎0747・22・4001(五條市企業観光戦略
1月14日	吉祥草寺 茅原大とんど	正月のしめ縄などを燃やすのが「とんど」。茅原のものは大がかりで有名。地図p.9-K	吉祥草寺●御所市 ☎0745・62・3472
1月第4土曜	若草山焼き	標高約350ｍの若草山に火を放ち、山肌の芝を焼く「火の祭典」。p.59	若草山●奈良市 ☎0742・27・8677(奈良県奈良公
2月節分の日／ 8月14、15日	節分万燈籠	春日大社の境内、ずらりと並ぶ約3000の灯籠に火が入れられ、幻想的な光景。p.65	春日大社●奈良市 ☎0742・22・7788
2月3日	鬼追い式 （追儺会）	東金堂で暴れ回る6匹の鬼を毘沙門天が退治し、そのあと豆まきが行なわれる。p.60	興福寺●奈良市 ☎0742・22・7755
2月第1日曜	おんだ祭	古い伝統をもつ奇祭。五穀豊穣や子孫繁栄を祈って行なわれる。地図p.134-D	飛鳥坐神社●明日香村 ☎0744・54・2071
2月14日	だだおし	松明を手に暴れる鬼を、閻魔大王の檀拏印を押した牛玉札で追い払い、無病息災を祈願。p.155	長谷寺●桜井市 ☎0744・47・7001
3月1〜14日	修二会（本行） （お水取り）	東大寺の法要で、大松明の乱舞や水くみの儀式が行なわれる。p.56	東大寺●奈良市 ☎0742・22・5511
3月13日	春日祭（申祭）	春日大社の例祭。昔のままの儀式が平安王朝の絵巻物のように展開される。p.65	春日大社●奈良市 ☎0742・22・7788
3月15日	御田植祭 （御田植神事）	田植えの仕草をし、豊作を祈る、平安時代末期からの由緒正しい農耕祭。p.65	春日大社●奈良市 ☎0742・22・7788
3月22〜24日	お会式	聖徳太子の精霊祭。太子の像を祭る聖霊院で法要が営まれる。p.122	法隆寺●斑鳩町 ☎0745・75・2555
3月21日	筆まつり	毛筆の祖・菅原道真に感謝し、書道の発展を祈念する。地図p.33-E	菅原天満宮●奈良市 ☎0742・45・3576
3月25〜31日	花会式（修二会）	境内には季節の花が咲き、金堂の薬師如来は梅や桃などの献花で飾られる。p.110	薬師寺●奈良市 ☎0742・33・6001
4月1日	ちゃんちゃん祭り お渡り（神幸祭）	大和神社の大祭。宮司や氏子が数百ｍの行列を作り、鉦を鳴らしながら進む。地図p.151-B	大和神社●天理市 ☎0743・66・0044
4月3日	神武天皇祭	地元では「神武さん」と親しまれる神武天皇を祭る、橿原神宮の春の祭典。p.147	橿原神宮●橿原市 ☎0744・22・3271
4月8日	おたいまつ （修二会）	本尊の薬師如来を讃え、厄除けなどを祈願する。夜は大松明が灯される。p.72	新薬師寺●奈良市 ☎0742・22・3736
4月10〜12日	花供懺法会・ 花供会式	吉野山は桜のまっさかり。山伏の行列が竹林院から下千本まで進む。p.167	金峯山寺●吉野町 ☎0746・32・8371
4月14日	當麻寺 練供養会式	浄瑠璃などにも登場する中将姫が、観音菩薩に救われるさまを再現する儀式。p.163	當麻寺●葛城市 ☎0745・48・2001(中之坊)
4月第2日曜とその前日の土曜／10月第2日曜	大茶盛式	鎌倉時代からの歴史をもつ大茶会。直径約30cmの大茶碗で茶を喫する。p.113	西大寺●奈良市 ☎0742・45・4700
4月29日／ 11月3日	談山神社 けまり祭	藤原鎌足と中大兄皇子が蹴鞠をした故事にちなみ、烏帽子姿の演者が鞠を蹴る。p.161	談山神社●桜井市 ☎0744・49・0001
5月5日	子供の日 萬葉雅楽会	萬葉植物園内の池の中にある島に舞台が組まれ、雅楽や舞いが演じられる。p.67	春日大社●奈良市 ☎0742・22・7788

主要さくいん

ブルーガイド

てくてく歩き

制作スタッフ

取材・執筆・編集	菊地信行 （株式会社メディアエナジー） 藤谷美由子　山崎 彩　伏見友文 種村ひかり　大澤朋子　羽根則子 青山 誠　荒井ちーず　山下敦子 古川理恵子 有限会社ワイ・ワン・ワイ
写真	藤井金治　辻野 済　山崎 彩 株式会社メディアエナジー
写真提供	飛鳥園 奈良国立博物館 奈良市観光協会 財団法人飛鳥保存財団 奈良文化財研究所
編集協力	株式会社 千秋社 舟橋新作 高砂雄吾（有限会社 ハイフォン）
カバーデザイン	寄藤文平＋鈴木千佳子（文平銀座）
カバーイラスト	鈴木千佳子
本文イラスト	市川興一
本文デザイン	道信勝彦＋工藤亜矢子（オムデザイン）
地図制作	株式会社 千秋社 オゾングラフィックス
バス路線早見MAP制作	株式会社チューブグラフィックス
Special thanks to	奈良県ビジターズビューロー 奈良県地域振興部観光局　近畿日本鉄道 奈良交通　奈良国立博物館 奈良文化財研究所 奈良市観光戦略課・奈良町にぎわい課 奈良市観光協会

本書のご利用にあたって

新型コロナウイルス（COVID-19）感染症への対応のため、本書の調査・刊行後に、予告なく各宿泊施設・店舗・観光スポット・交通機関等の営業形態や対応が大きく変わる可能性があります。必ず事前にご確認の上、ご利用くださいますようお願いいたします。

ブルーガイド　てくてく歩《ある》き

大《おお》きな文字《もじ》で読《よ》みやすい
奈《な》良《ら》ゆとりの旅《たび》

2022年4月10日 第9版第1刷発行
2023年4月25日 第9版第2刷発行

編　集	ブルーガイド編集部
発行者	岩野裕一
印刷・製本所	大日本印刷株式会社
DTP	株式会社千秋社
発行所	株式会社実業之日本社 〒107-0062 東京都港区南青山6-6-22 emergence 2
電話	編集・広告　03-6809-0452 販売　03-6809-0495 https://www.j-n.co.jp/

●本書の地図の作成に当たっては、国土地理院長の承認を得て、同院発行の20万分の1地勢図、5万分の1地形図、2万5千分の1地形図、1万分の1地形図および数値地図50mメッシュ(標高)を使用しました。
（承認番号 平14総使、第182号）

ISBN978-4-408-05765-1（第二BG）